Retrouvailles en Louisiane

JoAnn Ross

Blue Bayou

Retrouvailles en Louisiane

Traduit de l'américain
par Béatrice Pierre

Titre original :

BLUE BAYOU
Pocket Books, New York

Pour Christy Marchand,
qui m'a emmenée à Nottaway.
Pour Jay et Patrick,
avec qui j'ai passé de si bons moments.
Et pour Marisa et Parker Ryan Ross,
les lagniappe *de ma vie.*

1

La pleine lune planait sur le bayou. Un alligator traversa lentement l'eau sombre, ses yeux jaunes brillant comme des phares.

Assis sur la véranda de la grande maison délabrée, Jack Callahan vidait consciencieusement une bouteille de whisky sans en tirer le moindre réconfort. La journée avait été chaude et moite, et une odeur entêtante de jasmin flottait dans l'air humide. Une pluie fine se mit à tomber, annonçant l'orage dont les nuages se rassemblaient au-dessus du golfe du Mexique. Jack songeait à une nuit d'autrefois, lorsque Beau Soleil ressemblait à une énorme pièce montée. Musique, guirlandes électriques, chandelles plantées dans de faux nénuphars sur la surface turquoise de la piscine... Une nuit de fête.

Des serveurs en vestes blanches circulaient parmi les invités, leur proposant des cocktails et des coupes de champagne, tandis que dansaient de ravissantes jeunes filles dont les robes en tulle ou taffetas découvraient les épaules bronzées et les jambes longues et fines. Des beautés que Danielle Dupree éclipsait toutes.

Danielle... Jack porta la bouteille à ses lèvres. l'alcool lui brûla la gorge, mais ce feu-là n'était rien en comparaison de l'incendie que déclenchait toujours en lui le souvenir de cette nuit. Quel imbécile il faisait ! Malgré les années, il pensait encore à Danielle. Ce n'était pourtant pas faute de se l'être interdit.

— Mais tu n'as jamais su suivre tes propres conseils, marmonna-t-il.

À aucun âge le célibat n'est facile. Mais pour un garçon de dix-huit ans qui revenait d'un séjour de neuf mois dans une maison de redressement, rester chaste était quasiment impossible. Surtout si la fille qu'il convoitait commettait la folie de partager son désir.

Ces journées de folie et ces nuits de feu avaient constitué, selon l'expression imagée de son père, un festival de conneries. Il n'avait peut-être pas fini dans le quartier des condamnés à mort du pénitencier d'Angola, ainsi que l'en avait menacé le juge Dupree, mais il était bel et bien allé en enfer, comme tant de gens du pays l'avaient prédit.

Mais ces mêmes gens, désormais, ne voyaient plus en lui le démon de Blue Bayou. Le *Cajun Clarion* avait même cité le *New York Times*, qui lui faisait l'honneur de le comparer à Joseph Wambaugh[1]. Grâce aux grands pontes de Hollywood, qui jetaient l'argent comme des confettis, Jack avait pu s'offrir le joyau des demeures de la région. Certes, pour l'instant, Beau Soleil était loin de ressembler à un

1. Ex-policier devenu écrivain (*N.d.T.*).

joyau, mais Jack savait qu'il ne fallait pas se fier à l'apparence extérieure.

Ses années de lutte contre la drogue avaient fait de lui un véritable caméléon, capable de passer d'une soirée à Beverly Hills à une ruelle de Tijuana. Il lui suffisait ensuite de changer de vêtements et de vocabulaire pour se joindre à un groupe de surfeurs, tendre un piège à un trafiquant et l'arrêter sous la jetée de Huntington Beach.

Lui-même n'avait guère changé depuis ses années d'agent de la brigade des stupéfiants. Sa queue-de-cheval et sa boucle d'oreille en or lui rappelaient jour après jour qu'il était vain de vouloir oublier le passé. Mais personne n'aurait pu soupçonner l'existence des multiples personnages qui hantaient sa mémoire – trafiquants de drogue, prostituées prêtes à n'importe quoi pour s'acheter leur dose quotidienne, flics pourris et gosses au regard dur qui avaient perdu leur innocence bien avant leurs dents de lait.

Des scènes de son passé lui traversaient l'esprit comme des bandes-annonces de films : un bébé de neuf mois tué dans son landau lors d'une fusillade à El Paso, le corps décharné et sans vie d'une prostituée de Guadalajara au nez encore humide d'avoir sniffé de la cocaïne, une fillette de Las Vegas vendue par sa mère à un gang de motards en échange d'un week-end d'amphétamines et d'héroïne.

Et si ces souvenirs ne suffisaient pas à le déprimer, il pouvait encore faire appel à ses propres exploits et revoir la tache de sang qui s'épanouissait comme un bouquet de coquelicots sur une chemise de nuit en soie blanche.

Encore aujourd'hui, cette image provoquait un élan de remords qui le déchirait comme une lamc de rasoir. « Ne t'implique pas personnellement », prescrivait la règle numéro un de la profession. Il l'avait enfreinte une fois, une seule fois, et les conséquences avaient été fatales. Savoir qu'il avait failli perdre la vie dans cette opération n'apaisait pas sa conscience.

— Vous n'aviez pas le choix, lui avaient dit les enquêteurs lorsqu'il était sorti de l'hôpital.

Mais ils se trompaient. Jack savait qu'il s'était planté. Complètement planté.

Durant ces années passées à la brigade des stupéfiants, il avait appris à vivre dans l'instant, talent indispensable lorsque votre vie peut s'interrompre violemment à tout moment. Les activités clandestines qu'il menait partout dans le monde étaient aussi dangereuses que secrètes et, une fois qu'il était venu à bout de sa mission, il en occultait les aspects les plus répugnants et se débarrassait de l'identité qu'il avait endossée pour l'occasion. Puis il passait à autre chose.

Ses méthodes peu catholiques rebutaient ses collègues. Certains le trouvaient fou. D'autres le traitaient de cow-boy téméraire. D'autres encore refusaient de travailler avec un type qu'ils considéraient comme un candidat au suicide.

Jack se fichait éperdument de leur opinion. Jusqu'au jour où, devant un cercueil recouvert du drapeau américain, il avait soutenu la veuve éplorée de son équipier.

Dès le lendemain, il avait rendu à ses supérieurs son badge et son semi-automatique Glock. Renonçant à un salaire assuré et à une pension dont une mort prématurée l'aurait de toute façon privé, il s'était retiré dans la solitude brumeuse et tapissée de mousse du bayou. Là, au moins, il n'avait plus à craindre que, dans le feu de l'action, une pointe d'accent cajun ne détruise sa couverture.

C'est alors qu'il s'était rendu compte qu'en jouant la comédie durant des années, il avait non seulement perdu son âme, mais aussi son identité.

Les trois premiers mois qui avaient suivi sa démission s'étaient écoulés dans un brouillard épais et alcoolisé d'où émergeait un seul souvenir : la nuit où il s'était retrouvé errant à bord de sa barque, le canon d'un 38 dans la bouche.

Il aurait été sacrément facile d'appuyer sur la détente. Trop facile, avait-il décidé en jetant le revolver à l'eau. L'enfant de chœur idéaliste qui confessait ses fautes tous les samedis après-midi à l'église de Blue Bayou l'habitait encore et exigeait de lui qu'il expie ses péchés d'adulte.

Peu après, à la suite d'une cuite de trois jours, Jack avait pris un vieux cahier d'écolier caché sous une latte du plancher et avait commencé à écrire. Au bout d'une semaine, il avait compris que, s'il lui était impossible de détruire ses fantômes, il pouvait au moins les neutraliser par l'écriture.

Le cahier rempli, il était allé en ville et avait acheté une vieille machine à écrire mécanique – solution préférable à un ordinateur, les coupures de courant étant fréquentes dans le marais – et plusieurs rames de papier. De retour chez lui, il s'était remis au travail et, les mots jaillissant de blessures trop longtemps ignorées, il avait écrit comme un possédé.

Les choses en seraient probablement restées là si un ami, inquiet pour sa santé, ne s'était aventuré dans le marais. Aussi inerte que le mort qu'il avait voulu être autrefois, Jack dormait à poings fermés, et des feuilles s'empilaient sur chaque surface plane de la cabane. Son ami en avait lu quelques-unes et, lorsque Jack s'était réveillé, lui avait proposé de les envoyer à un agent littéraire new-yorkais qu'il connaissait.

Trois mois plus tard, un coup de fil avait bouleversé la vie de Jack : son premier roman, qui contait les mésaventures d'un agent alcoolique et suicidaire de la brigade des stupéfiants, avait été vendu. Dix-huit mois plus tard, *Le Marchand de mort* était un best-seller.

Ses gains lui ayant permis d'acheter Beau Soleil, il occupait à présent ses journées à manier tenaille, marteau et hache, à faucher les broussailles qui menaçaient d'étouffer la maison, à dégager les fondations croulantes, à arracher les bardeaux pourris.

Lorsque l'obscurité interrompait ce travail, il s'asseyait devant son ordinateur portable passait une partie de la nuit à faire revivre les événements violents de son passé, qui avaient, à sa grande surprise, trouvé une audience internationale.

Il aurait dû être enfin heureux, mais depuis qu'il s'était installé dans la garçonnière de la propriété, bâtie pour abriter les frasques des jeunes messieurs de la plantation, il était hanté par des souvenirs aussi tenaces que les filaments de mousse espagnole qui drapaient les cyprès.

Un juron hargneux lui échappa, auquel répondit un gémissement. Il tourna la tête et aperçut une chienne sous les vieux chênes. Elle était aussi grande qu'un poulain, ses côtes saillaient, ses poils avaient la couleur de la paille souillée et une vilaine blessure suintait sur sa gueule.

— Toi et moi, nous avons au moins un point commun, on dirait. Nous sommes tous les deux des paumés du bayou.

Encouragée par la voix humaine, la chienne grimpa les marches de la véranda et darda sur Jack un regard chocolat plein d'espoir.

— Seigneur, tu n'es vraiment pas belle ! Et en plus, tu dois être couverte de puces.

Elle se coucha à ses pieds, sans le quitter des yeux.

— Tu veux quelque chose ?

La queue battit le plancher.

— À manger ?

Manifestement, il avait prononcé le mot magique. La queue frétilla de plus belle, révélant une nature remarquablement optimiste pour un animal que la vie n'avait visiblement pas gâté.

— Tu peux rester là cette nuit. Mais sache que je n'ai pas l'intention d'entamer une relation durable.

Plusieurs aboiements lui répondirent, ponctués de battements de queue expressifs.

Jack se leva, descendit les marches et se dirigea vers la garçonnière. Les coquilles d'huîtres concassées qui recouvraient l'allée crissèrent sous ses pas. Le nez collé à sa jambe, la chienne le suivit.

Le contenu du réfrigérateur n'était pas encourageant.

— Nous avons deux packs de bières, un demi-carton de lait dont je ne garantis pas la fraîcheur et un truc verdâtre qui a dû être du fromage.

Il en était toujours ainsi lorsqu'il écrivait : il oubliait de dormir, de manger, de se doucher, de se raser. La planète aurait pu voler en éclats qu'il ne s'en serait rendu compte que si son ordinateur portable s'était éteint faute de courant.

La chienne émit un bref aboiement signifiant qu'elle était prête à courir le risque.

— Attends une minute, dit Jack en repérant un plat derrière les bières.

Il le renifla et tenta de se souvenir de quand il datait.

— Tu aimes le *jambalaya* aux écrevisses ?

La chienne aboya de nouveau, en sautillant sur place. Ses ongles griffèrent le plancher en cyprès.

— J'imagine que cette agitation veut dire oui.

Lorsque son invitée surprise eut avalé le riz et les écrevisses, Jack tamponna sa plaie avec un coton imprégné d'eau oxygénée. La chienne endura stoïquement ces soins, en fixant sur lui de grands yeux confiants.

— Ne te monte pas la tête. Parce que demain, toi et moi, nous irons faire un petit tour au refuge pour animaux.

La chienne repue et soignée, il posa un pack de bières sur la table de la cuisine et se remit au travail. Les souvenirs du bal de Danielle avaient réveillé sa muse.

Et si le vieux trafiquant de drogue avait une fille ? se demanda-t-il en ouvrant une canette. Une jeune femme aussi inaccessible qu'une étoile ? Une femme vers laquelle le flic alcoolique, qui essayait d'arrêter son père, était inexorablement attiré, tout en sachant que cela tenait du suicide ?

Lorsque l'aube teinta l'horizon de mauve, il avait terminé le pack de bières et le cendrier en céramique débordait de mégots, mais de nouvelles scènes avaient défilé sur l'écran de l'ordinateur. Il les sauvegarda et alla s'écrouler sur le lit défait de la pièce voisine. Il sombrait déjà dans le sommeil lorsque la chienne le rejoignit et s'étendit au pied du lit avec un soupir de satisfaction.

Danielle Dupree avait toujours cru aux contes de fées. Et pourquoi pas ? Après tout, n'avait-elle pas été élevée comme une princesse dans la maison aux colonnes blanches d'une plantation ? Et même après que Jack Callahan, le mauvais garçon de Blue Bayou, lui avait brisé le cœur, elle avait continué à croire aux dénouements heureux.

Le seul problème des contes de fées, se dit-elle tandis qu'elle transportait jusqu'à son break Volvo un gros carton de livres, c'était qu'ils ne prévenaient pas les petites filles impressionnables qu'après quelques années sur la route du bonheur, le prince charmant pouvait décider de s'installer dans un autre château avec une autre princesse, laquelle, issue de la célèbre université de Vassar, lui paraissait plus apte que la première à l'aider à accéder au trône. Ils ne prédisaient pas non plus l'accident stupide qui allait punir le traître.

Un mois s'était écoulé depuis la mort de Lowell, mais Dani avait encore du mal à admettre qu'elle était veuve, alors qu'elle s'était attendue à être divorcée.

Personne ne méritait de recevoir un piano sur la tête, mais Dani trouvait plutôt ironique que Lowell ait été tué par le Steinway blanc de sa fiancée – les câbles qui montaient le piano jusqu'au nouvel appartement de son mari et de sa compagne, au cinquième étage, s'étaient rompus.

Dani était, bien sûr, désolée que le père de son fils soit mort. Néanmoins, elle n'avait pas éprouvé un grand sentiment de perte. En tout cas, elle avait été beaucoup moins choquée que dix-neuf mois plus tôt, lorsqu'un journaliste du *Washington Post* l'avait appelée pour lui conseiller d'allumer la télévision.

Les yeux rivés sur la conférence de presse que donnait le député Lowell Dupree – dans l'immeuble du Watergate où, visiblement, il avait loué un charmant petit nid d'amour –, Dani avait eu la surprise d'entendre son mari annoncer au monde entier qu'il divorçait.

Puisqu'il paraissait si pressé de vivre avec une autre femme, Dani n'avait pas compris pourquoi il avait fait traîner la procédure de divorce pendant dix-huit mois en discutant sur des points de détail, en interrompant le versement de la pension alimentaire de leur enfant et en refusant à l'avocat de la partie adverse tout accès à ses comptes.

Elle en avait eu l'explication après sa mort : Lowell avait follement misé sur la haute technologie et Internet, et le krach boursier l'avait plongé dans un abîme de dettes.

— M'man, je trouve pas ma collection de petites voitures.

— Je l'ai emballée dans le carton qui a des autocollants orange.

Matt, son fils de huit ans, était un supporter acharné des Orioles, aussi avait-elle assigné à ses affaires personnelles la couleur du célèbre club de base-ball de Baltimore. Pour les siennes, elle avait choisi le rouge, censé insuffler force et courage, ce dont elle avait grandement besoin.

— J'avais oublié. Excuse-moi, m'man.

— Je t'en prie, chéri, dit-elle en rayant de sa liste le carton de livres.

Satisfaite d'avoir évité une crise, Dani rentra dans la maison et ôta les draps du grand lit dans lequel, curieusement, elle n'avait pas souffert de dormir seule.

Trois heures plus tard, la maison était vide et son fils l'attendait, assis sur la banquette arrière du break.

— Ça fait drôle de pas aller à l'école, dit Matt.

— Dans quelques jours, tu iras dans ta nouvelle école.

Elle tourna au coin de la rue, et la maison en brique de sa vie antérieure disparut du rétroviseur.

— Aujourd'hui, nous rentrons chez nous, ajouta-t-elle.

2

L'aube se levait, chaude et humide. Un geai accueillait en chantant les premières lueurs du jour, et le bourdonnement éloigné d'un hors-bord pénétrait par la fenêtre ouverte. Un souffle sur sa nuque réveilla Jack en sursaut.

Jadis, l'adrénaline l'aurait fait bondir du lit et saisir son arme. Les circonstances ne l'exigeant plus, il s'efforça de réfléchir.

Quelle quantité d'alcool avait-il ingurgitée ? Il y avait eu autrefois des matins où il s'était réveillé à côté d'une inconnue sans se rappeler les étapes précédentes. Visiblement, aujourd'hui, ce n'était pas le cas.

Il s'échinait sur son nouveau roman depuis une semaine. Les ouvriers qui rénovaient la grande maison avaient reçu l'ordre de ne le déranger qu'en cas d'incendie ou de blessure grave. Ainsi isolé du monde extérieur, il s'était remis à guerroyer avec ses personnages.

La veille, il avait fait une pause, se souvint-il, et était allé voir où en étaient les travaux. Satisfait, il s'était assis sur la véranda et avait pensé à Danielle. Lourde erreur, mais inévitable puisqu'il se trouvait chez elle.

La lune était pleine, se rappela-t-il, il y avait des nuages au-dessus du golfe du Mexique, des grenouilles taureaux coassaient... Et une chienne avait surgi.

Il tourna la tête, que quelque intrus pervers avait fendue d'un coup de hache pendant son sommeil, et se retrouva face à deux yeux sombres emplis d'adoration.

— Ne me raconte pas d'histoires. Je sais très bien que je ne t'ai pas invitée dans mon lit.

Aucunement démonté par son ton hostile, l'animal étira sa carcasse maigre et embrassa Jack d'un grand coup de langue.

Il eut l'impression d'avoir avalé toute la boue du delta du Mississippi et s'essuya la bouche du revers de la main.

— Ta maman ne t'a jamais dit qu'il ne fallait pas s'introduire dans le lit des inconnus ?

La chienne agita la queue avec enthousiasme. Jack se demanda combien de puces elle avait dispersées dans ses draps.

Il se glissa hors du lit en grognant et, en s'appuyant d'une main sur le mur, se traîna dans la salle de bains. Le visage que lui renvoya la glace avait des yeux striés de veinules rouges comme une carte routière de Louisiane. Il frotta son menton hérissé de poils noirs.

— Avec ta tête de loup-garou, tu ferais mieux d'écrire des histoires d'horreur, marmonna-t-il.

Le whisky, la bière et la nicotine suintaient de tous ses pores. L'espace d'un instant, il eut envie de faire partager sa douche à la chienne, qui en avait grand besoin. Puis il se dit qu'on la laverait sûrement au refuge où il comptait la déposer.

La petite salle de bains s'emplit de buée, et l'eau chaude balaya les poisons hors de son corps douloureux. Son cerveau se remit à fonctionner, et il songea à son livre. Lorsqu'il s'était jeté sur son lit, la fille du trafiquant de drogue avait commencé à tisser sa toile autour de l'agent de la brigade des stupéfiants, et l'intrigue était repartie. À présent, tout irait comme sur des roulettes.

Dommage qu'il ne puisse pas finir ce bouquin. Car, vu son état actuel, il mourrait sûrement avant midi.

Les ouvriers étaient déjà arrivés, et leurs coups de marteau éveillaient des échos douloureux dans la tête de Jack. Il ouvrit la porte-moustiquaire pour que la chienne puisse sortir, et le grincement des gonds qu'il omettait de graisser depuis des semaines le fit gémir.

— Heureusement que tu es propre… Enfin, sur ce plan-là, dit-il en regardant l'animal faire ses besoins au pied d'un chêne. On te trouvera plus facilement une famille adoptive.

Il avala trois aspirines avec un grand verre d'eau et mit la cafetière en route. Le liquide noir s'égouttait avec une lenteur insupportable lorsque, tel un pic à glace, un aboiement strident se planta dans la partie la plus délicate de son cerveau.

— Hé, Jack ! cria une voix masculine. Rappelle ton chien galeux, s'il te plaît !

— C'est une dame, et elle n'est pas à moi.

Jack poussa de nouveau la porte-moustiquaire en se promettant qu'au cas où le destin lui accorderait cinq minutes de plus à vivre, il trouverait la burette d'huile et graisserait ces fichus gonds.

— Tais-toi, dit-il à la chienne. Ce type fait partie des gentils.

Elle se tut immédiatement et, les poils encore hérissés, se coucha aux pieds de Jack.

— Tu te rappelles que j'ai ajouté une extension à la brocante de Tom il y a deux mois ? demanda Nate, le plus jeune des frères Callahan, à qui Jack avait confié la restauration de Beau Soleil.

— Oui, je m'en souviens vaguement. Pourquoi ?

— Parce que j'ai vu chez lui une jolie selle faite main qui devrait convenir à ta nouvelle copine.

— Bon sang, tu es si bon comédien que je m'étonne que la télévision ne t'ait pas encore embauché, fit Jack en se frottant la tempe.

— Gueule de bois, hein ?

— Oui.

— J'espère que ça valait le coup. Alors, elle a un nom, cette chienne ?

— Du diable si je le connais. Et je n'ai pas l'intention de lui en donner un... Bon, quel est le problème, aujourd'hui ?

Avant qu'il n'achète Beau Soleil, on l'avait prévenu que ce serait un exploit de rendre à la demeure sa beauté originelle. Prédiction qui tenait de la litote. Non seulement la maison engouffrait des sommes d'argent phénoménales, mais à peine avait-on réglé un problème qu'un autre surgissait.

Le premier jour, il avait découvert que les fondations de la plupart des murs porteurs étaient pourries et qu'il fallait les remplacer. Depuis, les mauvaises nouvelles se succédaient sans interruption.

— Il n'y a pas de problème. Enfin, pas encore. Mais la journée ne fait que commencer, dit Nate en lui tendant un gobelet.

Jack souleva le couvercle et huma la fumée odorante. Au risque de se brûler la langue, il but aussitôt une gorgée de café, qui lui donna l'espoir de survivre quelques heures de plus.

— Dommage que tu sois mon frère. Sinon, je me ferais gay pour t'épouser, afin que tu m'apportes un café tous les matins.

— Désolé, mais ça ne marcherait pas, même si nous n'étions pas apparentés. Tu n'es pas mon type. J'ai décidé de n'embrasser personne qui ait une barbe plus épaisse que la mienne.

— Que tu es difficile !

— Remarque, j'ai peut-être tort. Cela pourrait régler mon problème avec Suzanne.

— Elle a chopé le virus du mariage ?

— Je ne sais pas ce qui arrive aux nanas en ce moment, dit Nate en ôtant sa casquette pour plonger les doigts dans ses cheveux décolorés par le soleil. Ce sont des créatures fabuleuses, jolies et douces. Tu sais que je les ai toujours aimées.

— C'est même un euphémisme.

Depuis le jour où, tout juste pubère, Nate était tombé sur la collection de *Playboy* de Finn, leur frère aîné, il avait développé un amour grandissant pour la gent féminine – laquelle le lui avait bien rendu, d'après ce que Jack avait pu voir.

— Avant, on pouvait sortir avec une fille, passer un bon moment et tout le monde était content. Personne ne souffrait ni ne se fâchait. Mais c'est fini.

Bon sang, on sort deux ou trois fois, on rigole un peu...

— On se paie quelques parties de jambes en l'air, ajouta Jack en allumant une cigarette.

— Un gentleman le fait sans le dire, corrigea Nate. Mais maintenant, même quand on s'est mis d'accord pour prendre les choses à la légère, voilà que la fille te demande si tu préfères les chrysanthèmes ou les boutons-d'or.

Jack haussa les épaules.

— Toutes les femmes aiment les fleurs.

— C'est ce que je me suis dit la première fois qu'elle en a parlé, mais la seconde fois, j'ai compris qu'il ne s'agissait pas de fleurs. Il s'agit de vaisselle.

— Je ne suis pas expert en la matière, répondit Jack. À mon avis, il vaut mieux se rallier aux goûts de la dame.

— C'est facile à toi de dire ça. Elle aime le style Chrysanthème parce que c'est celui de la vaisselle de sa maman, que ça vient de chez Tiffany et que le prix d'une petite cuillère correspond à un mois de salaire d'un ouvrier. De toute façon, mon problème, ce n'est pas la vaisselle.

— Mais ce que suggère le terme « vaisselle », à savoir que tu es dans le pétrin, petit frère.

— Ce que je voudrais comprendre, c'est pourquoi, brusquement, alors que tout se passait gentiment, des exemplaires de la revue *Mariage* ont surgi sur la table de chevet, et comment on s'est retrouvés devant un film sentimental au lieu de regarder la chaîne des sports.

Surpris, Jack lâcha un nuage de fumée.

— Tu plaisantes ?

— J'aimerais bien. Hier soir, c'était *Nuits blanches à Seattle*. Et ce matin, j'ai eu droit au petit déjeuner au lit.

— Quel honteux stratagème ! Thé, salade de fruits et croissants chauds, le tout servi sur un plateau avec napperon amidonné ? Ou bien un vrai repas de mec avec des tonnes de cholestérol ?

— Ce matin, c'était du boudin, trois œufs au plat et des pommes de terre sautées.

— Eh bien, quand Suzanne en aura marre de cuisiner pour un ingrat, envoie-la-moi, suggéra Jack, que ce menu faisait saliver.

— Tu la mettrais à la porte avant la fin de la journée. Je ne comprends pas comment cette femme, qui a grandi en ignorant le chemin de la cuisine, est devenue tout à coup une perle domestique. Bon sang, Jack, j'ai l'impression d'être une perche tapie sous un rocher qu'elle guette de la rive !

— Ne mords pas à l'hameçon.

— Ça t'est facile de dire ça, marmonna Nate. Enfin, laissons tomber. Ton livre a bien démarré ?

— Tout dépend de ce que tu entends par « bien ».

— Vu ce que tu as vécu, je ne comprends pas pourquoi tu écris sur des sujets aussi affreux.

— C'est ce qu'on appelle gagner sa croûte.

— C'est malsain de rester des heures devant un ordinateur. Tu as pensé à te présenter à l'élection du shérif quand les travaux seront finis ? Dieu sait que la ville aurait besoin de toi. Jimbo Lott est de plus en plus corrompu.

— On continue à l'élire, pourtant.

— Uniquement parce que personne d'autre ne se présente.

— Je te rappelle que si je suis revenu ici, c'est parce que je ne veux plus guerroyer contre le crime.

— Tu as beau être devenu un romancier célèbre, le sang de notre père coule dans tes veines. Autrefois, Finn et toi jouiez toujours aux gendarmes et aux voleurs.

— Et pendant ce temps, tu cherchais des morceaux de bois dans le marais.

— Il fallait bien que quelqu'un construise une prison pour enfermer les bandits que vous aviez capturés. Tu ne peux pas renier ton hérédité, décréta Nate.

— J'ai rendu mon insigne le jour où j'ai compris qu'en se battant contre des moulins à vent, on n'arrivait qu'à se bousiller soi-même.

— Tu comptes rester caché dans le bayou et chercher la rédemption en écrivant des bouquins déprimants ?

— La rédemption, je n'y crois pas. Et des quantités de lecteurs doivent apprécier mes bouquins déprimants, comme tu dis, vu le nombre des ventes.

Pourquoi donc tant de gens payaient-ils pour partager ses cauchemars ? Jack l'ignorait, mais c'était un fait indéniable.

— Il existe sans doute des abrutis qui aimeraient assister à une exécution capitale, dit Nate. Cela ne signifie pas que la télévision doit leur fournir ce spectacle.

— Il suffirait que des producteurs trouvent un moyen de contourner la censure pour que la chaise électrique soit la star du samedi soir.

— Tu sais, je commence à craindre que tu ne sois aussi cynique que tu t'amuses à le paraître.

— Je ne suis pas cynique, mais lucide. Après avoir soutenu la veuve de mon équipier devant la tombe de son mari, j'ai décidé de laisser le soin de sauver le monde à d'autres. À notre frère aîné, par exemple.

— Tu as toujours eu le don de raconter des histoires, admit Nate. Tu n'as jamais pensé à en écrire de plus gaies ?

— Je décris le monde tel que je le vois.

— Eh bien, je ne t'envie pas.

Jack haussa les épaules.

— À propos d'histoires, tu connais la dernière ? demanda Nate.

Jack sentit les poils se hérisser sur ses bras. Son intuition, à laquelle il avait appris à se fier et qui lui avait sauvé la vie à plusieurs reprises, lui disait de se méfier.

— Non.

— Danielle revient à Blue Bayou, annonça son frère en lui jetant un regard en coin.

Jack finit son café tiède en regrettant que ce ne soit pas une boisson plus forte.

La route déserte, ruban scintillant qui contournait les rivières paresseuses et les marais parsemés de racines, semblait onduler sous la chaleur. Plus Dani s'enfonçait dans le bayou, plus elle se détendait. Cette région oubliée du temps avait quelque chose d'apaisant et d'infiniment rassurant, malgré l'orage qui commençait à gronder au loin.

Les champs de canne à sucre défilaient, découpés avec une précision quasi chirurgicale qui ne correspondait pas du tout au caractère fantaisiste des fermiers cajuns. Ici et là se dressaient un bosquet de chênes ou un hameau assoupi, lequel se limitait souvent à un rang de maisons, la terre étant si riche qu'on préférait la réserver à la culture plutôt qu'au commerce. De jolies maisons victoriennes côtoyaient des cottages au style coloré des Antilles et, parfois, de grandes demeures datant d'avant la guerre de Sécession, dont beaucoup semblaient sur le point de s'effondrer. De temps à autre, Dani passait devant une raffinerie dont l'odeur sucrée ferait monter les larmes aux yeux lorsque viendrait l'hiver, la saison du broyage.

La route était longue entre Fairfax, en Virginie, et Blue Bayou, en Louisiane. Et la distance était encore plus grande entre l'agitation de la grande ville et ce coin retiré du monde. Sans en être consciente, Dani avait souffert du mal du pays. Sa vie trépidante d'étudiante, d'épouse d'homme politique, de mère et de bibliothécaire l'avait quasiment empêchée de respirer. De prendre le temps de réfléchir.

Ce qui expliquait, se dit-elle tristement, qu'elle n'ait pas vu Lowell s'éloigner dès leur retour de voyage de noces à St. Thomas.

Matt, qui d'ordinaire profitait des longs voyages pour lire, observait avec fascination le paysage.

— Les copains m'ont pas cru quand je leur ai dit qu'on allait vivre dans une bibliothèque, déclara-t-il soudain.

— Nous n'allons pas vivre dedans, mais au-dessus.

C'était sur Internet que Dani avait trouvé cette offre d'emploi pour une place de bibliothécaire. Elle avait immédiatement téléphoné à Nate Callahan, le nouveau maire de Blue Bayou, qui l'avait embauchée aussitôt. Le salaire ne correspondait pas aux critères d'une grande ville, mais pour nourrir son fils, elle aurait été prête à faire la plonge au *Cajun Cal's Country Café*.

— La bibliothèque est restée fermée deux mois, depuis que l'ancienne bibliothécaire est partie vivre chez sa petite-fille à Alexandria. Les membres du conseil municipal étaient tellement contents de pouvoir la rouvrir qu'ils ont mis l'appartement en *lagniappe*.

— *Lagniappe*, ça veut dire « en plus » en créole ?

— Exactement, dit-elle en lui souriant dans le rétroviseur. Quel petit garçon intelligent tu es !

— Et si j'étais intelligent seulement à Fox Run, mon ancienne école ? demanda-t-il, l'air soucieux. Qu'est-ce que je vais faire si les enfants d'ici en savent plus que moi ?

— Tu t'en sortiras sans problème. Tes notes étaient très bonnes, chéri.

Si bonnes qu'on lui avait fait sauter une classe.

— Et s'ils m'aiment pas ?

— Ils t'aimeront. Et tu auras tes petites voitures pour briser la glace.

— Ah, oui, c'est vrai, dit-il, visiblement soulagé. Grand-père va venir vivre avec nous ?

— Bien sûr.

Il n'était pas question que son père rejette le foyer qu'elle avait décidé de bâtir pour eux trois !

Le juge Victor Dupree avait toujours voulu tout contrôler, ce qui expliquait sans doute sa vocation – et expliquait peut-être aussi que sa femme soit partie lorsque Dani n'était qu'un bébé. Si celle-ci avait tiré une leçon de la mort prématurée de Lowell, c'était que la vie était trop courte pour la passer à ressasser de vieux griefs. Son père et elle avaient déjà perdu trop d'années de vie familiale. Son fils devait savoir de qui et d'où il était issu. Et si ça ne plaisait pas à son père, tant pis.

Un éclair jaillit soudain des nuages sombres, et le vent se leva, froissant les tiges des cannes à sucre.

— C'est un ouragan ?

— Oh, non ! fit Dani en mettant les essuie-glaces en marche.

— Tu es sûre ? insista Matt en élevant la voix pour couvrir le martèlement de la pluie sur la carrosserie. J'ai vu les panneaux. Ceux qui indiquent où aller s'il y a un ouragan.

Bien qu'il eût un an de moins que ses camarades de classe, c'était lui qui lisait le mieux. Ce qui n'était pas toujours une bonne chose.

— Ce n'est qu'une grosse averse, chéri.

— Dommage, fit-il en collant le nez contre la vitre. Ça serait super d'appeler Tommy et de lui dire qu'on a eu un ouragan.

Tommy était son voisin et meilleur ami, en Virginie.

— Je préfère qu'on se passe de cette excitation.

— Quand même, ça serait génial.

Une sirène hurla, couvrant un nouveau coup de tonnerre. La lumière des gyrophares dans le rétroviseur poussa Dani à vérifier le compteur de vitesse, lequel la rassura.

— On va avoir une contravention ?

— Je ne pense pas.

Son compte en banque n'en avait nul besoin. Elle se rabattit sur le côté et vit avec soulagement une voiture de pompiers la dépasser à toute allure.

Contrairement à d'innombrables villes de Louisiane qui avaient poussé n'importe comment pour abriter une population grandissante de fermiers et de pêcheurs, Blue Bayou avait été conçu par un riche planteur qui, de passage à Savannah pour un mariage, en avait admiré l'architecture au point qu'à son retour, il s'était associé avec un architecte noir affranchi qui partageait sa vision artistique.

Tous deux avaient fait de ce village de pêcheurs, baptisé d'après les hérons bleus qui nichaient sur les rives du bayou, une petite ville bien dessinée, qui demeurait un exemple de la courte période de prospérité qui avait précédé la guerre civile.

Dani franchit le vieux pont métallique et longea Gramercy Boulevard – qui n'était pas une grande artère, comme son nom le suggérait, mais une petite rue pavée. La lumière des réverbères scintillait à travers le rideau de pluie.

Débarquer dans ce coin perdu de Louisiane donnait l'impression de remonter dans le temps. Il ne fallait guère d'imagination pour entendre le martèlement des sabots sur les pavés ou le bruissement des jupons sur les trottoirs en brique bordés d'arbres touffus et de jardinières colorées.

Certaines choses avaient pourtant changé depuis le dernier séjour de Dani à Blue Bayou, sept ans plus tôt, pour le procès de son père. *Lafitte's Landing*, le restaurant qui faisait aussi office de lieu de rendez-vous et de dancing, avait fermé ; le drugstore où Dani et ses amies, juchées sur des tabourets recouverts de vinyle, regardaient avec adoration Johnny Breaux leur préparer des glaces nappées de chocolat chaud était devenu un *Espresso Express*, et la Clinique de Poupées d'Arlene était à présent une boutique de location de cassettes vidéo.

Mais le *Cajun Cal's Country Café* proposait toujours sa friture du vendredi soir, on continuait à faire des permanentes chez *Belle's Shear Pleasures* – même si, d'après l'inscription de la vitrine, Belle avait aussi embauché une pédicure et manucure –, et le *Bijou Theater* dominait toujours l'angle des rues Maringouin et Heron. Cette semaine, on pourrait y applaudir « Christy Marchand, la chanteuse acadienne ».

Blue Bayou était une ville paisible où les enfants faisaient du vélo dans la rue, où les mères promenaient leurs bébés sur des trottoirs ombragés et où, assis sur la véranda de leur maison sous le tournoiement paresseux des pales d'un ventilateur, un habitant sur deux consacrait une partie de l'après-midi à boire du thé glacé en observant les allées et venues de ses concitoyens.

Exactement le genre de petite ville du Sud dont Andy Griffith, le héros d'une célèbre série télévisée des années 1960, aurait pu être le shérif s'il avait parlé français. Seigneur, que cet endroit lui avait manqué ! se dit Dani.

Un grand square occupait le centre de la bourgade. D'un côté se dressait l'église avec ses deux flèches gothiques qui semblaient transpercer les nuages argentés. De l'autre trônait le majestueux palais de justice, qui s'enorgueillissait d'un grand perron et de fenêtres voûtées. Il avait servi d'hôpital durant la guerre de Sécession et, en scrutant la façade, on pouvait voir les trous laissés par des impacts de balles. Le drapeau acadien, rouge, blanc et bleu, flottait au-dessus du drapeau national et de celui de la Louisiane.

Au milieu de la pelouse caracolait la statue équestre du capitaine Jackson Callahan – héros local qui, dès le début de la guerre de Sécession, avait rejoint les Confederate Tigers, le sixième régiment d'infanterie de Louisiane. Il avait participé à tous les combats, depuis la campagne de la vallée de la Shenandoah en 1862 sous le commandement de Stonewall Jackson jusqu'au corps-à-corps de Fort Stedman, et était rentré indemne après la reddition de Lee à Appomattox en 1865.

Que ce voyou d'Irlandais, qui avait poussé comme un petit sauvage dans les marais de Blue Bayou, soit rentré sain et sauf au bercail et paré des galons de capitaine avait fait figure de miracle.

— Il est super, ce cheval, dit Matt.

— Moi aussi, je l'aime bien. Un tas de gens croient que caresser ses naseaux porte chance.

— On peut essayer ?

— Dès qu'on se sera installés, promit Dani.

Hélas, le cheval sur lequel elle avait adoré qu'on la hisse lorsqu'elle était enfant n'avait pas porté chance à son père. C'était dans ce palais de justice que le juge Victor Dupree avait siégé durant des décennies, se forgeant au fil des années une réputation de défenseur de l'ordre intransigeant qui lui avait valu le surnom de Maximum Dupree. C'était là aussi qu'il avait à son tour été condamné à sept ans de réclusion pour corruption et faux témoignage.

Dani ne put s'empêcher de jeter un coup d'œil à la fenêtre de la salle où avait siégé son père. Son cœur se serra, et sa vue se brouilla. Tout en clignant des yeux pour retenir ses larmes, elle se rappela la liste des priorités qu'elle avait établie dans sa cuisine de Fairfax. D'abord, s'installer dans son nouvel appartement et inscrire Matt à l'école. Ensuite, rouvrir la bibliothèque. Enfin, s'occuper de son père.

Heureusement, l'orage avait fui ailleurs. Seules quelques gouttes s'écrasaient encore sur le pare-brise. Elle n'aurait pas à transporter ses affaires sous la pluie – ce qui était sûrement de bon augure pour l'avenir, se dit-elle avec optimisme, en arrêtant les essuie-glaces.

La bibliothèque se trouvait deux pâtés de maisons plus loin, sur Magnolia Avenue. Dani aurait pu s'y rendre les yeux bandés. Elle tourna au coin de la rue et se retrouva soudain bloquée derrière une barrière métallique et la voiture qui l'avait effrayée un instant plus tôt. Les gyrophares projetaient sur la scène une lumière surréaliste.

Ce n'était pas possible ! Les yeux écarquillés, Dani regarda avec ahurissement les jets d'eau qui aspergeaient l'étage supérieur du bâtiment en brique qu'un panneau planté dans la pelouse désignait comme la « Bibliothèque municipale de Blue Bayou ». Des hommes coiffés de casques et vêtus de grosses vestes noires à bandes jaunes déroulaient des tuyaux, brandissaient des haches et criaient des ordres.

— Oh, s'écria Matt, c'est notre appartement ?

Le souffle coupé, Dani ne répondit pas immédiatement.

— Attends ici, dit-elle enfin. Je reviens tout de suite.

— Mais...

— Reste dans la voiture, insista-t-elle d'un ton péremptoire qu'elle utilisait rarement. Tu as compris ?

— Oui. T'es pas obligée de crier.

— Excuse-moi, dit-elle en se retournant pour lui caresser la joue.

— T'inquiète pas, m'man, répondit l'enfant, dont la moue boudeuse s'était dissipée aussi rapidement que l'orage. Tout va s'arranger.

Il avait dit la même chose le jour où les déménageurs avaient emporté les affaires de son père. Lowell ayant toujours fait passer sa carrière avant sa famille, un lien très fort s'était créé entre Dani et son fils.

— Je sais, chéri.

Dani l'embrassa en lui ébouriffant les cheveux et lui rappela de ne pas bouger. Puis elle sortit de la voiture.

3

L'incendie avait attiré une foule de spectateurs qui regardaient les rêves de Dani partir en fumée avec fascination. Des morceaux de verre crissèrent sous ses pieds tandis qu'elle avançait dans la rue. Assis sur le marchepied d'un camion, un pompier au visage couvert de suie respirait de l'oxygène.

— Que s'est-il passé ?

L'homme souleva son masque, révélant des yeux rougis.

— J'sais pas. Probablement la foudre.

Il se leva et regarda autour de lui.

— Ou bien un court-circuit, ajouta-t-il. C'est au chef de déterminer la cause de l'incendie, acheva-t-il en remettant son casque.

Des flammes léchaient les encadrements des fenêtres brisées, et des étincelles tournoyaient dans le ciel, telles des étoiles orange. Le pompier abaissa sa visière et s'éloigna.

Dani sentit son cœur dégringoler jusque dans ses baskets mouillées. Un homme vêtu d'un uniforme kaki et de l'insigne brillant de l'autorité s'approcha d'elle d'une démarche arrogante et avec, sembla-t-il à Dani, le cliquetis menaçant d'un serpent à sonnette – ce qui était ridicule, car le shérif de Blue Bayou n'était pas homme à avertir son adversaire de ses mauvaises intentions, se rappela-t-elle.

— Eh bien, si ce n'est pas la petite Danielle Dupree !

Son ventre boudiné par sa chemise retombait par-dessus sa ceinture, des auréoles de sueur s'étaient formées sous ses aisselles, et des taches de sauce décoraient sa cravate marron. Les gyrophares soulignaient ses traits grossiers et son double menton. L'antithèse d'Andy Griffith, songea Dani.

— C'est curieux que tu sois là, reprit-il.

Le sourire qu'il esquissa sous sa moustache broussailleuse exprimait une jubilation perverse. Si un alligator avait été capable de sourire, il aurait ressemblé au shérif Jimbo Lott.

— Bonsoir, shérif Lott, dit-elle d'une voix faible.

— Tu as une raison particulière de te trouver sur le lieu de cet incendie ?

Sous ses paupières tombantes luisait un regard de reptile, à la fois lubrique et froid – le même regard qui l'avait glacée le soir où, des années auparavant, il l'avait surprise avec Jack dans la cabane des Callahan et obligée à se rhabiller à la lumière des phares de sa voiture.

Ce souvenir la fit frémir malgré elle, et les grosses lèvres du shérif se retroussèrent de nouveau dans un rictus obscène.

— Il se trouve que cet incendie me concerne, répliqua-t-elle. J'étais censée m'installer ce soir dans cet appartement.

— Tiens donc ? fit-il. Évidemment, ç'aurait été plus décent qu'une cabane du marais, mais pas vraiment digne de la veuve d'un député. Enfin, on peut dire que tu as de la chance. Si le feu s'était déclaré plus tard, pendant votre sommeil, ç'aurait été tragique. J'sais pas si vous auriez pu en sortir vivants.

Dani ne s'était jamais évanouie de sa vie, mais en imaginant Matt prisonnier de l'étage en feu et asphyxié par la fumée, elle sentit la tête lui tourner.

— Ouais, reprit-il comme elle s'appuyait contre le flanc du camion pour lutter contre le vertige, dommage que tu aies fait toute cette route juste pour repartir chez toi.

— C'est ici, chez moi, répliqua-t-elle, la gorge en feu.

— Y a longtemps que t'as quitté Blue Bayou, ma petite demoiselle. Et t'as plus de famille ici, puisque ton papa est retenu à Angola. Les choses évoluent, même dans ce trou perdu. Le pouvoir change de main…

Dani s'apprêtait à interrompre cette conversation déplaisante lorsqu'elle entendit quelqu'un l'appeler. Elle se retourna et vit avec soulagement Nate Callahan sauter par-dessus la barrière et la rejoindre.

— Ça va ? lui demanda-t-il en prenant ses mains dans les siennes pour la réconforter.

— Oui, ça va, mentit-elle. Mais il faut que je retourne auprès de Matt.

Une fenêtre explosa, et une pluie d'éclats de verre se déversa dans la rue.

— M'est avis que ton garçon s'amuse comme un fou, intervint Lott. J'connais pas de gamin qui prenne pas son pied devant un incendie.

Dani jeta au shérif un regard écœuré et lui tourna le dos.

— Viens, j'aimerais faire connaissance avec ton fils, déclara Nate en passant un bras rassurant autour de ses épaules.

Dani se dirigea vers sa voiture en s'efforçant de ne pas pleurer. Qu'allait-elle faire à présent, nom de nom ?

Pour commencer, elle devait se ressaisir. Ce n'était pas la fin du monde. Elle trouverait une solution. Elle était forte, solide. N'avait-elle pas surpris tout le monde, y compris elle-même, en ne s'écroulant pas lorsque Lowell l'avait quittée ?

Elle s'était reprise, avait échangé son emploi à mi-temps contre une vraie carrière, et elle était en train de se bâtir une nouvelle vie lorsque ce fichu piano avait de nouveau tout bouleversé.

L'incendie était bien sûr un revers de plus, mais elle le surmonterait comme les autres. Elle n'avait pas le choix, de toute façon.

Elle présenta Matt à Nate, qui se montra naturel et gentil avec son fils, ainsi qu'à son habitude. Il n'avait pas changé, songea-t-elle. Il avait toujours été le garçon autour duquel tout le monde se rassemblait, celui que tous les yeux suivaient sur le terrain de base-ball, qu'il fasse des passes ou qu'il s'élance pour intercepter la balle de l'adversaire. Quand, en terminale, on l'avait désigné pour être candidat à l'élection du chef de classe, aucun élève n'avait eu l'idée de se présenter contre lui. Toutes les filles avaient le béguin pour lui. Toutes, sauf Dani, qui n'avait d'yeux que pour son frère, Jack, le mauvais garçon.

— On va avoir de la compagnie, annonça Nate.

Une Cadillac rose, dont l'autoradio hurlait *Blue Suede Shoes*, d'Elvis Presley, venait de s'arrêter derrière la barrière. Une femme d'une soixantaine d'années, à la tignasse d'un roux flamboyant, en descendit. Le dessin d'une écrevisse dressée sur sa queue et brandissant ses pinces comme un boxeur ornait son caftan pourpre. Des piles discrètes faisaient clignoter ses boucles d'oreilles en plastique rouge, elles aussi en forme d'écrevisses. Infirmière à la retraite, Orélia Vallois travaillait autrefois dans le cabinet de son mari médecin, mais jamais Dani ne l'avait vue porter la traditionnelle blouse blanche.

— Eh bien, regardez-moi qui est là ! claironna-t-elle de sa voix de contralto. La jolie petite Danielle Dupree, de retour à la maison.

Dani aimait beaucoup Orélia qui, la sachant privée de mère, avait toujours été à son écoute. Orélia était aussi l'une des rares personnes qui connaissaient son secret le plus intime et le plus triste.

— Cela me fait un bien fou de te voir, dit Dani avec gratitude.

— C'est merveilleux que tu sois revenue. Comment vas-tu ?

— J'ai connu des jours meilleurs, avoua la jeune femme.

Derrière les verres roses des lunettes, les yeux noirs d'Orélia lui sourirent avec tendresse.

— Viens là, mon petit, que je t'embrasse.

Après une étreinte à couper le souffle, Orélia repoussa Dani pour l'examiner. Matt observait l'infirmière comme s'il s'était agi d'une extraterrestre. Il n'avait jamais vu personne d'aussi excentrique à Fairfax.

— Et ce jeune homme doit être ton fils, dit Orélia en se tournant vers lui.

— Oui, c'est Matt, dit Dani en rabattant machinalement un épi sur la tête de l'enfant. Matt, voici Orélia Vallois.

— Bonjour, madame, dit-il poliment.

— Il y avait longtemps qu'on n'avait pas vu un aussi beau garçon à Blue Bayou ! s'écria Orélia en lui pinçant la joue. Tu as la bouche de ta maman, monsieur Matthew.

— C'est vrai ?

— Oui. Tu vas briser des cœurs, toi. Je parie que tu as déjà une amoureuse.

Le visage du petit garçon prit la couleur de l'écrevisse qui ornait le caftan d'Orélia. Il se frotta la joue, à l'endroit où elle l'avait pincé.

— Pas vraiment.

— Eh bien, tu as tout le temps. D'ailleurs, à ton âge, il vaut mieux ne pas se limiter à une seule. Au moins, je n'aurai pas à m'inquiéter de rivales tant que tu vivras chez moi.

— Je vais vivre chez vous ? s'écria Matt en jetant à sa mère un regard perplexe.

— Orélia, c'est vraiment très gentil de ta part, mais...

— Voyons, Danielle chérie, ne discute pas. Je tourne en rond dans cette grande maison depuis que mon Léon est parti. Je serai contente d'avoir un peu de compagnie... Viens chez moi, que je nourrisse ton petit homme, ajouta-t-elle en caressant le menton de Matt.

— Je ne veux pas m'imposer...

— Arrête de dire des sottises. Tu as besoin d'un toit et ton garçon a besoin de manger.

Orélia reprenait avec un plaisir visible son personnage d'infirmière énergique et autoritaire qui, en plus de quarante ans, avait planté d'innombrables aiguilles dans les fesses de patients plus ou moins dociles.

— Laisse-moi au moins vous héberger cette nuit, reprit-elle, et nous reparlerons de l'avenir demain matin.

La masse orange de sa crinière oscilla tandis qu'elle se penchait vers Matt.

— Tu m'as l'air d'un garçon à apprécier le steak haché. Ça te convient ?

— Euh... oui.

— Bien sûr que oui. Personne dans cette ville ne le fait mieux que moi. Je te propose aussi du riz noir et des haricots sautés.

— Du riz noir ?

— C'est délicieux, chéri. Tu vas adorer. Comment se fait-il que ta maman ne t'en ait jamais préparé ?

Dani ne releva pas. Ce n'était pas le moment d'expliquer à Orélia que Lowell ne supportait pas qu'on lui rappelle ses origines campagnardes, hormis à l'occasion de la fête du Mardi gras, à laquelle il conviait de riches lobbyistes et entrepreneurs de Louisiane.

— Et pour le dessert, tu auras de la tarte à la crème. Ça aussi, tu dois aimer, enchaîna Orélia.

— Je ne sais pas. Je n'en ai jamais mangé.

— Tu n'en as jamais mangé ? s'écria Orélia en portant une main couverte de bagues à sa poitrine.

Mon Dieu ! Qu'est-il donc arrivé à ta mère chez les Américains ?

Sachant que les Cajuns se considéraient comme un peuple à part, Dani ne jugea pas opportun de rappeler à Orélia que les habitants de Blue Bayou étaient aussi américains que les autres habitants des États-Unis.

Orélia lui jeta un regard critique.

— Il n'y a pas que ton beau petit garçon qui ait besoin de manger. On ne t'a pas nourrie en ville, ma chérie ? Tu n'as que la peau sur les os. Mais ne t'inquiète pas, je vais te redonner des formes. Bon, on y va ? Je flirterai avec Matty et je le nourrirai pendant que Nate et toi parlerez boulot.

La situation réglée, du moins dans son esprit, elle se fraya un chemin dans la foule en direction de sa Cadillac, tel un vapeur sortant du port.

— Elle s'est garée sous le panneau de stationnement interdit, dit Matt.

— Elle était sans doute trop pressée pour le remarquer, répondit Dani.

Nate étouffa un gloussement. Tous deux savaient qu'Orélia se fichait des règlements.

— On va vraiment vivre chez elle ? demanda Matt.

Dani regarda la fumée qui s'élevait du bâtiment noirci, réfléchit une seconde et dut se rendre à l'évidence : elle n'avait pas d'autre solution.

— Quelque temps seulement, répondit-elle. Jusqu'à ce que l'appartement soit remis en état.

Heureusement, le rez-de-chaussée et le premier étage de la bibliothèque ne semblaient pas avoir trop souffert. Peut-être pourrait-on récupérer une partie des livres.

— Dès demain matin, je chercherai des ouvriers.

La tête déjà pleine de projets, elle ne remarqua pas l'air sceptique de Nate.

Le soleil couchant teintait l'eau de rouge lorsque Jack approcha sa barque du ponton du *Sans Nom*.

Ce n'était pas un endroit où l'on pouvait emmener danser une jolie fille le samedi soir. Ce n'était pas non plus une auberge pittoresque où l'on se réunissait en famille pour un déjeuner dominical, ni un café où l'on jouait aux cartes avec des copains en écoutant du zydeco, la musique des Noirs de Louisiane.

Le *Sans Nom* – dont l'appellation d'origine avait disparu en même temps que l'enseigne dans les années 1940, lors d'un ouragan – avait une spécialité : vous pouviez y nourrir les araignées qui grouillaient dans votre tête et vous enivrer vite et bien, histoire de tout oublier. Y compris votre propre patronyme.

Jack avait justement une foule de choses à oublier.

L'épaisse porte en bois, peinte en rouge vif par le propriétaire précédent, avait pris la couleur de la rouille. Lorsqu'il la poussa et qu'un rai de lumière traversa brièvement la salle, des jurons jaillirent, sans doute les seuls mots proférés de la journée.

L'intérieur était pire que l'extérieur : sombre, triste et chargé de désespoir. Tout à fait en accord avec son humeur.

— Un double whisky, sans eau, dit-il en se hissant sur un tabouret.

Des bols de tranches de citron et de cerises étaient disposés sur le comptoir, derrière lequel étaient alignées des bouteilles de vin et d'alcool fort.

Le barman, un grand Noir au physique de coureur de fond – ce qu'il avait d'ailleurs été au lycée –, le servit.

— Mauvaise journée ?

— On peut dire ça, répondit Jack, avant d'avaler son verre cul sec.

Il accueillit avec plaisir la vague brûlante qui dévala le long de sa gorge, lui réchauffa le ventre et remonta en bouffées chaudes jusqu'à son cerveau.

Il poussa son verre vide vers le barman, qui haussa les sourcils, mais le resservit sans mot dire.

Alcée Bonaparte avait la trentaine, comme Jack. Ils avaient fréquenté la même école et avaient été élevés ensemble, leurs mères travaillant toutes les deux pour la famille Dupree - Marie Callahan comme gouvernante, Dora Bonaparte comme cuisinière. Bien qu'Alcée soit noir et Jack blanc, ils avaient été aussi proches que des frères, Alcée tenant le rôle du bon jumeau et Jack celui du mauvais.

Quand Jack volait de la bière dans le camion de Dixie, il n'était pas rare qu'Alcée laisse un peu d'argent sur le siège du conducteur. Lorsque Jack, complètement ivre, avait fracassé des boîtes aux lettres à coups de batte de base-ball, c'était Alcée qui l'avait convaincu de se dénoncer. Le juge Dupree avait condamné Jack à travailler dans ses champs de canne à sucre, afin de gagner l'argent nécessaire pour remplacer les boîtes.

Ce que le juge n'avait pas su, c'était qu'Alcée avait renoncé à un voyage organisé par la paroisse pour visiter La Nouvelle-Orléans afin de travailler avec son ami dans la chaleur asphyxiante des champs de canne à sucre et qu'ensuite, il avait planté lui-même les poteaux des nouvelles boîtes.

Leur longue amitié les dispensait de parler. Tandis que son ami buvait son deuxième whisky, Alcée continua à servir, laver des verres et essuyer le comptoir, sur lequel des cercles blancs témoignaient des années écoulées comme les anneaux sur les troncs des vieux arbres.

Au bout de dix minutes, il disparut par la porte battante qui donnait sur la cuisine et revint avec un énorme *po'boy*, sandwich local abondamment garni de crevettes, qu'il poussa vers Jack.

— Je ne me rappelle pas l'avoir commandé.

— Il t'faut aut'chose que du whisky dans l'estomac, toi. Avant que tu tombes de c'tabouret et que tu t'casses ton cou d'abruti.

— Ne me parle pas comme un pauvre nègre du bayou. Je sais que tu as été élevé chez les jésuites.

Alcée croisa les bras sur sa chemise hawaïenne.

— Toi qui es si malin, tu devrais savoir que les jésuites sont les durs à cuire du catholicisme. Alors, mange ce sandwich avant que je ne te l'enfonce dans la gorge au nom de la charité chrétienne.

Le bref juron de Jack ricocha sur Alcée comme une balle sur une veste en kevlar. Renonçant à discuter, il mordit dans le sandwich et émit un grognement de plaisir lorsque le goût des crevettes et de la sauce piquante explosa sur sa langue.

Alcée ôta son verre vide et lui servit un grand Coca-Cola, dans lequel il jeta trois cerises.

— Dois-je cette visite au retour d'une jolie blonde ? demanda-t-il.

— Je ne sais pas de quoi tu parles, fit Jack, avant de boire une longue gorgée de Coca-Cola.

Alcée s'apprêtait à répliquer lorsqu'il vit un vieux type grisonnant se lever en titubant de sa table à l'autre bout de la salle. Il contourna le comptoir, s'empressa de le rejoindre et lui parla tranquillement mais fermement. Le vieil homme, qui avait ouvert la bouche pour protester, finit par capituler et retomba lourdement sur sa chaise. Alcée s'assit en face de lui et continua à parler.

Tout le monde à Blue Bayou savait qu'Alcée était un prêtre défroqué qui avait temporairement perdu la foi et tout bon sens dans le brouillard de l'alcoolisme. Une nuit, alors qu'il rentrait chez lui après une soirée de beuverie en compagnie d'un évêque, il avait quitté la route et plongé dans le fleuve. Il avait survécu et réussi à sortir son compagnon de la voiture.

Malheureusement, l'autre homme, dont le sang contenait une quantité d'alcool trois fois supérieure au taux autorisé, avait passé un mois dans le coma puis deux ans dans un centre de rééducation avant que l'Église ne le range définitivement là où elle casait ses prêtres à problèmes.

Alcée avait plaidé coupable pour conduite en état d'ivresse et mise en danger d'autrui. Il s'était désintoxiqué et avait accompli sa peine en tant qu'aumônier de la prison. Dès sa libération, il avait quitté la prêtrise et regagné le bayou. À présent, le *Sans Nom* était sa paroisse, et les ivrognes ses ouailles.

La veille du jour de l'an, il s'était fiancé à une ancienne reine de beauté du Mississippi qui avait le cœur aussi généreux que lui et travaillait comme sage-femme à la maternité de l'hôpital St. Mary. Quoiqu'il se jugeât indigne de ce titre, Jack avait accepté d'être témoin à leur mariage, qui était prévu pour le mois suivant.

Jack devait beaucoup à Alcée Bonaparte. Il glissait tout droit vers l'enfer et n'aurait pas vécu assez longtemps pour assister au mariage de son ami si celui-ci n'avait pas débarqué un jour dans la cabane des Callahan et convaincu Jack d'envoyer son manuscrit à un ancien camarade de séminaire qui, s'étant aperçu de son erreur, avait lui aussi renoncé à la prêtrise et était devenu agent littéraire à New York.

La porte s'ouvrit soudain, et toutes les têtes se tournèrent vers la femme qu'éclairait la lumière bleue du parking. Même les ivrognes tentèrent de se redresser tandis que Désirée Champagne avançait sur le sol recouvert de sciure. Ses cheveux étaient une profusion de boucles noires, et ses yeux avaient la couleur de la fumée d'un feu de bois en automne. Elle portait une robe en soie rouge qui, fendue jusqu'en haut des cuisses, suivait ses courbes comme la main d'un amant, et des chaussures à talons si hauts que Jack s'étonna qu'elle puisse marcher sans se tordre la cheville.

En voyant Alcée se lever, elle lui fit signe de se rasseoir. Sur sa main, un diamant de la taille du Texas scintilla dans la pénombre enfumée.

— Ne bouge pas, chéri, dit-elle de cette voix de gorge qui émouvait tant les hommes. Je peux me débrouiller.

Elle contourna le comptoir et entreprit de se préparer un martini. Tous les regards masculins restèrent rivés à ses gestes tandis qu'elle se servait et jetait trois olives dans son verre.

— Salut, Jack, dit-elle. Tu bois quelque chose ?

Ignorant le grognement de protestation d'Alcée, il répondit :

— Un whisky.

Elle remplit un verre, qu'elle poussa devant lui. « Prends-le, disaient ses yeux gris. Et prends-moi. »

Il la remercia d'un hochement de tête. Elle vint se hisser sur le tabouret voisin du sien, et une cuisse longue et séduisante apparut.

— Cela fait une éternité qu'on ne s'est pas vus, dit-elle.

Un sourire voluptueux se dessina sur ses lèvres. Savoir qu'il était le résultat d'années d'entraînement n'en diminuait pas le charme.

— Tu m'as manqué, ajouta-t-elle.

— Toi aussi, tu m'as manqué.

Ce n'était pas complètement faux. Certes, entre la restauration de Beau Soleil et l'écriture, il n'avait guère le temps de penser à Désirée, mais il ne pouvait oublier leur passé commun lorsque, rejetés par la communauté bien-pensante, ils trouvaient un peu de réconfort dans les bras l'un de l'autre.

— Tu sais que Dani est de retour ? demanda-t-elle en prenant une olive entre ses lèvres pulpeuses.

— Oui, Nate me l'a dit.

— Je me demande pourquoi elle a décidé de revenir.

Il haussa les épaules.

— Son mari est mort, elle rentre chez elle.

— Le seul défaut de ce scénario, c'est que tu es chez elle.

Il ne répondit pas car, depuis que Nate avait lâché sa petite bombe ce matin-là, cette idée ne l'avait pas quitté.

— Elle va être obligée de se trouver une autre maison, je suppose, reprit-elle.

— Ne te vexe pas, chérie, mais je ne suis pas d'humeur à bavarder ce soir.

— Très bien, fit-elle en croisant les jambes dans un bruissement de soie suggestif. Ne parlons pas.

Elle but une gorgée de martini en le regardant par-dessus le bord de son verre.

— Je ne peux pas rester longtemps, de toute façon. Je pense que j'attends quelqu'un.

— Tu n'en es pas sûre ?

— Pas tout à fait.

Ses doigts caressèrent lentement le pied de son verre.

— Pas encore, ajouta-t-elle dans un murmure.

L'invitation à peine déguisée flotta entre eux dans la pièce envahie de fumée. Jack finit son whisky et jeta un billet de vingt dollars sur le comptoir.

— Allons-y.

— Je me demandais si tu allais te décider, avoua-t-elle avec un sourire.

Elle souffla un baiser en direction d'Alcée, qui parlait au téléphone. Ayant déjà assisté à cette scène, Jack savait que son ami demandait à quelqu'un de venir chercher le vieil homme pour le ramener chez lui. Il agita la main à l'adresse d'Alcée, qui lui rendit son salut.

— Il n'approuve pas, commenta Désirée, qui avait remarqué, comme Jack, le regard inquiet d'Alcée.

— Quand on a été ordonné prêtre, c'est pour la vie, marmonna Jack en sortant dans la nuit moite.

— Il trouve que je ne suis pas assez bien pour toi.

— Alcée n'a jamais porté de jugement. Pas même quand il était prêtre.

— Peut-être, admit-elle tandis qu'ils traversaient le parking. Je suppose qu'il est indulgent avec les prostituées. Son patron a bien pardonné à Marie-Madeleine.

— Tu n'es pas une prostituée.

— Plus maintenant.

Elle s'appuya sur l'aile de sa Porsche et leva les yeux vers lui.

— Mais même si j'en étais une, tu n'aurais pas à payer, vu notre passé.

Jack grimaça un sourire. Désirée avait été sa première petite amie, au temps du lycée. Elle agita ses clés sous son nez d'un geste tentateur, le même sans doute qu'avait dû faire Ève pour inciter Adam à mordre dans le fruit défendu.

— Tu veux conduire ?

Il hésita une seconde de trop.

— Hé, chéri, si tu n'en as pas envie, ce n'est pas grave.

Il vit à son regard qu'il l'avait blessée.

— Bien sûr que j'en ai envie. Mais il y a cette foutue chienne.

— Tu as une chienne ?

— Ouais. Elle est attachée à côté de la barque.

— C'est incroyable, fit-elle en le dévisageant, les yeux écarquillés, comme s'il lui avait dit qu'il revenait d'une balade sur Mars.

— Qu'y a-t-il de mal à avoir une chienne ?

— Rien du tout.

Elle lui tapota la joue et, de sa démarche chaloupée, s'approcha de l'animal, qui se mit à frétiller de la queue.

— Oh, elle est adorable !

— Horrible, tu veux dire.

Désirée se pencha pour caresser la chienne, offrant à Jack une vue attrayante sur le bas de ses reins.

— Elle a seulement besoin d'un bain, n'est-ce pas, chérie ?

La chienne, ravie qu'on s'occupe d'elle, fit ce dont rêvaient tous les clients du *Sans Nom* : elle lécha le renflement somptueux des seins de Désirée. Celle-ci éclata de rire et gratta la nuque de l'animal qui, à en juger par le rythme de sa queue, devait atteindre l'extase.

— Comment s'appelle-t-elle ? demanda Désirée en revenant vers la Porsche.

— Je n'en ai aucune idée. Et ce n'est pas moi qui la baptiserai, car je n'ai pas l'intention de la garder.

— Tiens donc. Et c'est pour ça que tu l'emmènes se promener en bateau.

— Je comptais l'amener au refuge, mais je travaillais et je n'ai pas vu le temps passer. Quand je suis arrivé en ville, c'était déjà fermé, expliqua Jack.

Désirée lui tapota de nouveau la joue.

— Tu sais, c'est bien que tu l'aies trouvée. Après tout, le chien est censé être le meilleur ami de l'homme.

— J'ai assez d'amis comme ça.

— Tu peux me raconter ce que tu veux, Jack, répliqua-t-elle en secouant la tête, mais nous nous connaissons depuis trop longtemps pour que je gobe ce style cœur de pierre.

Elle appuya sur la télécommande pour déverrouiller les portières de la Porsche et s'assit sur le siège du conducteur.

— Tu as sauvé cette chienne comme tu m'as sauvée de mon salopard de beau-père lorsque j'étais gamine.

Elle mit le contact, et le moteur revint à la vie en rugissant.

— Monte, chéri. Il n'y a pas beaucoup de place, mais ta chienne peut se glisser derrière.

4

Vingt minutes seulement après son arrivée en ville, Dani confia son fils à Orélia et se rendit avec Nate dans l'ancien cabinet du Dr Vallois qui, comme le reste de la maison, rappelait la caverne d'Ali Baba.

Il y avait à peine assez de place pour se déplacer. Sur chaque surface plane, de délicates petites boîtes en porcelaine côtoyaient des alligators en plastique, des bougies de formes diverses et des souvenirs de mauvais goût rapportés du monde entier.

Les lambris en cyprès disparaissaient derrière des rayonnages chargés de livres – classiques de la littérature reliés de cuir, ouvrages savants sur la médecine et la région, romans policiers en format de poche. Une collection merveilleuse, songea Dani en lisant quelques titres, mais qui avait besoin d'être classée.

Dani aimait l'ordre. Le monde lui semblait plus compréhensible lorsqu'on lui imposait une certaine cohérence. Lowell l'avait souvent accusée de ranger ses sous-vêtements selon le système de classification utilisé dans les bibliothèques. Il exagérait, bien sûr. Mais pas tant que ça.

— C'est merveilleux que tu sois revenue au pays, Dani, dit Nate. La maternité te va bien, c'est visible.

— C'est ce que j'ai réussi de mieux, admit-elle.

— J'imagine que tu ne dois pas rouler sur l'or, reprit-il. Sache que le conseil municipal te paiera ton salaire dès maintenant, sans attendre que tu puisses ouvrir la bibliothèque.

— C'est très généreux.

— C'est normal. Tu as quitté ta maison pour venir travailler ici. Tu n'es pas responsable du retard dû à l'incendie.

— J'accepte le salaire car, effectivement, j'en ai besoin.

Ses doigts tripotèrent machinalement une petite girafe en bois qui se tenait à côté d'un lion de même facture.

— Mais je ne pense pas que les travaux dureront longtemps, ajouta-t-elle. Tu es entrepreneur, tu dois connaître tous les ouvriers du coin. Donne-moi des noms et, dès demain matin, je passerai quelques coups de fil.

Seul un lourd silence lui répondit.

— Nate ?

— Tu risques d'avoir du mal à trouver des ouvriers. Presque tous les menuisiers, peintres, électriciens et plombiers du pays travaillent à Beau Soleil.

— À Beau Soleil ?

Dani avait cru s'être remise de la perte de la demeure familiale. Mais en sentant sa bouche devenir soudain sèche, elle comprit qu'elle s'était leurrée.

— Je suis désolé, Dani. Je pensais que tu étais au courant. Après tout, tu as signé le contrat de vente.

— Quel contrat de vente ? Beau Soleil n'a pas été vendu. C'est le fisc qui l'a raflé quand mon père est allé en prison.

Voir en son père un vulgaire criminel lui était toujours pénible. Reconnaître cette réalité à haute voix était encore pire.

Nate inclina la tête et plissa les yeux, manifestement intrigué.

— C'est ce qui serait arrivé s'il ne l'avait pas transmis par acte notarié à Lowell et à toi.

— Quoi ?

En voyant Dani blêmir, Nate prit la théière en forme de coq qu'Orélia leur avait apportée et remplit une tasse qu'il tendit à la jeune femme.

— Je ne comprends pas.

Dani but une gorgée de thé et tenta de stabiliser son cerveau, lequel semblait tournoyer comme le manège sur lequel elle montait jadis lors du festival cajun.

— Comment Lowell aurait-il pu posséder Beau Soleil sans que je le sache ?

— Ça me dépasse, avoua-t-il avec un regard apitoyé qui la hérissa. À mon avis, il ne t'en a rien dit parce qu'il craignait que tu ne refuses de le vendre à la famille Maggione.

— La famille Maggione ? répéta Dani, abasourdie. Les gens qui sont censés avoir soudoyé mon père ?

Malgré ses positions strictes en matière de droit, son père avait toujours plaidé pour la légalisation du jeu. Après tout, n'était-ce pas lors d'une partie d'un jeu de cartes appelé « bourré » qu'André Dupree avait gagné Beau Soleil, au début du XIXe siècle ? Néanmoins, Dani doutait que son père ait vendu sa voix de conseiller municipal pour autoriser l'un des plus célèbres gangsters de La Nouvelle-Orléans à ouvrir un casino à Blue Bayou.

— Oui, ce sont eux. À ce propos, sache que je n'ai jamais cru que ton père se soit fait acheter.

— Manifestement, le jury qui l'a condamné n'était pas de ton avis, répliqua Dani d'un ton sec. Pourquoi les Maggione voulaient-ils acheter Beau Soleil ?

— Ils espéraient faire de la maison une de leurs entreprises.

— Tu es en train de me dire que Beau Soleil est devenu un casino ? s'écria Dani, atterrée.

Imaginer la maison où elle avait grandi encombrée de tables de jeu lui était insupportable. La fumée de cigarettes et de cigares souillant les fresques, le bruit discordant des machines à sous couvrant le chant de la fontaine du patio... Quelle horreur !

— Non. Avant que la vente ne soit conclue, le ministère de la Justice a épinglé les Maggione pour blanchiment d'argent sale. Ensuite, Papa Joe est mort, et la famille a éclaté en diverses factions. Le temps qu'ils se rabibochent et se portent de nouveau acquéreurs, quelqu'un d'autre avait renchéri et remporté l'affaire.

— Quand cela s'est-il produit ?

— L'année dernière.

— L'année dernière !

Dani s'assit lentement dans un fauteuil, à côté de Nate.

— Quand ton mari s'est pointé et qu'il a mis la maison en vente, tout le monde ici a cru que tu étais d'accord. Il avait tous les papiers nécessaires.

— Je n'étais au courant de rien. Et je n'ai rien signé.

Dani soupçonnait depuis longtemps Lowell d'avoir triché avec la loi sur le financement des campagnes électorales. Elle savait aussi qu'il l'avait trompée et qu'il avait autant d'instinct paternel qu'un chat de gouttière. Mais découvrir qu'il lui avait volé sa maison la stupéfiait.

— Qui a acheté Beau Soleil ?

Visiblement mal à l'aise, Nate fronça les sourcils et examina ses ongles.

— Nate ? insista-t-elle en posant la main sur son bras. Qui a acheté Beau Soleil ?

— Bon sang ! Pourquoi est-ce à moi de te le dire ?

Il inspira profondément et lâcha :

— C'est Jack.

— Jack !

Elle sentit le sang déserter son visage. « Jack ? Mon Jack ? » faillit-elle ajouter.

— Oui, fit-il. Ça va ? Tu es livide.

— Ça va, ça va.

C'était un mensonge. Elle se força à respirer à fond pour apaiser les battements de son cœur. En vain.

— C'est juste que…

Sa voix se brisa. Elle s'interrompit, attendit une fraction de seconde et s'obligea à reprendre :

— C'est la surprise, voilà tout.

— Il restaure merveilleusement la maison.

Il ne la quittait pas des yeux, comme s'il craignait qu'elle ne s'évanouisse.

— Formidable, balbutia-t-elle.

Si elle ne sortait pas de cette pièce tout de suite, l'horrible sourire qui crispait ses lèvres allait geler sur son visage.

— Excuse-moi, mais il faut que j'aille voir comment va Matt. Le voyage a été long et la journée mouvementée.

— Bien sûr. Je suis vraiment content que tu sois revenue. Tu nous as manqué.

— Vous aussi, vous m'avez manqué. Toi en particulier.

Là-dessus au moins, elle ne mentait pas. Elle se leva, en ordonnant à ses jambes de tenir bon.

— Et en me donnant ce boulot, tu m'as sauvé la vie, ajouta-t-elle.

— C'est toi qui m'as rendu service. Pour te dire la vérité, Mme Weaver n'a pas pris sa retraite. Je l'ai virée. Elle travaillait beaucoup, mais elle n'avait pas les qualités d'une bonne bibliothécaire.

La nouvelle ne surprit pas Dani, qui se souvenait d'Agathe Weaver. Les cheveux tirés sur la nuque en un petit chignon, elle arpentait son domaine d'un pas lourd et faisait la guerre à qui osait chuchoter, déplacer un livre ou en choisir un qu'elle jugeait inconvenant.

— Eh bien, j'essaierai de faire mieux.

— Un alligator de mauvais poil pourrait faire mieux que cette femme. Elle me rendait fou, à raconter à tous les enfants que j'avais perdu un livre de Horatio Hornblower quand j'étais en CM2. Et encore, cela n'aurait pas été dramatique, puisque cela prouvait aux gamins qu'on peut tous faire des bêtises et mener ensuite une vie honnête. Mais travailler avec elle devenait de plus en plus difficile. Le conseil municipal a dû se battre parce qu'elle refusait d'acheter la série des Harry Potter, sous prétexte que ces romans poussaient d'innocents enfants vers la sorcellerie. Là-dessus, elle s'est permis d'élever ou d'abaisser le tarif de prêt selon la tête du client. Mais elle a fait encore pire : elle a interdit à Haley Willard d'emprunter des livres parce que ses parents cultivent du poivre dont des résidus pouvaient se glisser entre les pages, si bien qu'un autre enfant risquait de s'en coller sur les doigts et de perdre la vue ensuite en se frottant les yeux ! C'est fou, non ?

— Eh bien, j'avoue que je n'avais jamais rien entendu de tel.

Malgré ses problèmes, Dani commençait à se sentir mieux. Nate avait toujours eu cet effet apaisant sur elle – ce qui lui faisait regretter de ne pas être tombée amoureuse de lui à la place de son frère.

— Dînons ensemble demain soir, proposa-t-il. On rattrapera le temps perdu.

Un rendez-vous ? Elle n'avait aucune envie de se lancer dans une aventure, surtout avec un homme qui avait séduit la plupart des femmes de la région entre huit et quatre-vingts ans. Et ce avant que lui-même ait eu vingt ans.

— Oh, Nate, j'aimerais beaucoup, mais je vais être très occupée, avec les travaux à organiser pour l'appartement et Matt...

— Emmenons-le.

Ouf ! Il ne s'agissait pas d'un rendez-vous galant.

— Est-ce que ce dîner peut attendre jusqu'au retour de papa ?

— Bien sûr. Cela lui fera du bien de sortir un peu après toutes ces années d'incarcération. Tu sais, je trouve que c'est très gentil de ta part de l'accueillir.

— C'est mon père, répondit-elle simplement. J'espère que les travaux de l'appartement seront finis lorsqu'il sera libéré.

— Jack dit qu'il a hâte de sortir.

— Jack ?

— Merde ! Décidément, aujourd'hui, je fais gaffe sur gaffe. Je suis désolé.

— Tu n'as rien à te reprocher, murmura-t-elle, blessée. J'espère quand même que tu n'as pas d'autres nouvelles à m'annoncer. J'ai eu assez de surprises pour la journée.

Ainsi, Jack vivait à Beau Soleil, et il rendait visite au juge qui l'avait envoyé dans une maison de redressement et avait ensuite interdit à Dani de le revoir.

De quoi pouvaient-ils bien discuter, tous les deux ? Parlaient-ils de l'été où Jack était revenu à Blue Bayou ? Et si c'était le cas, son père lui avait-il raconté ce qui s'était passé après le second départ du jeune homme ?

Un rugissement semblable à celui de l'océan emplissait le cerveau de Dani, l'empêchant de se concentrer. Elle serra les bras autour d'elle et tenta d'attribuer le froid qui la glaçait aux courants d'air qui s'infiltraient par la fenêtre.

Nate déposa un petit baiser sur sa joue.

— Demain matin, j'appellerai le chef des pompiers pour que nous allions ensemble évaluer l'état de la bibliothèque et de l'appartement.

— Ah, merci, s'entendit-elle dire.

Elle parvint à adresser un dernier sourire à Nate et, après l'avoir raccompagné jusqu'à son 4 x 4, elle rentra dans la maison, ferma la porte d'entrée et s'y adossa. Là, les yeux clos, elle se dit avec détermination que la présence de Jack à Blue Bayou et son installation dans la demeure des Dupree ne la concernaient en rien.

Elle se le répéta en entrant dans la cuisine douillette d'Orélia, et encore une fois en s'asseyant à côté de Matt. Puis, tout en se répandant en compliments sur le festin qu'Orélia leur avait préparé, elle se demanda tristement quand elle était devenue une telle menteuse.

— Ne te tracasse pas, chéri, dit Désirée en caressant le torse nu de Jack. Ça arrive à tous les hommes.

— Pas à moi.

Qu'est-ce qui clochait chez lui ? Il n'avait tout de même pas bu à ce point. Pas cette fois-ci, du moins. Et Dieu sait que Désirée avait fait tout ce qu'elle pouvait.

À peine la porte refermée, elle s'était collée à lui, pressant ses seins contre sa poitrine, et l'avait embrassé avec ardeur et efficacité. Vibrant de désir, Jack l'avait soulevée dans ses bras et portée dans l'escalier. La chambre, dépourvue du velours rouge et des dorures que l'on aurait pu s'attendre à voir chez une ancienne call-girl de La Nouvelle-Orléans, était un océan de blanc virginal.

Sans mot dire, Désirée avait défait sa fermeture Éclair et laissé glisser sa robe sur la moquette immaculée. Ses dessous étaient si fins que Jack s'était demandé pourquoi elle se donnait la peine d'en mettre. La dentelle rouge tranchait sur sa peau nacrée.

Il l'avait dévorée des yeux tandis qu'elle faisait le tour de la pièce pour allumer des bougies parfumées.

— Tu m'as vraiment manqué, Jack, avait-elle murmuré.

Elle avait ôté son soutien-gorge, et une paire de seins ronds et fermes était apparue. Puis, l'enveloppant de son parfum, un mélange à base de roses blanches qu'elle commandait dans une boutique du Quartier français, elle s'était approchée de Jack et avait posé sa main sur sa braguette.

— Oh, oui ! avait-elle chuchoté en sentant son érection. Cette nuit va être fantastique.

Elle avait repoussé l'édredon en satin et allumé la chaîne hi-fi. Mais, avant qu'elle ait eu le temps d'appuyer sur la touche CD, la radio avait interrompu l'émission en cours pour un flash d'informations.

Un incendie avait ravagé la bibliothèque où, selon Nate, Dani et son fils devaient s'être installés. Le sang de Jack s'était glacé, et son désir s'était aussitôt dissipé, bien que le journaliste ait assuré que personne n'avait été blessé.

Désirée s'était efforcée de renverser la situation. Feignant de ne rien remarquer, elle avait ouvert le jean de Jack, l'avait descendu le long de ses jambes, puis avait fait le chemin inverse en le couvrant de baisers à ranimer un mort. Mais ses caresses expertes étaient restées sans effet.

Ils étaient tombés sur le lit et s'étaient roulés sur les draps en coton égyptien doux comme de la soie. Elle avait murmuré des suggestions – ce qu'elle aurait aimé qu'il lui fasse, ce qu'elle désirait lui faire –, sans résultat, hélas ! Le corps rebelle de Jack avait obstinément refusé de coopérer.

— Ne t'inquiète pas, répéta-t-elle.

Elle l'embrassa de nouveau, mais d'un baiser apaisant, presque chaste, puis se leva et traversa la pièce. Jack la suivit des yeux. Ses cheveux emmêlés se balançaient dans son dos, et ses fesses hautes et fermes étaient splendides. Mais il n'eut pas besoin de soulever le drap pour savoir que rien n'aurait raison de son inertie.

Elle ne prit pas la peine de fermer la porte de la salle de bains. Lorsqu'il entendit l'eau couler dans la baignoire, Jack se frotta le visage. La triste vérité était que c'était fichu – pour aujourd'hui, en tout cas – et que plus Désirée tenterait de ranimer son désir, pire ce serait.

— Jack chéri ?

— Oui ?

Il soupira et jeta un regard furieux à la partie de son corps qui le défiait.

Désirée revint dans la chambre, vêtue d'un peignoir blanc qui soulignait exactement ce qu'il fallait.

— Va donc chercher la chienne.

— La chienne ? répéta-t-il, ahuri. Pourquoi ?

— Pour lui donner un bain moussant.

Deux heures plus tard, l'animal fleurait la maison close de luxe, et Jack mangeait un steak en feignant de ne pas voir les morceaux de viande que Désirée jetait à la chienne sous la table. Il se sentait mieux et, tout en lui parlant des travaux de Beau Soleil et de ses progrès dans l'écriture de son livre, il tenta de se convaincre que son fiasco était dû au surmenage et n'avait aucun rapport avec Danielle.

5

Dani ne parvenait pas à trouver le sommeil. Peu avant l'aube, lassée de se retourner dans son lit, elle se leva et sortit. Assise sur la véranda, les yeux errant par-delà le bayou en direction de Beau Soleil, elle se demanda si elle n'avait pas commis une erreur en revenant à Blue Bayou.

Elle avait cru avoir tourné la page. Cela lui avait pris du temps. Pendant des années, au mois d'avril, lorsqu'elle écrivait une carte d'anniversaire pour une enfant qui ne la lirait jamais, elle sombrait dans la dépression. Puis cela avait fini par passer.

Mais, en se retrouvant dans la chambre d'amis d'Orélia, les yeux fixés sur la fenêtre, elle s'était souvenue des nuits d'autrefois lorsque, les yeux rivés sur une autre fenêtre, elle espérait contre tout espoir que Jack viendrait la chercher.

Quand il était sorti de sa vie, elle avait pendant des semaines refusé de voir la vérité en face. Certes, en guise d'éducation sexuelle, le lycée catholique qu'elle fréquentait s'était contenté de présenter aux élèves de seconde un film bref et vague sur la menstruation, mais Dani avait consulté suffisamment de livres pour savoir que faire l'amour sans protection risquait de provoquer une grossesse non désirée. Jack mettant des préservatifs, elle se croyait protégée.

— Pauvre sotte ! murmura-t-elle en se souvenant de sa naïveté.

La dernière fois qu'ils avaient fait l'amour, le préservatif s'était déchiré. Dani s'était empressée d'assurer à Jack qu'elle ne risquait rien ces jours-ci. C'était faux, et elle le savait. Mais on ne pouvait sûrement pas tomber enceinte aussi rapidement et, même si cela lui arrivait, eh bien, pourquoi pas ? Cela lui permettrait de quitter son père et d'épouser Jack.

Les nausées étaient apparues. Pas seulement le matin, mais à tout moment de la journée, même le soir. Pourtant, comme Jack ne revenait pas, elle avait réussi à se persuader que ces malaises disparaîtraient. Mais ils n'avaient pas cessé.

Un samedi après-midi, trois mois après sa dernière nuit dans les bras de Jack, elle avait pris le car pour La Nouvelle-Orléans où, la bouche sèche et les mains moites, elle avait acheté un test de grossesse dans le Quartier français. La notice recommandant de l'utiliser le matin, elle l'avait caché dans son placard, derrière ses chaussures, comme si son père allait soudain décider de fouiller sa chambre. Hypothèse farfelue car, du plus loin qu'elle s'en souvînt, il ne semblait même pas remarquer sa présence.

Le temps s'était étiré avec une lenteur éprouvante jusqu'au lendemain matin. Comme elle le redoutait, le test s'était révélé positif.

Dani avait compris qu'elle ne pourrait éternellement cacher sa grossesse, mais, paralysée par la peur de la réaction paternelle, elle avait continué à vivre dans le mensonge durant deux autres semaines atroces, jusqu'à ce que Marie Callahan devine la vérité et la traîne chez le Dr Vallois, qui avait confirmé ce qu'elle savait déjà. Elle allait avoir un bébé. Le bébé de Jack.

Avec le recul, Dani se rendait compte que, gouvernante de la famille Dupree et grand-mère de l'enfant à naître, Marie avait dû être aussi épouvantée qu'elle lorsqu'elles étaient entrées ensemble dans le bureau du juge pour lui révéler la vérité.

La nuit précédant l'aveu, Dani avait rêvé que son père partait à la recherche de Jack pour le sommer d'épouser sa fille. Le jeune homme réalisait qu'il l'aimait passionnément, il s'excusait de l'avoir fait souffrir, et tous deux entamaient une longue vie de bonheur.

Hélas, la réalité avait été très différente de ce scénario idyllique. Aussi efficace que dans sa salle d'audience, le juge Dupree avait passé trois coups de téléphone, et quelques minutes lui avaient suffi pour trouver un endroit où Dani pourrait cacher la fin de sa grossesse.

Elle avait fondu en larmes et avait supplié son père de la garder à la maison, mais il était resté inébranlable et, deux jours plus tard, Marie avait emmené la jeune fille à Atlanta, dans un foyer pour mères célibataires. Là, dimanche après dimanche, un prêtre donnait en exemple la vraie mère de la Bible qui, devant le roi Salomon, avait préféré donner son enfant plutôt que de le voir coupé en deux.

Une douce lueur frémit à l'horizon. Les oiseaux du bayou se mirent à chanter et, de l'autre côté de la rue, le vieux Daniel Cahouet accueillit la journée en se campant sur sa pelouse et en sonnant du clairon, ainsi qu'il le faisait tous les matins depuis son retour au pays, à la fin de la Seconde Guerre mondiale.

Dani essuya ses joues humides de larmes, se leva et rentra dans la maison pour se préparer à affronter ce qui, à n'en pas douter, promettait d'être une très mauvaise journée.

— La bibliothèque est très abîmée ? demanda Jack qui, marteau en main, fixait un morceau de moulure en haut du mur.

Nate avait si bien travaillé qu'on ne pourrait voir où s'achevait la moulure d'origine et où commençait la partie neuve.

— C'est moins dramatique qu'on aurait pu le penser hier soir, répondit son frère en posant une autre longueur de moulure sur l'établi. Je n'ai pas pu entrer, car toutes les issues étaient barricadées, mais d'après ce que m'a dit le chef des pompiers, si nous réussissons à libérer deux ouvriers et si je me partage entre les deux chantiers, huit semaines suffiront pour tout remettre en état.

Du haut de l'échafaudage, Jack voyait la brume se lever au-dessus du bayou. Il avait la tête claire, ce matin. Trop claire pour qu'il puisse être en paix avec lui-même et ses souvenirs.

— Elle a l'air en forme, reprit Nate. Un peu maigre, mais c'est la mode. Fatiguée, ce qui est normal après ce long voyage depuis la Virginie. Mais elle est quand même rudement belle.

— Je ne t'ai pas demandé comment elle allait, dit Jack en enfonçant un clou.

— Je sais. Je voulais t'épargner la peine de t'en enquérir sans en avoir l'air.

Jack poussa un juron et donna un violent coup de marteau, au risque d'abîmer la moulure.

— Quel con, son mari !

— Pire que ça, répondit Nate. Dani ne savait pas que tu avais acheté la maison.

Jack baissa les yeux vers son frère.

— Tu plaisantes ?

— Pas du tout. Elle ne savait même pas que Beau Soleil leur avait brièvement appartenu, à elle et à son mari. Il a dû imiter sa signature.

— Ce n'était pas seulement un con, mais un salopard !

En entendant l'exclamation de Jack, la chienne, qui somnolait, releva la tête et le regarda avec appréhension.

Bravo ! Maintenant, il faisait peur aux chiens. Il ne lui restait plus qu'à aller en ville et terroriser les enfants de maternelle.

Il descendit de l'échafaudage, prit son sac et en sortit un biscuit, qu'il tendit à la chienne. Elle l'avala, puis, rassurée, s'étira et se rendormit.

— Dommage qu'on ne l'ait pas su, marmonna Jack. On aurait demandé à Finn de l'épingler.

Des trois Callahan, Finn était celui qui ressemblait le plus à leur père. Bien qu'il fût à peine plus âgé que ses frères, il avait assumé le rôle de chef de famille après la mort en service de Jake Callahan. À présent, il faisait une brillante carrière au FBI.

— Finalement, Dani a de la chance d'être débarrassée de ce type, reprit Nate, même si, en ce moment, elle a du pain sur la planche, avec son nouveau boulot et le retour de son père.

— Malheureusement, ça ne s'arrête pas là.

— Tu sais des trucs que j'ignore ?

— Imagine qu'il s'agisse d'un incendie criminel. Si c'est le cas, elle et son fils sont en danger. L'incendiaire peut décider de remettre ça.

— Qu'est-ce qui te fait penser une chose pareille ? Avant de lui proposer ce logement, j'ai vérifié l'installation électrique, mais le feu peut être dû à une cause extérieure. La foudre, par exemple.

— C'est possible, admit Jack. Mais tu ne trouves pas bizarre que l'appartement où le juge va s'installer dans deux semaines soit réduit en cendres ?

— Il a payé sa dette. Pourquoi voudrait-on l'empêcher de rentrer chez lui ?

— Si tu étais l'auteur du coup monté qui l'a envoyé en prison, ça te ferait plaisir qu'il vienne camper dans ton jardin ?

— Tu penses toujours qu'il n'était pas coupable ? demanda Nate.

— Je sais qu'il ne l'était pas.

— C'est ce qu'il dit.

— Le juge a beau être un vieux con impitoyable qui s'est fait une foule d'ennemis, il est foncièrement intègre. Pour rien au monde il n'aurait accepté un pot-de-vin.

— En tout cas, le jury pensait le contraire, et lui n'a rien fait pour se défendre.

— C'est ce qu'on m'a dit, fit Jack, qui n'avait pas assisté au procès et se demandait si sa présence aurait modifié le cours des choses.

— Si le juge et toi avez l'intention de jouer aux détectives pour prouver son innocence, prévenez-moi. En tant que maire, c'est mon boulot de maintenir la paix.

— Techniquement, c'est celui du shérif.

— Alors, porte-toi candidat, et nous aurons quelqu'un qui s'en chargera vraiment.

— Je t'ai déjà dit que j'avais renoncé à ce genre de travail.

À cela s'ajoutait le fait que Jack n'était pas homme à trahir un secret. Or, le juge lui avait demandé de garder le silence.

— Écoute, je ne peux pas te dire pourquoi, et ça n'a rien à voir avec cette vieille affaire, mais si tu veux faire quelque chose pour Danielle, oblige-la à prolonger son séjour chez Orélia en retardant la réfection de l'appartement.

— Ça ne va pas être facile. Elle est loin d'être sotte. Il faudrait que j'aie de bonnes raisons.

— Mets-moi tout sur le dos, suggéra Jack en rangeant son marteau dans sa ceinture à outils. Dis-lui que je suis un salaud et que je te réclamerai des pénalités si ce chantier prend du retard.

— Elle ne le croira pas. Je suis ton frère.

— Fais-moi confiance. De moi, elle croira le pire.

Nate émit un long sifflement.

— Cela ne va pas arranger ton cas, Jack.

— Je m'en fiche.

Il sortit une cigarette de sa poche et la coinça entre ses lèvres.

— Je ne veux pas m'immiscer dans sa vie. Laquelle, comme tu me l'as signalé, est déjà bien assez compliquée.

— Elle va être furieuse, prévint Nate.

Jack répondit par un haussement d'épaules désinvolte, bien que l'idée d'ajouter aux soucis de Danielle lui déplût.

— Ça doit être un sacré secret, commenta Nate.

— Oui, c'en est un, admit Jack en exhalant un nuage de fumée.

Ses années de lutte contre les trafiquants lui avaient appris à se méfier des coïncidences. Il ne croyait pas que cet incendie qui avait ravagé l'appartement où allaient s'installer Danielle, son fils et Maximum Dupree soit dû au hasard.

Malheureusement, une autre mauvaise surprise attendait Danielle. Jack en voulait au juge de n'avoir pas mis sa fille au courant de ses ennuis de santé. Refuser tout contact avec elle durant ses années d'incarcération était déjà inutilement cruel, mais garder un tel secret, alors que personne ne savait combien de temps ils auraient à vivre ensemble, était encore pire.

En fait, si le juge avait tenu sa fille à l'écart, ce n'était pas tant pour lui éviter d'être entraînée dans le scandale que parce qu'il avait honte. Il n'en avait rien dit à Jack, mais celui-ci l'avait deviné. Le juge était humilié de se retrouver en prison, mais il s'en voulait aussi d'avoir jadis chassé de la ville l'amant de sa fille.

Jack avait tourné la page et reconnaissait que, s'il avait eu une fille adolescente, il n'aurait pas apprécié qu'elle fréquente un voyou de son espèce. Mais si le juge avait réellement aimé Danielle, il ne l'aurait pas poussée dans les bras d'un politicien sans scrupule. Elle méritait mieux que Lowell Dupree.

Et beaucoup mieux que lui-même.

6

— Pourquoi ne puis-je pas ouvrir la bibliothèque avant la fin des travaux de l'appartement ? demanda Dani au chef des pompiers.

Trois jours s'étaient écoulés depuis qu'elle était arrivée à Blue Bayou et avait trouvé sa future maison en flammes. Trois longues et frustrantes journées à attendre que cet homme achève l'état des lieux.

— Le deuxième étage est très abîmé, admit-elle. Mais au rez-de-chaussée et au premier étage, il n'y a que des dégâts des eaux.

— C'est vrai, cette partie du bâtiment n'a pas trop souffert. Mais le problème, c'est que vous allez avoir au-dessus de la tête des ouvriers qui manipuleront des instruments dangereux, avec des fils électriques suspendus partout et tout un tas de trucs qui feront courir des risques à nos concitoyens.

Tout en mâchonnant un petit cigare éteint, il examinait le bâtiment comme s'il le voyait déjà dévasté par une nouvelle catastrophe.

— Non. C'est trop dangereux.

Dani s'ordonna de contenir sa colère. Elle avait besoin de la signature de cet exaspérant petit bonhomme, se rappela-t-elle.

— Ce n'est pas grave, reprit-il d'un ton réconfortant. Une fois que vous aurez obtenu le permis de construire, ça ne prendra pas beaucoup de temps de tout remettre en état. Et ce sera mieux qu'avant, puisqu'une installation électrique neuve vous mettra à l'abri d'une autre surprise désagréable.

— Quand aurai-je le permis ?

— Oh, ça, j'sais pas, fit-il en refermant son bloc, signe que sa tâche était finie. Votre entrepreneur et vous...

— Mon entrepreneur, c'est Nate Callahan. Le maire de Blue Bayou, ajouta-t-elle, dans l'espoir que la position de Nate dans la hiérarchie de la ville accélérerait les choses.

— C'est ce que j'ai entendu dire. En tout cas, vous devez vous présenter avec lui à la réunion mensuelle du conseil municipal et demander une dérogation pour pouvoir construire au-dessus de la bibliothèque.

— Mais l'appartement fait partie de l'immeuble depuis des années.

— Il n'en fait plus partie, puisqu'il a brûlé, lui rappela-t-il. Aujourd'hui, il n'est plus répertorié comme résidentiel. Il faut renouveler la demande.

Dani se retint de grincer des dents.

— Vous pensez qu'il y aura un problème ?

Il haussa les épaules et ajusta sa casquette.

— C'est pas mon boulot de trancher. Mais si j'étais joueur, je parierais que vous l'obtiendrez, ce permis. Tôt ou tard.

— Quand cette réunion est-elle prévue ?

— La dernière a eu lieu la semaine passée. On a réglé un petit litige au sujet d'embarcadères privés et on a autorisé le salon de thé de Mlle Bea à servir des repas sur la véranda. Si bien, poursuivit-il sans cesser de mâchonner son cigare, que la prochaine réunion se tiendra dans trois semaines.

— Trois semaines ?

— Désolé. Ce n'est pas…

— … votre boulot, acheva sèchement Dani.

— Non, m'dame. Je regrette.

Il lui souhaita bonne chance et, après avoir collé sur la porte d'entrée une affichette proclamant « Danger – Accès interdit », se dirigea vers sa camionnette.

— Je l'aurai, ce permis, grommela Dani en prenant le chemin de la mairie.

Pas question d'attendre trois semaines ! Elle allait pousser la secrétaire à programmer une réunion exceptionnelle.

Elle se sentait chargée d'une mission et, bien que la comparaison soit un peu tirée par les cheveux, elle commençait à comprendre la détermination de Scarlett O'Hara, qui avait fait feu de tout bois pour restaurer Tara, la plantation familiale dévastée.

Évidemment, grâce à son mari et à son père, Dani n'avait plus à se soucier d'une quelconque propriété. Sa tâche se limitait à arranger un petit appartement pour accueillir sa famille.

Et elle y arriverait. Plus d'un siècle s'était écoulé depuis la guerre de Sécession, mais certaines choses étaient immuables. La combativité et la force légendaires des femmes du Sud l'animaient comme elles avaient animé son arrière-grand-mère Lurleen, laquelle avait manié l'aiguille jusqu'à avoir les doigts en sang afin de payer les dettes de jeu de son époux et sauver Beau Soleil des mains des banquiers new-yorkais.

Se plaindre était stupide et déshonorant. Elle remporterait la bataille du permis de construire, se dit Dani en s'arrêtant devant *Paula's Pralines* pour y acheter de quoi soudoyer la secrétaire de mairie.

Trois jours plus tard, malgré la promesse qu'elle s'était faite, Dani avait bien du mal à ne pas se plaindre.

— Je ne comprends pas pourquoi ce type ne décroche pas, marmonna-t-elle en raccrochant brutalement. Je ne vais pas exiger qu'il me rende ma maison. Je veux seulement deux ouvriers.

Elle avait gagné à sa cause la secrétaire de mairie – à l'aide des pralines, de deux billets pour le concert des Dixie Chicks à Baton Rouge et de la promesse de lui réserver le prochain roman de Jack Callahan dès que la bibliothèque l'aurait acheté – et avait obtenu son permis. Mais il ne lui servirait à rien si elle ne trouvait personne pour effectuer les travaux.

Nate se montrait contrit, compatissant, et même plein de remords, mais la situation n'évoluait pas. Jack Callahan ne se contentait pas de vivre dans sa maison, il l'empêchait d'en aménager une autre pour elle et son fils.

— Peut-être est-il absorbé par l'écriture de son nouveau livre, suggéra Orélia.

— Il faut bien qu'il s'arrête pour manger.

Dani se laissa tomber sur une chaise et prit un morceau de toast aux raisins.

— Pourquoi n'écoute-t-il pas ses messages, hein ?

Le silence de Jack la blessait. Autrefois, lorsqu'il lui résistait, elle savait le faire céder. Mais à présent, cela ne marchait plus, alors que l'enjeu était plus important. Ce n'était pas son cœur qu'elle défendait, aujourd'hui, mais l'avenir de sa famille.

Dani aimait beaucoup Orélia, elle appréciait sa compagnie et lui était reconnaissante d'avoir veillé sur Matt après l'école tandis qu'elle se débattait avec les bureaucrates de la mairie et réglait mille et une formalités administratives. Mais elle avait besoin de son propre espace, d'un endroit où Matt pourrait se comporter comme un petit garçon normal et courir partout sans craindre de renverser un objet précieux.

L'appartement représentait une solution provisoire en attendant qu'elle ait fini de payer ses dettes. Plus tard, elle achèterait une maison entourée d'un grand jardin, avec une balançoire et un arbre assez gros pour abriter une cabane. Elle pourrait même jardiner, se dit-elle avec un regain d'optimisme. Les terrasses qui s'échelonnaient autour de la piscine de sa maison de Fairfax avaient remporté un prix qui leur avait valu d'être photographiées pour la revue *Southern Living*, mais c'était l'œuvre des paysagistes. Dani n'avait jamais été autorisée à y travailler, de peur d'en déranger l'agencement délicat.

Quant aux beaux meubles de famille qu'elle avait emportés de Beau Soleil en se mariant, elle avait dû les brader pour payer les honoraires de son avocat, ainsi que ce que Lowell devait encore au sien.

— T'inquiète pas, chérie, dit Orélia comme Dani soupirait.

— Je ne suis pas inquiète, seulement frustrée, répondit Dani en se demandant pour la énièmc fois où diable se cachait Jack.

Le téléphone sonna de nouveau. La chienne leva un regard interrogateur vers Jack, puis, voyant qu'il ne réagissait pas, reposa la tête sur ses pattes avant et se rendormit.

Jack éteignit sa ponceuse et tendit l'oreille tandis que le répondeur se mettait en marche.

— Jack ?

La voix n'avait pas changé. Une voix distinguée qu'adoucissait une pointe d'accent du Sud.

Si les premiers appels n'avaient été que tendus, à présent, c'était carrément de la colère qu'il percevait.

— Bon sang, Jack, où es-tu ? Réponds, nom de nom !

Une seconde s'écoula, puis il entendit un bref juron, suivi du choc du combiné qu'on reposait brutalement sur son socle. Jack tourna le bouton de la ponceuse et se remit au travail.

7

Le ciel s'assombrissait, réduisant la lumière à une mince bande de nuages pourpres qui s'étirait sur l'horizon. Dani avait oublié à quelle vitesse la nuit tombait sur le bayou. Tandis qu'elle pilotait son canot de location dans le labyrinthe aquatique, des lucioles clignotaient sur les berges sombres, et les silhouettes brunes de ragondins et de rats musqués traversaient la rivière boueuse.

La lampe de l'embarcation perçait tout juste la brume tiède. Lorsqu'une tête noueuse d'alligator apparut, tel un rocher marron au milieu des nénuphars, Dani retint un cri.

La raison lui commandait de faire demi-tour. Mais elle avait déjà effectué un bon bout de chemin et, à moins que son sens de l'orientation et le système GPS du bateau ne soient tous les deux tombés en panne, Beau Soleil ne devait plus être loin.

— Encore cinq minutes, dit-elle à voix haute.

Ensuite, si elle n'avait toujours pas atteint la propriété, elle renoncerait.

C'est à cet instant qu'au détour d'un virage apparut la demeure de style néoclassique. Finalement, ce n'était pas une mauvaise idée d'avoir entrepris cette expédition en fin de journée, se dit-elle. La maison semblait en mauvais état, et la revoir à la lumière crue du jour aurait été bien pire.

La double entrée datait de l'époque où, si un jeune homme apercevait la cheville d'une jeune fille, il avait le devoir de l'épouser aussitôt. D'où les deux perrons – l'un pour les dames en crinoline, l'autre pour les messieurs. L'escalier des dames était en triste état ; l'autre ne valait guère mieux, mais une structure métallique le soutenait.

Beau Soleil avait été incendié en 1812 par les Anglais, lors de la seconde guerre de l'Indépendance, puis occupé par des soldats yankees et leurs chevaux durant la guerre de Sécession. À ces épreuves s'ajoutaient deux siècles d'ouragans. Dani sentit sa gorge se serrer à la vue de cette demeure, jadis noble et belle, qui ressemblait à présent à une prostituée sur le déclin.

Elle avait déjà quitté la ville lorsqu'elle s'était dit qu'elle risquait de trouver la maison déserte, mais elle avait décidé de poursuivre son chemin. Une lumière au premier étage lui redonna espoir. Elle s'approcha de l'embarcadère, que Jack avait construit autrefois sur l'ordre de son père.

Avec habileté, malgré les années écoulées, Dani attacha son canot à côté d'une barque et se dirigea vers la maison. Tels des boas oubliés par des fantômes, des banderoles argentées de mousse espagnole s'enroulaient autour des branches des chênes centenaires.

Elle leva les yeux vers une fenêtre du premier étage et se revit, adolescente, faisant le mur pour rejoindre son amant.

— Une fille aussi maligne que toi devrait savoir qu'il est dangereux de se promener la nuit dans le bayou, fit une voix familière.

Dani poussa un cri. Une main pressée sur son cœur pour en calmer les battements désordonnés, elle se tourna lentement vers la véranda.

Seul le bout rougeoyant d'une cigarette révélait la présence du maître de maison.

— Tu aurais pu me dire que tu étais là, au lieu de me faire mourir de peur.

— Si j'avais pensé que nous avions quelque chose à nous dire, je t'aurais rappelée.

Sa voix était plus grave que dans les souvenirs de Dani. Plus grave et décidément peu engageante.

— Tu as donc eu mes messages.

— Oui.

Les yeux de Dani s'habituaient à la pénombre, et elle commençait à le distinguer - grand, élancé et, hélas, doté de la beauté du diable. Il portait un tee-shirt gris aux manches coupées, un jean dont l'usure frôlait l'indécence et des bottes de cow-boy.

— Mais tu as décidé de les ignorer.

Il porta une bouteille de bière à ses lèvres et but une gorgée.

— Oui.

Eh bien, voilà qui ne présageait rien de bon.

— Ta mère t'a pourtant appris les bonnes manières.

— Je n'ai jamais été réputé pour mes bonnes manières, rappelle-toi. Ce qui exaspérait ma mère.

Rien n'était plus vrai. Les gens du bayou l'avaient surnommé Bad Jack Callahan. Un démon au visage d'ange déchu.

— Sa mort m'a beaucoup peinée, dit-elle.

Contrairement à tant de familles catholiques du bayou, celle de Dani se limitait à son père et elle-même. Elle n'avait ni frère, ni sœur, ni oncle, ni tante, ni cousin. Sa mère était partie avant son deuxième anniversaire, et le juge, à l'inverse des papas poules de la télévision, avait confié sa fille à une succession de gouvernantes, jusqu'à ce que, accompagnée de ses trois fils, Marie Callahan s'installe sur place et assume le rôle de mère adoptive. C'était elle qui avait organisé les goûters d'anniversaire de Dani, qui l'avait emmenée acheter son premier paquet de serviettes hygiéniques et qui l'avait consolée lorsqu'elle avait été recalée au permis de conduire. Bien sûr, elle avait aussi pris le parti de son employeur quand celui-ci avait séparé Jack et Dani, lors de cet été doux-amer dont la jeune femme ne parvenait pas à chasser le souvenir.

Lorsque Marie était morte prématurément d'un cancer du sein, Dani avait refoulé tout amour-propre et envoyé à Jack une lettre de condoléances. Il ne lui avait pas répondu. Il ne s'était pas non plus rendu aux obsèques de sa mère, ce qui avait surpris tout le monde, y compris ses détracteurs, car Jack Callahan avait toujours été un fils affectueux.

— Oui. Moi aussi, j'ai été très triste, répondit-il.

Il poussa un soupir et jeta sa cigarette, qui dessina un arc orange avant de tomber dans l'herbe. Puis, sa bouteille de bière finie, il la posa sur le sol, se leva et descendit les marches. Les coquilles d'huîtres concassées qui recouvraient l'allée crissèrent sous ses pas tandis qu'il s'approchait de Dani d'une démarche féline. Elle le regarda avancer vers elle, le souffle court.

Il était toujours scandaleusement beau, mais les années avaient creusé son visage, ses lèvres sensuelles étaient pincées en une ligne sévère, et ses pommettes hautes se détachaient plus nettement qu'autrefois sur ses traits taillés à la serpe. Sa queue-de-cheval et l'anneau en or fixé à son oreille lui rappelèrent les pirates qui se réfugiaient à Blue Bayou après avoir pillé les bateaux espagnols qui sillonnaient le golfe du Mexique. Il ne lui manquait qu'un sabre d'abordage.

« Cet homme est dangereux », se rappela-t-elle. Sinon lui, du moins les sentiments qu'il avait toujours su éveiller en elle.

— Tu n'aurais pas dû venir, Danielle, déclara-t-il brutalement.

Il lui avait déjà dit cela autrefois, et elle n'en avait pas tenu compte. Pas plus qu'elle ne le ferait ce soir.

— Tu ne m'as pas laissé le choix, en te cachant dans le marais comme un ermite.

— Tu saignes... fit-il en lui effleurant la joue.

Dani sentit sa peau s'embraser aussitôt. Elle recula d'un pas et s'efforça de respirer calmement.

Inspiration.

— J'ai dû m'écorcher sur une branche.

Expiration.

— Il n'y a plus de route, venir ici n'est pas facile.

Inspiration.

— Lors des derniers ouragans, les inondations ont emporté la chaussée, expliqua-t-il. La maison étant en ruine, le conseil municipal n'a pas jugé utile de dépenser des fonds publics pour restaurer une route que personne n'utilisait plus.

— Ce qui doit te convenir parfaitement. Je suppose que tu aurais préféré que je me perde en chemin.

— Seigneur, non ! protesta-t-il. Je paie de mes deniers la réfection de cette route, car c'est moins cher que de continuer à tout apporter par bateau. Si tu avais attendu une semaine, tu aurais pu éviter cette balade nautique.

— Je ne pouvais pas attendre aussi longtemps.

— *Folie !* commenta-t-il en français.

— J'ai fait de plus grandes folies.

Un rire sans joie gronda dans la gorge de Jack.

— Je ne te contredirai pas sur ce point, chérie.

Dani n'était cependant pas folle au point de prendre au sérieux ce terme d'affection.

— Nous étions tous les deux complètement fous, cet été-là, reprit-il.

Elle crut percevoir dans sa voix une pointe de regret. Mais n'était-ce pas lui qui était parti ? S'il avait regretté sa décision, il aurait pu l'appeler. Ou lui écrire. Au lieu de quoi, il avait disparu de la surface de la terre, la laissant affronter seule les conséquences de leur idylle.

— Je ne suis pas venue pour parler de cette époque.

Le regard de Jack, qui avait paru s'adoucir un peu, se referma comme une fenêtre qu'on barricade avant le passage de l'ouragan.

— Alors, pourquoi es-tu là ?

Bonne question. Si elle avait été seule en cause, elle aurait préféré dormir dehors plutôt que de venir ramper à ses pieds. Mais elle devait penser à Matt. Un innocent petit garçon qui avait besoin d'un toit.

— Apparemment, tu as embauché tous les ouvriers de la région.

— Tu ne t'en rends peut-être pas compte, mais cette maison est dans un état catastrophique. Les termites se régalent, la dernière tempête a emporté la moitié du toit, la plomberie fuit et l'installation électrique ne demande qu'à déclencher un immense feu de joie. Si j'embauchais tous les ouvriers de la région, de Lafayette à La Nouvelle-Orléans, il me manquerait encore du monde pour terminer ces travaux avant ma mort.

— Pourquoi ne te fais-tu pas construire une autre maison ? suggéra-t-elle. Ça t'éviterait tous ces soucis.

— Et laisser le bayou engloutir Beau Soleil ? Pas question !

— Je ne m'étais pas rendu compte que tu y étais aussi attaché, dit Dani, surprise par son ton véhément.

Il tourna la tête et examina la demeure noyée dans le pourpre du soleil couchant.

— Moi non plus.

Cette franchise inattendue laissa Dani momentanément sans voix. Puis elle se reprit et se rappela sa mission.

— Il me faut des ouvriers, Jack. Et tout de suite.

Il lui décocha un regard énigmatique et haussa les épaules.

— J'ignore ce qu'il en est pour toi, mais je meurs de faim. J'ai sauté le déjeuner parce que j'avais rendez-vous avec un gangster qui se prétend spécialiste en fosse septique. Dès que j'aurai soigné ton écorchure, tu décortiqueras des crevettes pendant que je ferai un roux. Nous nous régalerons de *gumbo*, tout en cherchant à régler nos problèmes respectifs.

Déterminée à régler le sien, Dani refoula son envie de rentrer en ville. Marie Callahan lui avait expliqué un jour que le meilleur moyen d'amadouer un homme était de s'attaquer à son estomac. Faux, s'était dit Dani qui, après avoir couché avec le fils de Marie, en avait déduit qu'il accordait la priorité à une autre sorte de faim.

Mais aujourd'hui, peut-être Jack serait-il plus enclin à négocier après un bon repas. Même si c'était lui qui l'avait préparé.

— Ça me paraît honnête, répondit-elle.

Un croissant de lune se levait dans le ciel, et l'eau clapotait contre l'embarcadère. Jack s'accroupit et plongea brusquement la main dans le bayou, faisant s'envoler une bande de canards qui dormaient dans les roseaux. Une pluie d'étoiles scintillantes se déversa sur l'eau.

— Bon Dieu, murmura-t-il. Je n'ai jamais vu un tel feu follet.

Il sortit de l'eau une main phosphorescente d'où retombèrent des gouttelettes brillantes.

— Tu embrases toujours ce bayou, mon ange.

Son regard se posa sur les lèvres de Dani et s'y attarda, comme s'il se rappelait leur goût.

Il se rapprocha d'elle. Beaucoup trop. Mais Dani, dos au bayou, ne pouvait reculer.

— Je ne suis pas ton ange, protesta-t-elle.

Mais le souvenir de leurs étreintes lui revint en mémoire, durcissant les pointes de ses seins sous le tee-shirt que l'humidité ambiante collait à sa peau.

Pourvu que l'obscurité soit assez dense pour que Jack ne remarque rien ! songea-t-elle.

Espoir vain, hélas.

— Tu peux dire ce que tu veux, ton corps charmant se souvient, lui. Le mien aussi.

Malgré ses efforts, Dani ne put empêcher son regard de se poser sur la braguette de Jack. Il ne mentait pas.

— Qu'en dis-tu, chérie ?

— C'est réconfortant de constater que tout n'a pas changé à Blue Bayou, répliqua-t-elle, les joues en feu. Tu es toujours obsédé par le sexe.

— Le jour où la vue d'une jolie femme ne me fera plus d'effet, je m'attacherai une pierre au cou et je me jetterai dans le bayou.

Dani n'était plus une jeune vierge catholique qui découvrait le désir sexuel. Elle était une femme adulte qui avait survécu à un chagrin d'amour, s'était mariée, avait donné le jour à un fils qu'elle adorait et, si des déménageurs n'avaient pas laissé échapper un piano, aurait été la première divorcée de la famille Dupree.

Le regard de ce mauvais garçon n'aurait pas dû faire battre son cœur si vite.

Et pourtant, que Dieu lui vienne en aide, c'était ce qui se passait.

Comme ils montaient les marches de la véranda, elle se jura que le charme de Jack ne ferait pas d'elle la belle du Sud typique, sotte et mièvre, qui s'évanouit aux pieds d'un homme. Ou devant une autre partie de son anatomie.

8

Jack l'avait examinée dès qu'elle avait mis pied à terre. Cinquante kilos, un corps parfait, des cheveux blonds et, bien qu'il ne puisse les voir de la véranda, des yeux verts tachetés de paillettes dorées. Des milliers de femmes correspondaient à ce signalement, mais aucune n'était aussi séduisante.

Il était parvenu à se convaincre que, tout comme lui, Dani avait dû changer. C'était vrai. En mieux.

Ses cheveux, qui flottaient jadis jusqu'à sa taille, étaient tressés en une natte qui dépassait à peine ses épaules. Malgré sa minceur, elle avait plus de formes que lorsqu'il l'avait vue pour la dernière fois. Qu'il l'avait touchée. Goûtée.

Quand ils pénétrèrent dans le vestibule, la lumière du lustre révéla les cernes sous ses yeux. Son instinct protecteur se réveilla aussitôt.

Imbécile ! S'attendrir était dangereux. Il avait déjà fort à faire pour résister à ce regard expressif, au dessin ensorceleur de ces lèvres et au parfum paradisiaque qui se dégageait d'elle.

Un bruit de galopade se fit entendre.

— Oh, merde ! Fais gaffe !

Il bondit pour intercepter la masse de poils bruns

qui déboulait dans le vestibule. Mais la chienne le contourna habilement, se dressa sur ses pattes arrière et posa celles de devant sur les épaules de Dani, qu'elle accueillit d'un coup de langue affectueux.

— Bonjour, toi, fit Dani avec un sang-froid étonnant, vu le poids de l'animal.

Jack attrapa la chienne par son collier pour l'obliger à lâcher prise. Ce qui n'empêcha pas l'animal de manifester sa joie en sautillant autour de Dani, dont le tee-shirt gardait la trace d'une patte boueuse.

— Désolé, fit Jack. Elle est plutôt distante avec les inconnus.

— C'est ce que je vois, dit Dani en grattant la grosse tête qui s'insinuait sous sa paume. Je ne m'attendais pas à te retrouver avec un chien.

— Elle n'est pas à moi.

S'il avait adopté un chien, il aurait choisi un animal bien dressé, comme le berger allemand avec lequel il avait à plusieurs reprises traqué des dealers, pas une bête qui bondissait et bavait sur les gens dès qu'ils entraient.

— Je la garde ici en attendant d'avoir le temps de l'emmener au refuge.

— Je vois.

De toute évidence, elle ne le croyait pas. Ce qui n'avait rien d'étonnant, puisqu'il commençait à en douter lui-même.

— Elle est de quelle race ?

— À mon avis, c'est un sacré mélange. Braque, cocker et, pourquoi pas, dogue allemand.

Dani émit un petit rire.

— J'ai toujours eu envie d'un chien, dit-elle.

— Je ne le savais pas.

— Il y a beaucoup de choses que tu ignores sur moi. Pourquoi es-tu enfermée par une si belle soirée ? demanda-t-elle à la chienne.

— Parce que, hier soir, elle est allée se balader avec une mouffette et que j'ai eu un mal fou à la débarrasser de sa puanteur.

— Pauvre bébé, fit Dani en adressant un sourire à l'animal, qui parut le lui rendre. Comment s'appelle-t-elle ?

— Mev'là. Parce qu'elle a débarqué sans prévenir.

— Très original.

Le sourire de Dani s'effaça tandis que son regard se portait sur la fresque qui couvrait le mur.

— Qu'y a-t-il ? demanda-t-il.

— On dit que, lorsqu'on revient chez soi adulte, tout a l'air plus petit que dans nos souvenirs.

— Même délabré, Beau Soleil ne peut pas donner cette impression.

— C'est exact.

La fresque représentait le Grand Dérangement, c'est-à-dire l'expulsion des Acadiens du Canada et leur arrivée en Louisiane, puis continuait dans l'escalier avec l'histoire des amants maudits, Evangeline et Gabriel, immortalisée par le poète Longfellow[1].

— Elle est toujours aussi magnifique, mais il y a quelques différences, il me semble, murmura-t-elle.

— Je l'ai fait restaurer. C'était compliqué, parce que au XIXe siècle, on peignait directement sur le plâtre, si bien que la fresque vieillissait en même temps

---

1. *Evangeline* : poème épique de Longfellow (1847), qui raconte les amours et l'odyssée d'Evangeline et Gabriel, deux Acadiens déportés de Nouvelle-Écosse en Louisiane (*N.d.T.*).

que son support. Aujourd'hui, on peint sur une toile que l'on colle au mur, ce qui permet d'emporter l'œuvre ailleurs si on le désire.

— C'est très commode.

Elle se tourna vers lui. À en juger par l'éclat de ses yeux, elle n'était pas aussi calme qu'elle s'efforçait de le paraître.

— Je vais être franche avec toi, Jack. Savoir que tu vis dans ma maison me fait horreur.

— Normal. Mais ça n'y changera rien.

— De toutes les maisons du monde, pourquoi as-tu choisi celle-ci ?

— Tu aurais préféré que je l'abandonne au bayou ?

— Non, évidemment.

— Ou bien aux Maggione ? Tu aurais aimé voir des touristes jouer au black jack dans le salon d'été au son des machines à sous ?

— Tu es censé être intelligent, riposta-t-elle. Tu devrais connaître la réponse.

Elle se déplaça le long de la fresque, depuis l'endroit où les troupes anglaises poussaient comme du bétail hommes, femmes et enfants sur les bateaux qui les emmenaient loin de la Nouvelle-Écosse, jusqu'au chêne auprès duquel Evangeline attendait en vain son cher Gabriel.

— Quelle fin tragique pour une histoire d'amour ! dit-elle.

— La plupart des histoires d'amour sont des tragédies.

— Tu le crois vraiment ?

— Oui. Regarde la nôtre.

Elle blêmit.

— Je ne suis pas venue pour parler de nous, répliqua-t-elle en lui décochant un regard méprisant qui ne le troubla pas plus qu'autrefois. Et notre histoire n'avait rien à voir avec l'amour.

— Peut-être, mais c'était torride, dit-il en posant la main sur l'épaule de Dani. On s'est bien amusés tant que ça a duré.

— Ne me touche pas, ordonna-t-elle en lui donnant une tape sur la main.

— Je me souviens du temps où tu aimais que je te touche, lança-t-il en la précédant dans la cuisine.

Elle le suppliait même de la caresser. Précision que Jack garda pour lui.

— C'est le passé.

— Oui. Mais certaines choses ne changent jamais.

— Bon sang, Jack...

Il se retourna vers elle et saisit son poignet.

— J'ai toujours envie de toi, mon ange.

Que Dieu lui vienne en aide, c'était la vérité. Poussé par la même attirance irrésistible que son héros lorsque apparaissait la fille du trafiquant de drogue, il attira Dani à lui, cuisse contre cuisse, poitrine contre poitrine.

— Et tu as toujours envie de moi.

— Tes dialogues laissent à désirer, riposta-t-elle d'un ton hautain, en redressant le menton.

Jack retrouvait la princesse inaccessible de Beau Soleil. Ne lui manquaient que la robe en satin et la tiare étincelante.

— La seule chose que j'attends de toi, ce sont des ouvriers, ajouta-t-elle en se dégageant.

— Et un dîner, lui rappela-t-il.

— Même pas. Dis-moi seulement ce que tu veux en échange de ta coopération, à part ôter mes vêtements, et je m'en irai.

— Tu as vécu trop longtemps en ville, toi, fit-il en s'offrant le plaisir de jouer avec une mèche échappée de la tresse blonde. Les citadins ne savent pas prendre le temps de profiter des choses. Tout va plus lentement dans le bayou.

Seigneur, qu'il avait envie de poser les mains sur elle, de prendre sa bouche... pour commencer.

— J'en sais quelque chose. Si ma demande de permis de construire avait suivi dans les règles le labyrinthe administratif de la mairie, j'aurais eu le temps de bâtir le Taj Mahal avant de l'obtenir.

— Il aurait mieux valu que tu rentres chez toi.

— C'est ce que j'ai fait, dit-elle en redressant de nouveau le menton, une lueur de défi dans les yeux. Mon chez-moi, c'est Blue Bayou.

Jack poussa un soupir et lui caressa la pommette du pouce.

— Allons soigner cette égratignure et préparer le dîner. Ensuite, nous discuterons.

Dani n'avait pas envie de rester. Pour une foule de raisons. La première étant qu'elle souffrait de voir quelqu'un d'autre qu'elle vivre dans la maison familiale. La maison où elle avait espéré élever ses propres enfants.

Et puis, Jack la mettait mal à l'aise. Certes, il était devenu un auteur à succès, il avait porté un smoking lors de la première du film tiré de son roman, il avait reçu un prix littéraire et répondu poliment aux interviews, mais ce n'était qu'un vernis. Il avait toujours ces mains rugueuses de travailleur manuel qui lui avaient jadis procuré tant de plaisir, la crinière noire d'un pirate, cette bouche sensuelle qui suggérait toutes sortes de péchés et aurait pu avoir l'air féminine sans ce visage aux traits rudes qui rappelait Clint Eastwood jeune. Assemblez le tout, et vous obteniez une combinaison plus dangereuse qu'un mélange de TNT et de nitroglycérine. Ne manquait plus que l'allumette.

— Assieds-toi, je vais chercher de quoi te soigner.

— Je suis tout à fait capable de m'occuper de ce bobo, protesta-t-elle, agacée.

— Tu es mon invitée, dit-il avec un sourire satisfait, comme si les quelques mois qu'il avait passés à Beau Soleil faisaient de lui le seigneur du château.

Il la souleva par la taille et la jucha sur un tabouret devant un comptoir courbe en granit gris. À peine eut-il quitté la pièce que Dani se laissa glisser sur le sol et s'apprêta à partir. Décidément, elle n'était plus chez elle à Beau Soleil.

— Tu vas quelque part ? demanda-t-il en revenant dans la cuisine, un flacon brun à la main.

— Je n'ai pas faim.

— Eh bien, tu me regarderas manger pendant que nous parlerons de notre problème. En attendant, désinfectons cette écorchure.

— Aïe ! Ça pique ! s'écria-t-elle, comme il tamponnait sa joue à l'aide d'un morceau de coton humide.

— Je ne me souvenais pas que tu étais aussi douillette.

— Je ne le suis pas.

— Bien. Alors, tais-toi et pense à quelque chose d'agréable.

— Le shérif t'expulsant de Beau Soleil, par exemple ?

Il sourit.

— Ça ne risque pas d'arriver. Le vieux Jimbo Lott devrait d'abord soulever son gros cul.

— Il était là quand la bibliothèque a brûlé.

— Ça ne m'étonne pas. La plupart des gens aiment voir le résultat de leur boulot.

Dani poussa un cri – de surprise et non de douleur, cette fois-ci.

— Tu insinues que c'est le shérif qui a allumé l'incendie ?

— Je ne dis pas qu'il l'a fait. Mais je ne dis pas non plus qu'il ne l'a pas fait. Il en avait le mobile et l'occasion.

— Quel mobile ?

— Peut-être qu'il ne veut pas que tu t'installes à Blue Bayou. Que tu accueilles le juge chez toi.

— Je ne comprends pas.

— Eh bien, tant pis. Tu n'en as pas besoin.

Il jeta le coton dans la poubelle et referma le flacon.

— Tu veux un bon conseil ? Reste chez Orélia jusqu'à la libération du juge et, ensuite, retourne d'où tu viens.

— C'est hors de question. Je ne me suis jamais sentie chez moi en Virginie. J'y vivais uniquement parce que mon mari était député. Chez moi, c'est ici.

Et personne, ni Jack ni Jimbo Lott, ne l'en chasserait.

— Ça l'était peut-être autrefois, mais aujourd'hui, c'est moi qui vis à Beau Soleil. Plus rien ne te retient à Blue Bayou.

— Si. Les racines de la famille Dupree, que je veux faire connaître à mon enfant.

Un remords toujours latent en elle se réveilla au souvenir d'un autre enfant qui ne verrait jamais Beau Soleil.

— Si je te faisais une offre, tu renoncerais à cette maison ?

Il haussa ses sourcils noirs.

— Décidément, tu es pleine de surprises, *très chère*[1]. Je ne savais pas que tu avais un magot caché quelque part.

— Je n'en ai pas, admit-elle. Mais on pourrait peut-être trouver une solution.

— En souvenir d'autrefois ?

Pourquoi ne cessait-il de parler de leur passé commun, alors que c'était lui qui était parti ?

— Pas exactement. Mais, comme tu me l'as fait remarquer, Beau Soleil est en très mauvais état. Les travaux doivent t'empêcher d'écrire.

Il haussa les épaules et alluma une cigarette.

— Pas trop. J'arrive à peu près à partager mon temps entre l'écriture et la restauration de la maison. Et lorsque j'écris, je vais dans la garçonnière. En outre, le rôle de propriétaire me convient.

— Pourquoi ne serais-tu pas propriétaire d'une autre maison ?

— Parce que c'est Beau Soleil que je veux.

— Et le grand et puissant Jack Callahan obtient tout ce qu'il veut, c'est ça ?

Le regard de Jack s'assombrit un instant, puis se durcit.

---

1. En français dans le texte (*N.d.T.*).

— Pas toujours.

La cigarette aux lèvres, il la dévisagea.

— Mais je ne serais pas contre un arrangement…

— Quelle sorte d'arrangement ?

Les yeux de Jack brillèrent d'un éclat inquiétant, et son sourire se fit carnassier.

— Tu pourrais représenter une bonne monnaie d'échange.

Les joues de Dani s'embrasèrent.

— C'est curieux comme le temps atténue la mémoire. J'avais oublié que tu pouvais te montrer aussi répugnant.

Si elle ne s'en allait pas immédiatement, elle risquait de lui envoyer à la tête les couteaux de cuisine suspendus au mur. Et il ne lui resterait plus qu'à chercher des ouvriers à des kilomètres de Blue Bayou.

— Ne pars pas, dit-il en la rattrapant. Les choses commencent juste à devenir intéressantes.

— Nous n'avons manifestement pas la même définition du mot « intéressant », répondit-elle d'un ton calme, bien que le contact de cette main chaude sur son bras éveillât à la fois sa colère et une pointe suspecte de désir.

Lowell ne l'avait jamais touchée qu'au lit. Et, un beau jour, plus du tout. Elle ne s'en était rendu compte qu'au bout de six mois, ce qui en disait long sur leur mariage.

— La maison n'est pas encore en état d'accueillir des invités, mais que dirais-tu de la visiter ? De voir où en sont les travaux ?

Flûte ! Il agitait sous son nez le seul appât auquel elle ne pouvait résister. Dani hésita, partagée entre la curiosité et l'instinct de conservation qui la poussait à fuir. Elle se méfiait de Jack. Elle ne l'appréciait pas. Sa tête le savait. Son cœur aussi. Mais, pour une raison inconnue, son corps n'avait pas enregistré le message. Il avait envie de cet homme et ne se souciait ni de son arrogance, ni du fait qu'il avait usurpé les droits de Dani et ceux de son fils. Tout ce que voulait cet imbécile de corps, c'était sentir les mains de Jack le caresser, le parcourir comme le faisait actuellement ce regard doré de prédateur.

Piétinant cet accès de désir, Dani rappela à son corps rebelle qu'elle avait renoncé aux hommes depuis que son mari l'avait humiliée devant des millions de téléspectateurs. Et elle avait renoncé à cet homme-là en particulier depuis qu'il avait disparu Dieu sait où en la laissant affronter seule la pire période de sa vie.

Dani soupira. Le temps avait passé, mais les souvenirs étaient toujours douloureux.

Jack attendait patiemment. Ce devait être pénible, songeait-il, de revenir chez soi, veuve d'un mari odieux, et de trouver, installé dans votre maison natale, l'homme qui vous avait pris votre virginité avant de vous abandonner sans un mot d'explication.

Dani ferma brièvement les yeux, puis haussa les épaules.

— Bon, d'accord. Ça peut être intéressant de voir les modifications que tu as fait subir à ma maison.

Il cilla, mais, sans doute par galanterie, se garda de lui rappeler que cette maison était désormais à lui.

9

Ils commencèrent par la bibliothèque, qui donnait sur le jardin envahi par la végétation. Les fleurs ne faisant pas partie de ses priorités, Jack ne s'en était pas encore occupé.

— Il n'y a plus de livres, murmura Dani en regardant les rayonnages jadis remplis de premières éditions reliées de cuir.

— Le juge les a mis au garde-meuble avant d'être condamné. Il ne voulait pas les abandonner aux vautours.

— Très flatteur.

— Il ne parlait pas de toi, *très chère*. Quelques livres ont moisi, mais j'ai trouvé un artisan de La Nouvelle-Orléans qui se fait fort de les restaurer. On va sans doute pouvoir les sauver tous.

Dani cessa de caresser les pilastres de la bibliothèque et le regarda.

— Ils sont à toi, maintenant ?

— Oui, répondit-il sans relever le ton accusateur. Lorsque Earl Jenkins, le propriétaire du garde-meuble, est mort, ses enfants ont vendu l'affaire à une entreprise de New York. Earl n'avait jamais réclamé de loyer au juge, car il lui était reconnaissant d'avoir envoyé son cousin, accusé de conduite en état d'ivresse, en cure de désintoxication au lieu de le fourrer en prison. Mais le Yankee, qui se fichait bien des dettes morales de son prédécesseur, a exigé qu'on lui paie les arriérés, faute de quoi les livres seraient vendus aux enchères. Voilà pourquoi ton père m'a appelé.

— Pourquoi toi ?

— Du diable si je le sais. Peut-être avait-il entendu parler du film que Hollywood a tiré de mon bouquin et deviné que j'avais assez de fric pour sauver sa bibliothèque. Ou il s'est dit que, puisque je possédais la maison, autant que je puisse remplir les rayonnages. Ou bien il s'est souvenu que je me faufilais régulièrement dans cette pièce pour lire.

Ce que Jack ne dit pas, c'était que le juge lui avait aussi demandé d'utiliser ses relations, ainsi que celles de son frère Finn, pour prouver son innocence.

— Je ne savais pas que tu faisais ça.

— Je lisais en cachette. Maman avait très peur que le juge le découvre et la renvoie.

Adolescent, Jack trouvait que sa mère prenait trop à cœur son travail de gouvernante. Il n'avait compris que beaucoup plus tard, après l'échec de sa mission en Colombie, qu'en tuant son père en plein tribunal, le meurtrier avait privé sa mère non seulement d'un mari aimant mais de tout sentiment de sécurité.

Lorsque le juge avait menacé Marie Callahan de la renvoyer si son deuxième fils ne quittait pas Blue Bayou – et Danielle –, Jack avait fourré quelques affaires dans un sac à dos et était parti pour la Californie en se promettant de ne jamais revenir. Mais un jour, son existence avait volé en éclats, ne lui laissant aucun autre endroit que Blue Bayou où aller.

— En fait, le juge savait depuis le début que je lisais ses livres.

Peu de chose échappait au vieux salaud. D'où la surprise de Jack qu'il se soit fait piéger.

Ils quittèrent la bibliothèque, traversèrent deux grands salons qui donnaient sur une cour intérieure, puis entrèrent dans la salle à manger d'apparat, dont le plafond orné de fresques avait lui aussi été restauré. Cette pièce étant la plus vaste de la maison, elle servait d'atelier pour les ouvriers durant les heures les plus chaudes de la journée.

Tandis qu'ils montaient l'escalier, Jack s'aperçut qu'en vivant au milieu des travaux, il ne s'était pas rendu compte de leur avancement. Beau Soleil serait le projet d'une vie. Même après sa remise en état, la maison nécessiterait un entretien constant. Mais, chose étrange, cette perspective ne lui déplaisait pas du tout.

Dani, elle, avait le cœur serré de voir tout ce que Jack avait réalisé dans la maison et de savoir qu'il en était à présent le propriétaire. Et lorsqu'elle entra dans son ancienne chambre, l'émotion la submergea.

La pièce qui, autrefois, embaumait le pot-pourri que Marie Callahan préparait à partir des roses de Beau Soleil sentait la poussière et le moisi.

— Le toit fuyait et le plancher d'au-dessus a pourri, expliqua Jack en désignant une tache brune au plafond. On doit changer les lattes la semaine prochaine. Ensuite, on pourra s'attaquer au plâtre.

— Parfait, murmura-t-elle.

Elle s'approcha de la fenêtre, qu'une araignée industrieuse avait décorée de sa toile.

— L'arbre est toujours là, dit-il.

— Je sais.

Elle ne lui dit pas qu'en arrivant, avant de savoir qu'il se trouvait sur la véranda, elle s'était revue en train d'enjamber la fenêtre et de se suspendre à une branche, qu'elle avait cru sentir ses mains sur ses hanches...

— J'ai dû l'élaguer. En cas de vent, il aurait pu briser la fenêtre.

— Tu as bien fait. Ce doit être difficile de trouver de vieux carreaux semblables à ceux-ci.

— Pas dans le pays. Le bayou ne manque pas de maisons en ruine.

Mais Beau Soleil serait sauvé. Grâce à Jack. Dani s'efforça de lui en être reconnaissante.

Elle regarda autour d'elle. Au lieu du papier peint grisâtre, du plafond taché et des plinthes arrachées, elle vit la pièce telle qu'elle était autrefois, avec ses murs vert pâle parsemés de boutons de roses, ses moulures crème et le lit en fer forgé blanc, celui-là même qui avait appartenu à son arrière-arrière-grand-mère.

— Le lit est dans les communs, dit Jack, comme s'il avait lu dans ses pensées.

— Je suis contente que quelque chose ait survécu.

— Le juge ne t'a pas envoyé des meubles, après ton mariage ?

— Si. Il trouvait la maison trop grande pour lui seul et voulait fermer des pièces.

— Tu vas les faire rapporter ?

— Non. Je les ai vendus pour payer les factures.

— Les factures ? Quelles factures ?

— Oh, rien de spécial, fit-elle avec un haussement d'épaules qu'elle aurait voulu plus désinvolte. Le train-train habituel, les honoraires d'avocat pour le divorce… et l'enterrement, bien sûr.

— Ton mari n'avait pas d'assurance ?

— Lowell avait son assurance de parlementaire, mais il avait changé de bénéficiaire et désigné sa fiancée.

Laquelle, jugeant inutile de payer les funérailles de l'homme qu'elle avait volé à sa famille, avait aussitôt proposé ses services à un jeune et brillant politicien de Rhode Island.

— Nous avions pris d'autres assurances, mais il les avait réalisées pour couvrir ses pertes en Bourse.

— Excuse-moi, mais ton mari était un véritable salaud.

— Hélas, tu as raison. De toute façon, ces meubles n'auraient pas été à leur place dans mon futur appartement.

Une douleur qu'elle croyait éteinte se réveilla. Elle vit que ses mains commençaient à trembler et les fourra dans les poches arrière de son short.

— N'est-ce pas Thoreau qui dit que nous gaspillons notre vie en nous tracassant pour des broutilles ? reprit-elle. Je devrais le savoir, puisqu'en tant que bibliothécaire je suis censée avoir tout lu… Oui, je suis sûre que c'est lui. Il était en avance sur son temps, n'est-ce pas ? « Simplicité, simplicité… » recommandait-il. Les choses iraient beaucoup mieux si tout le monde suivait son conseil.

— Son ermitage de Walden Pond risquerait d'être bondé, remarqua Jack.

Dani sourit nerveusement. Seigneur, qu'elle souffrait de se trouver dans cette pièce où ils s'étaient aimés !

— Tu as raison, bien sûr. Mais Thoreau aussi. Les gens ne réfléchissent pas assez à l'impact de leurs faits et gestes sur le monde. Après tout, notre environnement est si fragile... Mon Dieu !

Dani s'interrompit dans une sorte de râle. Inquiet, Jack s'approcha. Elle leva les mains et recula.

— Ça va, ça va. La journée a été longue, et ce trajet dans le bayou m'a mis les nerfs à vif. Mais ça va aller. Il me faut juste un instant pour me reprendre.

Furieuse contre elle-même, elle se dirigea aussi dignement que possible vers la porte.

— Moi aussi, ça me fait quelque chose, *très chère*.

Elle s'arrêta et se retourna.

— Quoi donc ? demanda-t-elle.

— De me retrouver dans cette chambre. Et de me souvenir de toi et moi ici.

Sans la quitter des yeux, il désigna du menton l'endroit où aurait dû se trouver le lit.

— La première fois que je suis entré dans cette pièce, j'ai eu l'impression de recevoir un coup de poing dans l'estomac.

Il s'approcha d'elle.

— Je me suis dit que c'était la première fois et que je m'y habituerais, dit-il en faisant un pas de plus.

— Ça y est, tu t'y es habitué ?

— Pas encore. Parfois, la nuit, je viens ici, je m'assois sur le plancher et je picole en regardant la lune. Et je me souviens comme tu étais belle – et délicieuse – dans ce joli lit blanc.

Il appuya la main sur le chambranle, au-dessus de la tête de Dani.

— T'est-il arrivé d'y repenser, lorsque tu étais seule dans le lit conjugal et que tu attendais que ton mari revienne de chez sa copine et te fasse l'amour comme tu le mérites ?

— Non, mentit-elle, exaspérée.

Elle baissa la tête pour passer sous le bras de Jack et se dirigea vers l'escalier.

— Eh bien, tu y penseras cette nuit, prédit-il.

Sachant qu'il disait vrai, Dani renonça à discuter.

— Tu sais, je doute que mon père soit entré dans cette cuisine plus d'une douzaine de fois, dit Dani.

Elle décortiquait les crevettes, tandis que Jack faisait chauffer de l'huile dans une vieille poêle en fonte pour préparer un roux selon la recette cajun. Dressée sur ses pattes arrière, celles de devant posées sur le plan de travail, Mev'là se léchait les babines.

— Mon père nous a enseigné la cuisine, à mes frères et moi, à la même époque où il nous a appris à pêcher… Couchée, toi, fit-il en repoussant la chienne.

Peu troublée par son ton sévère, Mev'là tourna trois fois sur place avant de se lover sur le sol, les yeux rivés sur Jack.

Celui-ci versa de la farine dans l'huile. Vu les gestes prestes avec lesquels il maniait la spatule, il était visible qu'il n'en était pas à son coup d'essai.

— C'est un rite de passage cajun, comme la première partie de bourré – tu sais, le jeu de cartes. Ça date de l'époque où les hommes passaient de longs mois dans leur cabane à pêcher et à piéger des animaux à fourrure. Il fallait bien qu'ils se débrouillent tout seuls.

— Tu as toujours la cabane ? demanda Dani sans réfléchir.

Et zut ! Évoquer l'endroit où il l'emmenait autrefois, surtout après la visite de la chambre, était une erreur tactique.

Mais Jack n'en profita pas.

— Oui. Nate l'utilise de temps en temps. Finn n'a pas dû y aller plus de deux fois. C'est là que je me suis installé à mon retour à Blue Bayou.

La spatule s'immobilisa. Il lui jeta un coup d'œil.

— Nate m'a dit que tu ignorais que j'avais acheté Beau Soleil.

— C'est vrai, répondit-elle. Cela m'a surprise.

— Je suis désolé, dit-il en éteignant le brûleur.

— Désolé d'avoir acheté ma maison ou désolé que mon mari m'ait fait croire que le fisc l'avait confisquée après la condamnation de mon père ?

Elle prit le verre de vin blanc qu'il lui avait servi et but une gorgée.

— Écoute, Danielle, nous ne sommes peut-être pas amis, mais je ne suis pas non plus ton ennemi.

— Alors, qu'es-tu précisément ?

Sinon l'homme qui lui avait brisé le cœur et avait failli détruire sa vie, avant de lui voler sa maison ?

— Je suis le type qui a acheté Beau Soleil, et si je ne l'avais pas fait, ton bon à rien de mari l'aurait vendu à la famille Maggione. Cela te donne peut-être des boutons de me voir vivre dans ton aristocratique demeure que, permets-moi de te le rappeler, le vieil André Dupree n'a pas gagnée à la sueur de son front mais aux cartes, mais je ne suis pas près d'en partir. Je ne vais pas non plus m'excuser de l'avoir achetée. Elle tombait en ruine, et je compte lui rendre sa splendeur d'origine. Mais je suis désolé que ton mari ait été un tel salaud et un tel abruti.

Il avait raison, et cela acheva d'exaspérer Dani.

— Eh bien, nous sommes deux.

— Pourquoi diable l'as-tu épousé ?

— Parce que je n'avais pas envie de changer de nom de famille, répondit-elle du tac au tac.

— Trouve autre chose. Ici, ce nom figure sur la moitié des boîtes aux lettres et des tombes. Pourquoi lui, Danielle ? Si tu voulais garder le même nom, tu aurais mieux fait d'épouser le vieil Arlan.

Arlan Dupree, qui lavait les vitres et changeait les affiches du Bijou Theater, avait soixante ans et la tête un peu fêlée après plusieurs années de boxe. Bien qu'il ait longtemps vécu de ses poings, il était doux comme un agneau.

— À vrai dire, je pense que j'ai épousé Lowell essentiellement parce que mon père le désirait.

— C'est la plus mauvaise raison de se marier.

— Maintenant, je le sais, fit Dani en ramassant les carapaces de crevettes pour les jeter.

Lorsqu'elle avait rencontré Lowell, son charme et ses bonnes manières lui avaient rappelé Ashley Wilkes, le héros désuet d'*Autant en emporte le vent*. Elle avait cru trouver en lui le baume qui guérirait son cœur blessé. Le juge Dupree avait soutenu le jeune homme dans ses deux campagnes, électorale et amoureuse, et Dani, qui désirait désespérément le pardon paternel, avait accepté sans hésiter la demande en mariage de Lowell. Et, pour être totalement honnête, elle devait reconnaître qu'elle avait été flattée que cet homme séduisant et appelé à un brillant avenir s'intéresse à elle.

Touchée par les attentions de son fiancé, Dani avait supporté vaillamment les désagréments dus à la campagne électorale, en particulier la pression des médias. Le mariage, deux semaines avant le scrutin, avait fait bondir les sondages en faveur de Lowell. Après tout, si le juge n'était pas l'homme le plus aimé de la région, tous le respectaient et savaient que l'on pouvait accorder foi à son jugement. En épousant Danielle, Lowell Dupree ne faisait plus figure de candidat parachuté. La victoire s'annonçait écrasante.

La veille du mariage, pourtant, elle avait eu quelques doutes. Son père racontait que Lowell lui avait promis un poste à la cour fédérale – et pourquoi pas à la Cour suprême, lorsqu'il serait à la Maison-Blanche. Les deux hommes débordaient de projets ambitieux. Des projets qui n'avaient rien à voir avec elle.

— C'est difficile à expliquer, mais ce mariage semblait être une bonne idée. Papa pensait que Lowell irait très loin, et je crois qu'il envisageait de profiter de la position future de son gendre pour jouer un rôle sur la scène nationale.

Dani était surprise de s'entendre confier tant de choses à Jack. Elle ne lui dirait pas cependant qu'elle avait compté sur ce mariage pour cesser de penser à lui. Et aux horribles mois qui avaient suivi son départ.

— On ne peut pas obliger quelqu'un à vous aimer, dit-il. Pas même en ratant sa propre vie pour se plier aux désirs de l'autre.

— Je ne considère pas les années de mon mariage comme ratées.

— À cause de ton petit garçon ?

— Oui. À cause de Matthew.

— Il a de la chance de t'avoir, Matthew.

Le ton sincère de Jack la décontenança.

— C'est moi qui ai de la chance, répliqua-t-elle.

Rien n'était plus vrai. Durant sa grossesse, elle s'était inquiétée, s'était demandé si elle ne voulait pas, inconsciemment, remplacer le bébé qu'elle avait perdu. Mais à peine avait-elle tenu Matt dans ses bras qu'elle l'avait aimé avec passion.

Voilà pourquoi, en dépit de la suite des événements, elle n'avait jamais regretté son mariage. Car, sans lui, son fils chéri, le soleil autour duquel gravitait son univers, n'aurait pas existé.

Elle s'aperçut soudain que Jack et elle se comportaient comme de vieux amis qui se racontaient leurs vies. Eh bien, tant mieux. Cela valait mieux que de ressasser des griefs.

Elle parla de la gentillesse de Matt, de son intelligence, de sa collection de petites voitures et de son goût pour la lecture. Ce qui fit dériver la conversation sur les romans de Jack, qui s'étonna que Dani ait lu ses œuvres.

— C'est ta surprise qui m'étonne, moi. Je suis bibliothécaire, rappelle-toi.

— Tu ne lis quand même pas tout ce qui paraît.

— Non, mais si l'on se fie aux vitrines des librairies et aux listes d'attente dans les bibliothèques, la grande majorité des Américains lit tes romans.

Le minuteur sonna, indiquant que le riz était cuit. Elle ôta le couvercle de la casserole.

— Au lycée, je savais déjà que tu deviendrais écrivain, dit-elle.

Elle savait aussi qu'il s'était heurté au mépris de son père, pour qui écrire des romans n'était pas « un boulot de mec ». Ayant elle-même grandi auprès d'un père doté d'une forte personnalité, Dani imaginait sans peine le mal que Jack avait dû avoir à échapper à l'ombre impressionnante de Jake Callahan. En était-il encore à prouver à ce père disparu qu'il n'était pas un minable, à chercher à gagner son approbation ? se demanda-t-elle.

— Maman et toi étiez les seules personnes à le croire.

— Parce que personne d'autre n'avait lu ce que tu écrivais.

Elle avait trouvé son cahier dans la cabane pendant qu'il pêchait pour leur dîner, et l'histoire du garçon dont le père, soldat confédéré, était tué par son oncle yankee durant la guerre de Sécession l'avait fait pleurer.

— Écrire est un terme excessif, dit Jack en versant le *gumbo* dans des assiettes à soupe. Ce que je faisais à l'époque n'était qu'une accumulation de clichés et d'âneries sentimentales.

— Moi, ça me plaisait.

— Tu étais facile… Pardon, fit-il. Ce n'est pas ce que je voulais dire, Danielle.

Elle haussa les épaules et alla chercher le plat de crevettes, qu'elle déposa sur la table.

— Je suppose que je l'étais.

Du moins en ce qui concernait Jack.

— Mais j'étais surtout jeune et stupide.

Et désespérément amoureuse.

— Et pas du tout exigeante en matière de littérature, ajouta-t-il.

Dani se détendit et rit de bon cœur.

— Qu'est-ce qui t'a fait passer des drames historiques aux polars ? demanda-t-elle comme ils s'attablaient.

— On recommande aux apprentis écrivains d'écrire sur ce qu'ils connaissent bien, dit-il d'un ton froid. Alors, tu veux qu'on aborde le sujet des ouvriers ?

Dani encaissa en silence la rebuffade et se lança dans l'argumentation qu'elle avait soigneusement préparée.

10

— Merci pour le dîner, dit Dani comme Jack la raccompagnait à l'embarcadère. Il y a très longtemps que je n'avais pas mangé de *gumbo*.

— Tu as été privée des choses les meilleures, toi.

— C'est ce que ne cesse de me dire Orélia, et avec le même accent cajun. Il faut que j'apprenne à préparer les plats de mon enfance.

Rien n'aurait pu mieux souligner le fossé social qui la séparait de Jack. Jeune fille, Danielle n'avait jamais eu à faire la cuisine. C'était Dora Bonaparte qui s'affairait aux fourneaux pour satisfaire les goûts raffinés de ses maîtres.

— Le *gumbo* n'est pas difficile à réussir. C'est une combinaison de recettes africaine et indienne, d'un assaisonnement espagnol et d'une touche de mon génie culinaire.

— Dit-il modestement.

— Ce n'est pas de la vantardise, puisque c'est vrai.

— Exact… Et merci pour les ouvriers.

Il lui avait promis deux hommes, ce qui lui permettrait d'ouvrir rapidement la bibliothèque. Quant à l'appartement, il lui faudrait attendre encore, au moins jusqu'à l'arrivée du juge.

— Prête à partir ?

Elle ignora sa main tendue.

— C'est très gentil de vouloir me raccompagner en ville, mais ce n'est pas nécessaire.

— Bien sûr que si. Au cas où tu l'aurais oublié, le bayou est dangereux à toute heure de la journée, et spécialement la nuit. Tu pourrais te perdre.

— J'ai un GPS.

— Ça ne te servira à rien si un alligator envoie bouler ton rafiot et que tu te retrouves à l'eau. Je parie que *M'su Cocodrile*[1] trouvera à son goût ton charmant petit corps.

L'idée la fit frémir. Mais elle tint bon.

— Ça va peut-être te surprendre, Jack, mais je ne suis plus une petite fille. Je suis parfaitement capable de prendre soin de moi. Et de mon fils.

— Je n'en doute pas une seconde. Tout homme doté d'une paire d'yeux verrait que tu es devenue une femme. Une très belle femme. Mais je te ramène quand même… À moins que tu ne veuilles passer la nuit ici, ajouta-t-il avec un sourire provocant.

Dani, qui craignait que la discussion ne dérape de nouveau, leva les mains en signe de reddition.

— Bon, j'accepte. Mais c'est bien pour éviter de prolonger cette conversation.

— Prenons mon bateau, dit-il comme elle s'apprêtait à monter dans le sien.

— Si je ne rends pas ce canot ce soir, ça va me coûter une petite fortune.

---

1. En français dans le texte (*N.d.T.*).

— Ne t'inquiète pas. J'appellerai Pete et je lui dirai que c'est ma faute. L'un de mes ouvriers ramènera ton canot demain matin.

Dani regarda avec circonspection l'étroite embarcation dans laquelle il voulait l'emmener.

— Ça m'étonne qu'avec tout ton argent, tu ne te sois pas acheté un beau bateau moderne avec un moteur puissant.

— Pourquoi répandre de l'essence et de l'huile dans le bayou alors que je possède cette barque ? répliqua-t-il. Mon père et moi l'avons construite l'été qui a précédé sa mort. Elle est vieille, mais elle vogue sur la rosée.

— Je n'en doute pas. Mais mon bateau à moi vogue sur l'eau.

— J'ignorais que tu étais trouillarde, fit-il en croisant les bras sur sa poitrine.

— Je ne le suis pas.

— Alors, prouve-le.

Dani poussa un soupir d'exaspération et lui fit face.

— Cette accusation est parfaitement injustifiée. Si tu connaissais seulement la moitié de ce que j'ai subi, de ce que j'ai dû faire pour mon fils, tu n'aurais jamais dit ça. Oh, c'est facile pour toi, poursuivit-elle, lancée dans sa diatribe, de revenir en héros, de t'acheter une conduite – et ma maison – avec du fric gagné en écrivant des romans...

— Seigneur ! s'exclama-t-il en saisissant la main avec laquelle elle lui frappait la poitrine. Je ne me souvenais pas que tu étais aussi coléreuse.

— Je ne suis pas coléreuse, répliqua-t-elle. Enfin, d'habitude.

— Je suis content que tu réagisses comme ça. Ça montre que tu as encore des sentiments pour moi.

— Des sentiments meurtriers.

Elle tenta de dégager sa main, mais il refusa de la lâcher.

— Bon sang, Jack ! Si tu tiens à me ramener, allons-y !

— Comme tu veux, mon cœur, fit-il en lui caressant la paume du pouce. Tu sais, ce trajet serait plus agréable de jour. Tu devrais rester ici cette nuit.

— Dans tes rêves.

— J'ai déjà essayé. Ce n'est pas désagréable, mais ça ne ressemble vraiment pas à nos nuits échevelées, lorsqu'on baisait à en perdre haleine.

— Et dire que je te trouvais plutôt sophistiqué, autrefois.

— Que savais-tu de la sophistication, mon cœur ? ricana-t-il. Tu n'étais qu'une petite fille.

— Tu ne me trouvais pas trop petite pour coucher avec toi.

Il se raidit, et elle comprit qu'elle avait poussé la provocation un peu trop loin.

— Donne-moi la main, sinon tu risques de tomber en t'installant, dit-il d'un ton sec.

Décidément, Dani ne comprenait pas cet homme. Ce n'était plus le mauvais garçon de Blue Bayou. Il avait fait mentir les sombres prédictions de ses concitoyens et avait désormais une activité respectable. Bien qu'il ait acheté Beau Soleil, il n'étalait pas sa richesse, comme on aurait pu s'y attendre de la part d'un écrivain à succès dont Hollywood avait acheté le troisième livre avant même qu'il soit écrit.

Il était toujours aussi séduisant, un peu effrayant et, quoiqu'il s'en défende, il aimait la chienne jaune, qui manifestement l'adorait. Mais à cela s'ajoutait une tristesse sous-jacente dont elle n'avait pas le souvenir.

Sans être peureuse, Dani préférait ne pas parcourir seule le bayou de nuit. Aussi monta-t-elle dans la barque, celle-là même avec laquelle Jack l'emmenait jadis dans sa cabane.

Durant un instant, aucun d'eux ne prononça un mot. Jack manœuvrait la perche avec aisance. Il avait toujours été chez lui dans le bayou, ce qui expliquait qu'il y soit revenu au lieu de s'installer dans l'un des lieux branchés que fréquentaient les nantis de ce monde.

— Tu peux être fier de toi, dit-elle, brisant le silence. Tu as bien réussi.

— Tu ne t'en es pas mal tirée, toi non plus. Pour une fille qui n'était qu'un bébé lorsque son papa l'a mariée.

Attendre un enfant sans soutien ni amour faisait mûrir vite, songea Dani. Mais cela ne l'avait pas empêchée de passer d'un échec à un autre.

— Je suis allée à l'université.

— Ça ne veut rien dire. Ton père t'avait tellement protégée que tu ne connaissais rien à la vie. Aucun garçon du pays n'aurait osé te peloter, de peur que le juge ne le fourre en taule et ne jette la clé.

— Toi, tu n'as pas eu peur.

Le rire de Jack éveilla des échos dans le bayou.

— J'étais fou, à l'époque.

— Nous l'étions tous les deux.

— Oui. Mais à peine le juge a-t-il su que tu avais goûté aux plaisirs du sexe qu'il t'a mise au couvent.

— Ce n'était pas un couvent, mais un pensionnat, mentit-elle.

Dans le foyer pour mères célibataires, le courrier était censuré, les coups de téléphone surveillés, et aucun garçon n'avait le droit de franchir l'entrée du parc. Cela ne l'avait pourtant pas empêchée d'espérer que Jack, tel un chevalier à l'armure étincelante, surgisse et l'emmène.

— Après mon diplôme de fin d'études secondaires, je suis allée dans une université catholique pour filles.

— Autant dire au couvent.

Il sortit un paquet de cigarettes de la poche de sa chemise, en prit une et l'alluma.

— Il n'y avait pas de garçons sur place, c'est vrai. Mais j'ai eu des rendez-vous et quelques aventures, ajouta-t-elle, sans bien savoir pourquoi elle mentait.

Refoulant un accès de jalousie, Jack exhala une bouffée de fumée.

— Et après, tu as épousé Lowell, acheva-t-il à sa place. Maman m'a écrit pour m'annoncer ton mariage.

Il avait soupçonné sa mère d'avoir attendu que la cérémonie ait eu lieu, de crainte qu'il ne revienne et ne s'oppose au mariage.

L'aurait-il fait ? Cette question le taraudait depuis dix ans et le poussait à s'enivrer, année après année, lors de l'anniversaire de Dani.

— Selon elle, c'était comme dans un conte de fées.

— Malheureusement, mon mariage n'a pas eu le dénouement heureux des contes de fées.

— Ça n'a pas dû être facile pour une fille du bayou de s'adapter à ce milieu de gens fortunés et influents.

— Je n'avais guère de temps pour les mondanités. Je préparais le diplôme de bibliothécaire, je faisais du bénévolat, je suis devenue mère...

Elle s'interrompit et secoua la tête.

— Il y avait des dîners et des cocktails presque tous les soirs. Je n'allais qu'à ceux des gens d'ici et j'étais soulagée que Lowell préfère aller aux autres avec l'une de ses assistantes. Ça me paraissait plus logique aussi, puisque ce n'était pas des réunions mondaines mais politiques...

Jack avait vu des photos de la fille pour laquelle Lowell avait quitté Dani. N'importe quelle femme se serait affolée à l'idée que son mari passait ses soirées en compagnie d'une fille dont l'allure sophistiquée trahissait la haute lignée et l'ambition.

Le contraste entre cette femme et Dani était frappant. Jack sourit, se rappelant le jour où Dani l'avait persuadé de l'emmener à la pêche dans cette barque. Vêtue d'un short bleu marine, d'un tee-shirt et d'une casquette dont il avait rabattu la visière pour la protéger du soleil, elle avait l'air d'une jolie fille vantant les charmes de la Louisiane sur une affiche publicitaire. Pieds nus, cheveux dénoués et sourire éclatant.

Tandis que le crépuscule tombait sur le bayou et que les lucioles jetaient de brefs éclats verts, il lui avait appris à faire frire du poisson-chat, qu'ils avaient mangé avec des épis de maïs grillés et du pain aux crevettes qu'il avait chipé dans la cuisine maternelle.

Après le repas, ils étaient restés assis sur le porche de la cabane et avaient regardé le soleil rouge s'enfoncer dans l'eau, cédant la place à une somptueuse nuit parfumée.

Ils avaient fait l'amour différemment, cette nuit-là. Plus lentement. Plus doucement. Et leur plaisir avait été plus éblouissant que jamais. Un peu plus tard, alors que Dani somnolait dans ses bras et qu'il regardait les étoiles, il avait compris qu'il était tombé éperdument amoureux de la jolie petite fille riche du juge Dupree.

— Tu étais bien naïve de tenir ton mari au bout d'une aussi longue laisse.

— Si un homme a besoin d'une laisse, on a peu de chances de le garder, de toute façon, dit-elle en soupirant. Je suis contente de ne pas avoir été jalouse, car cela aurait signifié que j'étais quelqu'un d'autre. Je ne soupçonnais pas Lowell de me tromper avec Robin parce que je croyais que le mariage ne pouvait s'appuyer que sur la confiance. Je le crois toujours, d'ailleurs.

— La théorie est juste à condition que les deux parties méritent cette confiance.

— C'est vrai, admit-elle.

— Il aurait dû te ménager plus, ne serait-ce que parce que tu représentais pour lui un sérieux atout auprès des donateurs de Louisiane. En devenant le gendre du juge Dupree, il faisait oublier ses origines prolétaires, déclara Jack, qui se souvenait que le père de Lowell avait travaillé comme ouvrier sur une plate-forme pétrolière.

— Oh, il m'a ménagée. Jusqu'au scandale.

Elle se détourna, et son regard se perdit dans l'eau noire. Jack examina son profil délicat, dont chaque trait était resté gravé dans sa mémoire.

— Ensuite, il s'est comporté comme s'il n'avait jamais entendu parler de papa.

— En tout cas, les problèmes du juge lui ont permis de faire main basse sur Beau Soleil.

— J'essaie de ne pas y penser. Parce que s'il n'était pas déjà mort, j'aurais envie de le tuer.

— C'est compréhensible.

— Je ne parlais pas sérieusement, protesta-t-elle.

— Ah, bon ? Je ne dis pas que tu aurais réellement commis un crime, mais n'as-tu pas songé à te venger, après avoir été humiliée devant des millions de téléspectateurs ?

— Bon, d'accord. J'ai rêvé que sa Lexus flamboyante basculait du pont Francis Scott Key dans le Potomac, où grouillaient des requins mangeurs de politiciens.

— Tu me rassures. Tu es encore récupérable.

Lorsqu'il avait mieux connu Danielle, Jack avait découvert que ce qu'il avait pris pour de l'arrogance n'était en fait que de la timidité et un cas gravissime de la Malédiction de Mélanie Wilkes, travers qui poussait certaines petites filles à devenir des consolatrices dévouées, malléables et oublieuses d'elles-mêmes. Une pathologie typiquement sudiste à laquelle Jack avait donné le nom de la douce héroïne d'*Autant en emporte le vent*, celle que Scarlett jalouse et maltraite tant et plus.

— Nate m'a dit que tu rendais visite à mon père.

— De temps en temps.

Le cours d'eau devenant plus profond, il mit en route le moteur et s'assit en face de Dani.

— Ça me surprend. C'est lui qui t'a envoyé dans cette maison de redressement.

Elle ne connaissait pas la moitié de ce que le juge lui avait infligé. De ce qu'il leur avait infligé à tous les deux. Mais Jack n'était pas encore prêt à lui dire la vérité.

— Il m'a sans doute sauvé la vie. J'aurais pu très mal tourner.

— Tu n'étais pas aussi mauvais qu'on le disait.

— C'est affaire d'opinion.

Les fantômes du passé faisant cliqueter leurs chaînes, Jack eut soudain très envie d'un whisky. Ou mieux…

Apparemment, Dani partageait son trouble. Ses yeux brillants et ses lèvres entrouvertes le prouvaient.

Un désir violent déchira Jack comme une lame acérée. Il dut faire un effort pour ne pas se ruer sur Dani, plaquer sa bouche sur la sienne, lui arracher ses vêtements et goûter sa peau parfumée.

Bon Dieu… la renverser en arrière, comme autrefois sur le matelas de mousse de la cabane, regarder ses yeux se voiler de plaisir, la sentir frissonner tandis qu'il la pénétrait… reprendre ce qui lui avait appartenu.

Il jeta sa cigarette à l'eau.

— Ce serait une erreur, marmonna Dani.

— Peut-être que oui. Peut-être que non.

Il s'inclina vers elle et lécha la fossette qui lui creusait le menton.

— Tu n'as jamais commis d'erreurs, toi ?

— Justement, j'en ai commis trop.

— Je ne veux qu'un baiser, Danielle, dit-il en coupant le moteur.

Il posa les mains sur ses épaules pour les décrisper, puis les descendit le long de ses bras, s'empara de ses poignets et sentit son pouls s'affoler sous ses doigts.

— Je ne te ferai pas de mal.

Il lui en avait déjà fait. Tous deux le savaient.

— Jack... murmura-t-elle, d'une voix qui hésitait entre la supplique et la protestation,

Sans lui laisser le temps de reprendre ses esprits, il s'empara de sa bouche.

11

Une onde chaude et onctueuse comme du sirop de canne à sucre envahit les veines de Dani. Quelque part dans le bayou, un chien salua la lune qui se levait. Une chouette hulula. Un poisson sauta hors de l'eau. Mais rien de tout cela n'atteignit le cerveau de la jeune femme, dont le monde s'était réduit à la sensation exquise des lèvres de Jack qui réclamaient les siennes.

Comment avait-elle pu oublier ça ? Comment avait-elle pu oublier l'effet que cette bouche virile produisait sur elle ?

En réalité, découvrit-elle tandis qu'il inclinait la tête et insinuait sa langue entre ses lèvres, elle n'en avait rien oublié.

En neuf ans de mariage, elle n'avait eu aucun orgasme. Elle n'avait jamais tremblé au contact de son mari, n'avait jamais souhaité qu'il lui arrache ses vêtements et s'enfouisse en elle au point de la faire crier.

En songeant à la réaction qu'aurait eue son mari si elle avait poussé un cri au cours de leurs ébats, elle ne put retenir un gloussement.

— Si ça te fait rire, c'est que je suis devenu mauvais.

— Ce n'est pas ça. Je pensais à quelque chose.

— Remets tes réflexions à plus tard.

Avant qu'elle ait pu répondre, la bouche de Jack lui fit de nouveau tourner la tête.

Cette fois, son baiser fut plus violent. Plus chaud. Plus profond. Dani gémit. Son cœur s'emballa furieusement tandis que les lèvres de Jack descendaient sur sa gorge, ses dents lui éraflant la peau.

Lorsqu'il lui lâcha les poignets et s'empara de ses seins, elle se pressa contre lui. La barque oscilla, menaçant de les jeter tous les deux à l'eau.

— Je le savais, dit-il en lui mordillant le lobe de l'oreille.

— Quoi donc ?

— Que tu aurais bon goût.

Ses doigts effleurèrent les pointes de ses seins, qui se durcirent aussitôt.

— Que tu réagirais à mes caresses.

Un gémissement échappa à Dani. Chaque muscle de son corps s'était tendu, attendant la suite.

— Que certaines choses ne changent jamais, acheva-t-il en dégrafant habilement son soutien-gorge sous son tee-shirt.

— C'est juste une question de chimie, murmura-t-elle en frémissant sous les caresses un peu brutales de Jack.

— Ne dis pas de mal de la chimie.

Ses doigts se firent plus doux et descendirent le long de son buste.

— C'est elle qui transforme le carbone en diamant et le houblon en bière.

En sentant qu'il s'attaquait à la ceinture de son short, Dani recula.

— J'apprécie beaucoup votre cours de sciences, professeur Callahan, mais je préférerais ne pas tomber à l'eau.

Elle avait beau feindre d'avoir repris ses esprits, sa voix tremblante l'avait trahie.

— Tu as raison, ce bateau n'est pas l'endroit rêvé pour faire ce dont j'ai envie, acquiesça-t-il. Quand tu voudras une autre leçon, tu n'auras qu'à me siffler.

Il lui décocha un sourire malicieux.

— Tu es insupportable, marmonna-t-elle en croisant les bras sur ses seins, qui restaient durs et ardents.

Jack se leva, reprit la perche pour sortir la barque des roseaux, et ils poursuivirent leur route dans la pénombre, le phare de l'embarcation trouant la nappe de brouillard.

Jack sentait encore le parfum de Dani tandis qu'il revenait à Beau Soleil, après avoir déposé la jeune femme devant le parking de Pete, où elle avait laissé sa voiture.

Elle avait eu raison de dire qu'elle avait changé. Elle n'était plus la petite princesse qui, d'un claquement de doigts, pouvait jeter à ses pieds tous les garçons du pays. Tous sauf lui, s'était-il juré à l'époque.

Avant l'été de leur idylle, Jack se félicitait d'avoir su résister au charme de cette gamine trop gâtée qui flirtait, minaudait et charmait comme une belle du Sud. Lorsqu'il avait découvert que sous ce vernis se cachait une jeune fille très vulnérable, il était trop tard : le piège s'était déjà refermé sur lui.

Installé sur la véranda, Jack s'abandonna à ses souvenirs.

À dix-sept ans, il se prenait pour le type le plus redoutable du bayou, jugement que peu de gens contestaient. Véritable petit voyou, il rendait sa mère folle, mais une telle colère l'habitait qu'il ne pouvait s'assagir. Pas même pour elle. La raclée que lui avait infligée Finn, son frère aîné, lorsqu'il avait siphonné l'essence de la voiture du juge, était aussi restée sans effet.

Quand Jack examinait sa vie, expérience qu'il tentait de ne pas faire trop souvent, elle lui apparaissait découpée en chapitres.

Le premier comprenait les années où son père était vivant et où sa mère faisait ce que faisaient toutes les autres mères pour procurer à sa famille un foyer douillet.

Puis tout avait explosé un jour d'été très chaud. Un habitant des marais, à qui le juge Dupree avait interdit de battre comme plâtre sa future ex-femme, avait surgi dans la salle d'audience avec l'intention de tuer l'audacieux magistrat. Le père de Jack, shérif de Blue Bayou, était en train de témoigner dans une affaire de conduite en état d'ivresse. En voyant le forcené brandir son revolver, il avait réagi instinctivement et s'était rué sur le juge pour le jeter au sol. Et c'était lui qui avait reçu la balle mortelle.

Jake Callahan ne portait pas de gilet pare-balles. Il faisait trop chaud, et Blue Bayou était une petite ville paisible. L'endroit idéal pour élever une famille, disait-il souvent à sa femme, qui acquiesçait en souriant. D'ailleurs, elle acquiesçait à tout ce qu'il disait. Ils n'étaient jamais en désaccord.

Mariés depuis près de vingt ans, ils étaient toujours très épris l'un de l'autre et le manifestaient, ce qui avait plus d'une fois horriblement embarrassé Jack. La veille de la fusillade, par exemple, lors de la soirée d'anniversaire de son père, ils avaient dansé étroitement enlacés au son d'une vieille ballade cajun, pas du tout comme des parents étaient censés le faire.

Quatorze heures plus tard, Jake Callahan gisait dans les bras de son deuxième fils. Le sang qui jaillissait de sa poitrine transformait le carrelage blanc et noir de la salle d'audience en une peinture abstraite et barbare.

Jack s'était rendu au tribunal avec le *po'boy* que sa mère avait préparé pour son mari. Il était arrivé à temps pour assister à la scène, mais n'avait rien pu faire pour sauver la vie de son père. Ce qu'il n'avait jamais vraiment réussi à se pardonner.

— Et merde…

Il se frotta le front et ferma les yeux.

Le chapitre deux concernait les années où il se fichait de tout. Y compris de lui-même.

Le juge – cédant au remords, au devoir ou à la gentillesse, Jack l'ignorait – avait embauché la veuve Callahan comme gouvernante de Beau Soleil. Jack, lui, avait entamé sa descente vers la délinquance. Il séchait l'école, buvait et fumait trop – du hasch et du tabac – et si un mauvais coup se préparait à proximité, on pouvait être sûr qu'il y était mêlé.

À dix-sept ans, complètement ivre, il avait volé la voiture du shérif Jimbo Lott et avait sillonné à toute allure les routes secondaires en compagnie de trois copains dont aucun n'avait un cerveau en état de marche. La nuit était sombre, le brouillard se levait et, aveuglé, Jack avait pris un virage trop vite et basculé dans l'eau du bayou. Ils s'en étaient tirés avec des bleus et quelques écorchures, mais il avait fallu faire venir une dépanneuse de Lafourche, la ville voisine, pour sortir la voiture du bourbier.

Et cette nuit-là, le juge avait perdu toute patience envers le fils de sa gouvernante.

Jack avait été interrogé par une assistante sociale, puis envoyé devant le substitut du procureur, qui l'avait inculpé. Le garçon avait aussitôt été condamné et enfourné, menotté, dans un panier à salade, direction la maison de redressement. Tout cela avant le lever du soleil.

À ce moment-là, il était trop ivre pour être parfaitement conscient des événements, mais une fois dégrisé, il s'était souvenu du regard haineux du shérif Jimbo Lott et avait compris que le juge lui avait sans doute sauvé la vie.

Il s'était aussi rendu compte que, comparé à ses nouveaux compagnons, il était novice en matière de délits. Il avait cessé de fanfaronner et écouté les sermons effrayants des condamnés du pénitencier d'Angola, que des bus amenaient tous les mois à la maison de redressement pour faire la leçon aux mineurs délinquants.

Il ne lui avait pas fallu longtemps pour comprendre que même sa vie à Blue Bayou, qui lui avait paru insupportable, était préférable à une existence de prisonnier. Il s'était fixé des objectifs, dont le premier était de sortir vivant de cet endroit. Le deuxième objectif était de terminer le lycée, puis de s'engager dans la marine et de passer quelques années à naviguer, afin que l'État lui offre ensuite des études supérieures.

Ce troisième objectif rendrait forcément sa mère fière de lui.

Durant douze longues et éprouvantes semaines, il était resté privé de tout contact avec le monde extérieur. Lorsque Marie Callahan et Nate étaient venus le voir pour la première fois, le regard chagriné de sa mère l'avait bouleversé. Il s'était senti d'autant plus coupable qu'elle ne lui avait fait aucun reproche. C'eût été inutile, de toute façon, car la honte qu'aurait éprouvée Jake Callahan planait au-dessus d'eux, muette et pesante.

Jack avait purgé sa peine jusqu'au bout. Durant ces neuf mois, il s'était forgé un corps d'athlète grâce à un entraînement physique intensif et s'était musclé le cerveau en lisant tous les livres de la bibliothèque. Deux fois. La veille de son dix-huitième anniversaire, il avait franchi en homme libre les grilles de la maison de redressement.

La fête battait son plein lorsqu'il était arrivé à Beau Soleil. Telle Scarlett O'Hara, Danielle régnait sur une cour de soupirants.

Il se dirigeait vers la cuisine lorsqu'elle l'avait repéré.

— Jack ! Tu es rentré !

Avant qu'il ait pu s'échapper, elle s'était ruée sur lui et lui avait pris la main.

— Viens danser.

Jack avait secoué la tête. Il avait fait de l'auto-stop pour économiser le prix du car et se sentait crasseux, aussi à sa place dans ce décor luxueux qu'une mouffette dans une garden-party.

— Ce n'est pas une bonne idée.

— Oh, ne fais pas ton rabat-joie ! s'était-elle écriée avec une petite moue charmante. C'est mon anniversaire, et je n'accepterai pas de refus.

Son insistance l'avait fait rire. Danielle l'idolâtrait depuis son plus jeune âge et le suivait partout comme un chiot rose et blond. Les frères de Jack ne manquaient d'ailleurs pas de le taquiner à ce sujet. Puis, vers quatorze ans, les hormones féminines étaient entrées en action, et Danielle était devenue aussi tenace qu'un chien de chasse.

Plus moyen de lui échapper. S'il travaillait aux champs, elle surgissait avec une Thermos de thé glacé. S'il était allongé sous sa voiture, en train de réparer une énième fuite d'huile en jurant comme un charretier, un parfum de fleurs envahissait soudain le garage, et deux jambes nues se plantaient devant ses yeux. C'était Danielle, qui prétendait avoir besoin d'un tournevis.

Jack évitait systématiquement les alentours de la piscine, à côté de laquelle elle s'étendait, vêtue d'un bikini qu'elle ne remplissait pas. Il avait fait son possible pour la convaincre, sans lui briser le cœur, qu'elle ne l'intéressait pas. Puis, ses dérobades et ses excuses embrouillées restant sans effet, il n'avait eu d'autre choix que de lui dire carrément qu'il avait déjà une amie, une femme qui savait comment rendre un homme heureux et qui n'avait pas à trouver des prétextes pour le rejoindre.

Danielle avait réagi avec un calme qui l'avait stupéfié, mais son regard n'avait pu cacher son chagrin. Ne sachant comment arranger les choses, Jack s'était enivré, avait volé la voiture de Jimbo Lott et avait atterri dans le camp de redressement.

Danielle ne lui avait pas rendu visite. Le juge s'y serait certainement opposé si elle en avait exprimé le désir, et Jack aussi. Mais pas une semaine ne s'était écoulée sans qu'elle lui écrive. Elle lui racontait tout ce qui se passait à Beau Soleil et au lycée, lui disait comment allaient sa mère et ses frères. Malgré le ton léger de ses lettres, Jack devinait la peine qu'il lui avait causée en la traitant si durement.

— Je t'en prie, Jack ! Tu ne vas quand même pas m'humilier devant tout le monde ?

Non. On le connaissait sous le nom de Bad Jack Callahan, certes, mais il n'était pas cruel à ce point.

— Juste une danse. Et ensuite, j'irai dire à maman que je suis rentré.

— Elle va être si contente ! s'était-elle écriée. Elle ne t'attendait que demain.

— Ils avaient besoin de mon lit, alors ils m'ont fichu à la porte un jour plus tôt.

— Tant mieux.

Elle avait noué les mains autour de sa nuque et avait pressé ses seins hauts et fermes contre son torse. Jack avait flairé le danger, aussi sûrement que l'animal sauvage devine le piège creusé dans le marais. Mais cela n'avait servi à rien. La folie l'avait emporté sur la raison.

Quant au troisième chapitre de sa vie, mieux valait ne pas l'évoquer. Ces années-là hantaient ses rêves. Inutile de les revivre lorsqu'il était éveillé.

À présent commençait le quatrième chapitre. Et Jack se retrouvait au point de départ. Dans la même maison. Face à la même fille.

— Ce qui prouve, dit-il à Mev'là, que le destin a un sens de l'humour plutôt tordu.

12

Fidèle à sa promesse, Jack se rendit à la bibliothèque dès le lendemain, en compagnie de deux ouvriers. Dani était en train d'inventorier les dégâts. Lorsqu'il s'approcha d'elle de sa démarche nonchalante, elle attribua les battements désordonnés de son cœur à la joie de voir les deux hommes qui l'accompagnaient.

Ils visitèrent l'appartement dévasté, et les ouvriers établirent rapidement la liste des travaux nécessaires.

— Il sera bientôt comme neuf, assura Derek McCarthy, le plus jeune des deux hommes.

— Pouvez-vous me donner un délai approximatif ?

— Au moins un mois, répondit John Renaux. Peut-être deux.

— Tant que ça ?

— Nous ferons le plus vite possible, promit Derek. Et vous pourrez ouvrir la bibliothèque bien avant.

C'était mieux que rien, songea Dani en s'efforçant de voir le bon côté des choses. En un clin d'œil, tout avait changé. Grâce à Jack.

— Merci, dit-elle en le raccompagnant à son pick-up, dont le pare-brise portait l'autocollant « Coonass et fier de l'être », revendication des Cajuns qui reprenaient à leur compte ce qui avait d'abord été une injure dans la bouche des Yankees.

— Ce n'est pas grand-chose, répondit-il.

Il lui caressa la joue, et ce contact léger la fit vibrer.

De l'autre côté de la rue, Ernie Egan se reposait entre deux coupes de cheveux en fumant la pipe sur le banc placé devant son salon de coiffure. Max Pitre était assis à côté de lui et, à en juger par la façon dont Ernie agitait sa pipe, tous deux discutaient âprement, comme ils le faisaient depuis des décennies.

Mme Mercier disposait des poulets dodus, des côtes de porc et différentes sortes de saucisses dans les présentoirs réfrigérés de la Boucherie Acadienne, tandis que son époux déroulait l'auvent rayé vert et blanc du magasin.

Au Bijou Theater, Arlan collait l'affiche d'un nouveau spectacle. En face, dans le jardin public, une femme brune apprenait à une petite fille d'environ un an à jeter du pain aux canards du bayou.

Autour de Dani, la vie semblait continuer normalement. Mais pour elle, le monde s'était arrêté de tourner.

Un frisson familier lui parcourut la colonne vertébrale lorsqu'elle sentit la main de Jack repousser une mèche de cheveux derrière son oreille. Il sourit légèrement, mais son regard resta grave. Une pointe de désir surgit insidieusement en elle. Très lentement, il inclina la tête.

— À plus tard, *très chère*, dit-il en déposant un baiser chaste sur le sommet de son crâne.

Prise au dépourvu, Dani lâcha un soupir de frustration.

— À quoi t'attendais-tu ? marmonna-t-elle comme le pick-up s'éloignait.

— Dani !

La femme brune la hélait depuis le jardin. En la reconnaissant, Dani éclata de rire, heureuse de cette diversion.

— Marisa ? C'est toi ?

Marisa Parker avait été sa meilleure amie durant de longues années. Enfants, elles avaient joué aux poupées Barbie ; au lycée, elles avaient échangé d'interminables confidences sur les garçons. Pendant le séjour de Dani à Atlanta, le père de Marisa, ingénieur dans l'industrie pétrolière, avait été envoyé en Arabie saoudite, et les deux jeunes filles s'étaient perdues de vue.

En la voyant traverser la rue avec sa poussette, Dani découvrit combien son amie lui avait manqué.

— C'est formidable de te revoir !

Elles s'étreignirent longuement.

— J'avais entendu dire que tu étais revenue, mais comme tu ne m'as pas appelée…

— Je ne savais pas que toi aussi tu étais revenue, expliqua Dani.

— Eh oui ! Dennis est professeur de maths au lycée.

— Dennis ? Tu parles de Dennis McGee ?

Lui et Marisa n'avaient cessé de se chamailler depuis la sixième.

— Oui. Nous nous sommes mariés il y a trois ans, répondit Marisa en montrant son alliance. Tammy est notre aînée... Et Tyler ou Kelli est en route, ajouta-t-elle en posant la main sur son ventre.

— C'est merveilleux.

Dani regarda le bébé, qui levait vers elle de grands yeux bleus inquiets.

— Bonjour, Tammy. Quelle jolie petite fille tu es !

Le petit front se plissa, et l'enfant parut sur le point de fondre en larmes.

— Elle est à l'âge où l'on a peur des étrangers, dit Marisa en sortant sa fille de sa poussette pour la caler sur sa hanche.

— Elle est très mignonne, déclara Dani. Mais comment se fait-il que tu sois revenue à Blue Bayou ? Je croyais que tu vivais à New York.

Elle ramassa le dalmatien en peluche que le bébé avait laissé tomber. L'air méfiant, Tammy le lui arracha des mains.

— J'y ai vécu quelque temps. J'habitais SoHo et je travaillais pour une agence de publicité.

— Ça te plaisait ?

À l'époque du lycée, Marisa parlait d'aller à Paris, d'avoir des aventures échevelées avec des peintres et de devenir elle-même une grande artiste.

— Ça allait, fit-elle avec un haussement d'épaules. L'art, c'est l'art, n'est-ce pas ? Même si c'est pour montrer au monde un nouveau collant.

— Absolument, acquiesça loyalement Dani.

Tammy la regarda dans les yeux et jeta le dalmatien.

— Oh, pourquoi mentir ? J'étais très malheureuse, avoua Marisa. Bref, un beau jour, je suis venue passer des vacances chez mes parents – mon père a pris sa retraite ici, et maman enseigne au lycée. Je suis allée à la fête de Noël de l'école et, pour résumer l'histoire, j'ai retrouvé Dennis devant le saladier de punch. Il y a eu une sorte de coup de foudre qui m'a mise sens dessus dessous, et je suis rentrée avec lui cette nuit-là... Bref, tu devines la suite.

— Je suis contente pour toi.

— Pas autant que moi, fit Marisa en riant, tandis que Dani ramassait de nouveau la peluche. On m'a appris que tu allais rouvrir la bibliothèque.

— Oui, c'est en projet.

— C'est une bonne chose que tu la reprennes en main. En vieillissant, Mme Weaver était devenue une vraie terreur.

— C'est ce qu'on m'a dit. J'ai hâte de commencer. J'ai quelques idées que je n'ai pas pu appliquer à Fairfax. Comme j'étais la dernière embauchée, on m'avait reléguée au classement.

— Cette fois, ce sera toi, la patronne. Ce sera sûrement plus plaisant.

— Oui. Je vais pouvoir innover. Bien sûr, je devrai aussi remplir les fiches, donner des coups de tampon et ranger les rayonnages. Mais si mon chef m'embête, je pourrai lui dire d'aller se faire voir.

Elles éclatèrent de rire et, durant un bref instant, retrouvèrent leur complicité d'autrefois.

— Je suis vraiment désolée de ce qui t'est arrivé, reprit Marisa, l'air grave. Je voulais t'appeler ou t'écrire, mais je ne t'ai pas trouvée dans l'annuaire.

Dani soupira.

— Je ne souhaiterais pas à mon pire ennemi de vivre ce que j'ai vécu ces deux dernières années, mais j'en ai tiré parti. Je sais maintenant qui je suis et ce que j'attends de la vie. Je suis devenue plus coriace. Aujourd'hui, j'ose dire ce que je pense.

— Alléluia ! Ça, c'est une nouvelle. Je me demandais si tu allais jouer toute ta vie à la parfaite Sudiste, vertueuse et docile.

Si cette accusation était sortie de la bouche de quelqu'un d'autre, Dani se serait vexée. Mais elle ne pouvait prendre ombrage d'une critique venant de sa plus vieille amie.

— Ça n'a pas toujours été le cas, dit-elle en pensant à Jack.

— C'est vrai. Tu as eu ta petite période rebelle l'été qui a précédé la terminale. Et ce n'est pas moi qui te reprocherais d'avoir succombé à ce voyou de Jack Callahan. Si je n'avais pas été heureuse en ménage, j'aurais subi une attaque de luxure quand je travaillais à Beau Soleil.

— Tu as travaillé à Beau Soleil ?

— Oui. Je me suis remise à la peinture. J'ai passé un diplôme de restauration d'œuvres d'art, et on m'a confié la rénovation de quelques fresques. J'enseigne les arts plastiques deux jours par semaine aux élèves du lycée, et je donne aussi des cours de dessin à la maison de quartier le mercredi soir.

— C'est toi qui as restauré la fresque de Beau Soleil ?

— Eh oui. Qu'en penses-tu ?

— C'est magnifique. Et c'est une bien meilleure vitrine pour ton talent qu'un collant.

— C'était difficile, mais intéressant. Et grâce à Jack, qui m'a donné ma chance, j'ai décroché d'autres chantiers à Baton Rouge et à La Nouvelle-Orléans.

En voyant Tammy tendre le bras pour jeter de nouveau le dalmatien, Marisa le lui reprit. Ce qui déclencha un hurlement strident.

— C'est l'heure de sa sieste, expliqua-t-elle. Elle a hérité de mon caractère capricieux, ce que maman estime mérité après tout le mal que je lui ai donné, ajouta-t-elle en remettant l'enfant dans sa poussette. J'espère qu'on pourra déjeuner ensemble bientôt, histoire de se rappeler le bon vieux temps et de se raconter nos vies. Je meurs d'envie de savoir ce qu'il y a entre toi et Bad Jack.

— Rien du tout.

— Vraiment ? Rien qu'à vous voir, tous les deux, il y a un instant, je me sentais toute chose, commenta Marisa, tandis que sa fille tapait du poing sur le montant de sa poussette.

— Tu es enceinte. Tu dois être victime d'un excès d'hormones.

— Tu as sans doute raison, dit Marisa en embrassant Dani. Je t'appellerai dès que tu te seras installée, et nous prendrons rendez-vous pour déjeuner. Il faut que je te parle de Luanne Jackson. Il paraît qu'elle a une liaison avec un sénateur marié.

Luanne Jackson, qui les précédait de deux classes, avait des courbes dont Kim Basinger aurait été jalouse, de longs cheveux noirs et de grands yeux gris au regard lascif. Après le lycée, elle était partie à La Nouvelle-Orléans où, à peine descendue du car, elle avait pris le nom de Désirée Champagne.

On racontait qu'elle avait travaillé plusieurs années comme call-girl avant d'épouser Jimmy Ray Boone, un riche marchand de voitures. Comme celui-ci contribuait généreusement au financement des campagnes de Lowell, Dani avait eu l'occasion de recevoir le couple lors de soirées de collectes de fonds.

Elle s'était toujours sentie mal à l'aise en présence de Désirée. Non pas à cause de son passé – Dani n'était pas du genre à juger les autres. Non, il s'agissait d'autre chose. Comme si Luanne avait une raison de lui en vouloir. Une fois, après l'un de ces dîners tendus, Dani s'était demandé si cette femme n'avait pas une liaison avec Lowell. Là-dessus, celui-ci avait proclamé devant les caméras de la télé son amour pour son assistante, et Dani avait définitivement écarté cette hypothèse.

Après la mort de Jimmy Ray Boone – survenue en pleine partie de jambes en l'air, si l'on en croyait les commérages –, Luanne avait surpris tout le monde en revenant au pays, où elle avait fait construire une grande maison aux confins de la ville. Bien qu'elle fût probablement la personne la plus riche de la commune, à l'exception peut-être de Jack, elle avait gardé sa réputation de femme de mauvaise vie.

Tandis qu'elle regardait son amie d'enfance hisser dans un break familial Tammy et la poussette, Dani ne put s'empêcher d'éprouver une pointe de jalousie. Marisa menait la vie dont elle-même avait rêvé, avec mari et enfants.

« Reprends-toi », s'ordonna-t-elle. Elle n'était plus l'adolescente malade d'amour qui voyait en

Jack le compagnon d'une vie idyllique, qui s'imaginait organisant des goûters d'enfants pour petites filles en robes d'organdi et assistant aux parties de foot de jeunes garçons dont les plus grands plaisirs auraient été de se bagarrer et de glisser des grenouilles dans les socquettes de leurs sœurs. S'apitoyer sur son sort était malsain, et elle avait trop de travail pour gaspiller son temps ainsi.

13

Comme jadis la veille de la rentrée scolaire, Dani eut du mal à dormir durant la nuit qui précéda l'ouverture de la bibliothèque. Pourtant, tout était prêt. Les livres commandés étaient arrivés, avaient été déballés, classés et rangés sur les rayonnages construits par Derek.

Elle avait fait installer un éclairage plus accueillant et arraché des messages vieux de plusieurs années du tableau d'affichage, sur lequel elle avait punaisé les couvertures des romans qui sortiraient pour l'été. Des notes annonçaient la création d'un groupe de discussion, une heure hebdomadaire de contes pour les enfants et, tous les quinze jours, un concours de lecture pour adolescents, dont le prix serait une place de cinéma offerte par Delbert Dejune, le propriétaire du Bijou Theater, qui avait fini par céder aux prières de Dani.

Elle avait consacré la journée de la veille à un ménage énergique. Les vitres étincelaient comme du cristal et les fichiers en chêne, que Derek et John avaient sortis du débarras, rutilaient d'encaustique. L'ordinateur rendait de grands services car la totalité du stock y était enregistrée, et il permettait à

Dani de consulter celui de toutes les autres bibliothèques de l'État, mais elle s'était dit qu'à Blue Bayou, où le temps s'écoulait plus lentement, certains usagers préféreraient la vieille méthode des fiches. Comme elle-même.

Pour noter les requêtes des uns et des autres, elle s'était préparé de petits papiers et avait taillé des crayons de plusieurs couleurs. Dans le coin des enfants, dont les murs avaient été peints en jaune, elle avait recouvert le sol d'un tapis aux couleurs vives qu'elle avait déniché chez un brocanteur de Houma. Son budget étant limité, elle avait âprement marchandé et l'avait obtenu à moitié prix. Pour cinq dollars de plus, elle avait emporté une table solide que Derek avait peinte en rouge écrevisse et dont il avait coupé les pieds pour l'adapter à la taille des jeunes lecteurs. Profitant de tous les talents disponibles, Dani avait confié à Marisa le soin de peindre sur les murs jaunes les personnages des livres préférés des enfants.

Il était 10 heures précises lorsqu'elle déverrouilla la porte, prête à accueillir son premier client. Cinq minutes s'écoulèrent, puis dix, et elle commença à craindre que les habitants de Blue Bayou ne se soient habitués à ne plus avoir de bibliothèque. À 10 h 28, Marisa franchit la porte, accompagnée d'une demi-douzaine d'autres jeunes mamans.

— Nous avons désespérément besoin d'évasion, annonça-t-elle.

Tout en proclamant que la réouverture de la bibliothèque allait sauver leur santé mentale, Marisa et ses amies se ruèrent sur les romans d'amour.

À compter de cet instant, ce fut comme si des vannes avaient été ouvertes. À croire que tous les habitants de Blue Bayou éprouvaient le besoin subit d'ouvrir un livre. Bien sûr, beaucoup ne venaient que par curiosité. Mais peu importait, du moment qu'ils venaient.

Finalement, après l'heure du déjeuner – que Dani dut sauter, afin de trouver un manuel sur la construction des bateaux pour Wilbur Rogers et un guide sur le dressage des chiens pour Annie Jessup, à qui son fiancé avait offert un cocker –, la foule s'éclaircit, et elle put se détendre un peu.

Il ne lui restait plus qu'une requête à satisfaire avant d'aller manger son sandwich dans son bureau.

— C'est un livre rouge, insista la femme blonde d'un ton impatient. Rouge et osé.

— Un livre rouge, répéta Dani, dont le sourire se fanait. Ça parle de sexe ?

— Non, pas de sexe, corrigea la femme, qui portait en pleine journée une robe en soie, des boucles d'oreilles en diamant et une broche assortie. De fantasmes.

— Des fantasmes de nature sexuelle, précisa Dani, dont les fantasmes actuels se résumaient à un Big Mac et à des frites.

— Ça vous pose un problème ?

— Pas du tout, répondit Dani, qui regretta de ne pas porter son badge « Lisez les livres interdits ».

Avait-elle l'air de la bibliothécaire prude qui cachait tout livre ayant un lointain rapport avec la sexualité ? Comme celle de *Citizen Kane*, le film d'Orson Welles, ce cerbère aux lèvres pincées et au chignon étriqué qui montait la garde devant les portes de la connaissance ?

— J'essayais simplement de restreindre les possibilités, expliqua-t-elle. Il y a beaucoup de livres sur les fantasmes.

— Celui-ci a une couverture rouge.

— Rouge. Très bien.

Dani se dit que si jamais elle créait un jour une bibliothèque à partir de zéro, elle donnerait aux livres une double référence, la seconde tenant compte de leur couleur, car c'était souvent la seule chose dont se souvenaient les gens.

La femme regarda autour d'elle, lissa ses cheveux aux mèches habilement colorées et se pencha vers elle pour murmurer un mot.

Dani répondit par un clin d'œil et consulta sa base de données à partir de l'entrée « fouets ».

Bingo ! Elle tira un crayon jaune de la boîte que lui avait fabriquée Matt l'année précédente pour la fête des Mères et écrivit *Fouets et baisers*, avec la cote du livre, sur un papier.

— C'est au premier étage. Je peux vous montrer, si vous voulez.

— Je vais me débrouiller.

La femme, qui regrettait sans doute de lui avoir révélé un aspect de sa vie intime, lui arracha la note et se dirigea vers l'ascenseur, les talons de ses escarpins à quatre cents dollars cliquetant sèchement sur le parquet.

La bibliothèque de Blue Bayou étant beaucoup plus petite que celle de Fairfax, Dani comptait bien profiter du système de prêt entre bibliothèques. Elle rédigeait une demande lorsque la porte s'ouvrit et que Jack apparut, plus séduisant que jamais avec son jean, son tee-shirt noir et ses bottes de cow-boy, qui accentuaient sa démarche chaloupée.

— On ne t'a jamais dit que tu étais beaucoup trop sexy pour une bibliothécaire ?

— Tu devrais peut-être rejoindre le xxie siècle. Les choses ont changé. Je ne me souviens même pas de la dernière fois où je me suis fait un chignon.

Il pencha la tête sur le côté et la dévisagea un instant.

— Ça n'y changerait rien. Tout homme en bonne santé ne rêverait que d'ôter tes épingles à cheveux et de plonger les mains dans ta chevelure.

L'image des doigts de Jack disposant ses longs cheveux sur ses seins nus surgit soudain dans l'esprit de Dani, et elle se remit fébrilement au travail.

— Ne me dis pas que tu es venu rechercher tes ouvriers.

Derek et John travaillaient à présent dans l'appartement, comme en témoignaient les coups de marteau en provenance du deuxième étage.

— Non. Je suis venu contempler la bibliothécaire.

— Tu devrais vraiment embaucher quelqu'un pour écrire tes dialogues. Cette phrase ne pourrait même pas figurer dans un *soap opera*.

— Je ferai mieux la prochaine fois, dit-il en se penchant vers elle pour jouer avec une mèche de ses cheveux. En fait, je suis venu m'inscrire.

— T'inscrire ? s'exclama Dani en repoussant sa main.

Jack avait toujours recherché le contact physique. Ayant grandi dans une maison où les petits gestes de tendresse étaient inconnus, Dani n'en avait pas l'habitude.

— Nous sommes dans une bibliothèque, non ?

— Bien sûr.

Il enfonça les pouces dans ses poches, ce qui eut pour effet d'attirer le regard de Dani sur son bas-ventre.

— Alors, je ne me suis pas trompé d'endroit.

Elle se força à relever les yeux vers son visage, ce qui n'arrangea pas les choses, vu l'expression entendue qu'il arborait.

— Pourquoi veux-tu t'inscrire ?

— Parce que je suis d'accord avec ce que disait Groucho Marx : « En dehors du chien, le livre est le meilleur ami de l'homme. À l'intérieur d'un chien, il fait trop sombre pour lire. »

Elle s'interdit de sourire. Devant cet homme-là, baisser sa garde, ne fût-ce qu'une seconde, était dangereux.

— Tu n'as pas ton propre livre à écrire ? Et des murs à décaper ?

— Pour l'instant, mon livre est en *stand-by*. Mon héroïne est capricieuse... Comme beaucoup de femmes de ma connaissance, ajouta-t-il avec un sourire malicieux.

Il s'assit sur le coin du bureau et reprit :

— Quant aux murs, ils seront encore là demain. Peut-être devrais-je prendre un bouquin sur les solvants. Histoire de trouver quelque chose pour remplacer l'huile de coude.

Son doigt se promena lentement sur le dos de la main de Dani, qui se sentit frissonner. Le mieux, se dit-elle, était de garder une attitude toute professionnelle.

— Il me faut une pièce d'identité avec photo.

Il eut un sourire incrédule, comme s'il trouvait cette exigence bien mesquine de sa part, mais il sauta à bas du bureau, plongea la main dans la poche arrière de son jean et en sortit son permis de conduire. Dani eut une fois de plus la preuve que la vie n'était pas juste. N'y avait-il pas de loi interdisant les photos tentatrices ?

Elle entra les informations dans l'ordinateur et imprima la carte d'emprunteur.

— Rappelle-toi que je sais où tu habites, dit-elle en la lui donnant. Et j'ai un tas de moyens de coincer les gens qui ne rendent pas leurs livres.

Ce fut à cet instant que revint la blonde, son livre rouge et deux autres du même genre sous le bras.

— Allez-y, lui dit Jack. J'en ai pour un moment.

— Si vous êtes sûr… fit-elle en le regardant avec envie.

— Ma maman m'a appris à m'effacer devant les jolies dames, susurra-t-il avec un sourire suave.

La femme se glissa devant lui. Tandis qu'elle tendait ses livres à Dani, Jack regarda par-dessus son épaule et haussa les sourcils en voyant les titres des volumes qu'elle empruntait.

Après lui avoir jeté un ultime regard aguichant, la femme quitta la bibliothèque.

— J'aimerais bien avoir un aperçu de ses fantasmes, commenta-t-il.

— Si tu te dépêches, tu la rattraperas sans peine, suggéra Dani. Vu la hauteur de ses talons, ça m'étonnerait qu'elle galope. Elle sera sûrement enchantée de t'initier à ses plaisirs particuliers.

— Ça ne me dit rien. Elle est mignonne, mais ce n'est pas mon type.

Dani s'interdit de répondre. Pas question qu'elle s'abaisse à lui demander quel était son type.

Il appuya les mains sur son bureau et s'inclina vers elle.

— Tu veux savoir quel est mon genre de femme ?

Il était tout près d'elle. Beaucoup trop près.

— Je n'y tiens pas particulièrement.

Dani ramassa une pile de livres et s'éloigna pour les ranger.

— Dommage, parce que je vais te le dirc quand même, déclara-t-il en lui prenant les volumes des mains.

— Qu'est-ce que tu fais ?

— Je répare une erreur.

— Quelle erreur ?

Elle rangea le livre qu'il lui tendait et se dirigea vers un autre rayonnage.

— Je n'ai jamais porté tes livres de classe comme tout petit ami digne de ce nom.

— C'était l'été. Le lycée était fermé.

Elle glissa un guide sur la réfection des toits entre un manuel du parfait carreleur et un dictionnaire des matériaux de construction.

— De toute façon, reprit-elle, tu n'étais pas un petit ami digne de ce nom.

— C'est vrai, dit-il avec un gloussement. Il n'y avait rien de digne en moi à l'époque. C'est d'ailleurs en partie pour cela que je te plaisais.

Il lui passa un autre livre et la suivit un peu plus loin.

— Tu l'as déjà fait entre les rayonnages d'une bibliothèque, *très chère* ?

— Bien sûr que non.

— Moi non plus.

Le sourire qu'il lui décocha devait ressembler à celui grâce auquel Lucifer avait convaincu un troupeau d'anges de le suivre en enfer.

— Que dirais-tu de tenter l'expérience ?

— Ne rêve pas.

Bien qu'elle eût préféré mourir plutôt que de l'admettre, cette arrogance sensuelle lui seyait autant que son jean étroit.

— Tu es dure à convaincre. Tant mieux, j'ai toujours aimé les défis.

Il jeta les deux derniers livres sur un chariot et souleva Dani en l'adossant aux rayonnages.

— Ne fais pas ça, souffla-t-elle.

— Ne fais pas quoi ?

— Ce que tu as en tête, dit-elle d'une voix qui dérapait dans les aigus. Nous sommes dans une bibliothèque publique, Jack.

— Et je suis le public, affirma-t-il en se pressant contre elle. Tu trembles.

— Je ne tremble pas, protesta-t-elle.

— Ne t'inquiète pas, Danielle. Je ne te ferai pas de mal.

— Je suis la bibliothécaire, voyons !

— Une bibliothécaire délicieuse, murmura-t-il en goûtant ses lèvres.

— On ne peut pas faire ça, gémit-elle, bien que son corps le réclamât ardemment.

— C'est pourtant ce qu'on fait. En ce moment même.

— Et ça s'arrête là.

Elle parvint à se reprendre et glissa ses mains entre eux pour l'écarter. Elle ne tenait pas à commettre une bêtise qui lui vaudrait de figurer en première page du *Clarion*. Et peut-être sur le registre de police de Jimbo Lott.

— Tu essaies de me faire renvoyer ?

Elle le sentit se crisper, puis reculer.

— Non. Pas aujourd'hui, en tout cas, dit-il en la regardant avec une étrange intensité qui la troubla plus que tout le reste. Mais je te remercie.

— De quoi ? demanda-t-elle en rajustant vivement sa tenue.

Il déposa un baiser sur sa main et reprit son sourire de mauvais garçon.

— De m'avoir donné des fantasmes à évoquer quand je taperai sur des clous cet après-midi, dit-il en s'éloignant vers la porte.

Elle filait vraiment un mauvais coton, se dit Dani, car l'image de Jack en train de transpirer sur son échafaudage lui donnait envie de courir derrière lui.

14

Le jour où Dani devait se rendre au pénitencier d'Angola, il pleuvait. Mauvais signe, se dit-elle en regardant la pluie ruisseler sur la fenêtre de la cuisine. Elle se tourna vers son fils et vit à son regard que sa nervosité était contagieuse.

— Ne t'inquiète pas, chéri. Tout va bien se passer, dit-elle en lui ébouriffant les cheveux. Ça va être super.

Qui essayait-elle de rassurer ? Son fils ou elle-même ?

— Tu crois qu'il va m'aimer ?

— J'en suis sûre. Comment pourrait-il faire autrement ? C'est ton grand-père, et tu es un garçon exceptionnel.

On frappa à la porte d'entrée. Une seconde plus tard, Orélia entrait dans la cuisine, suivie de Jack.

— Regardez qui nous arrive ! s'exclama-t-elle.

— Bonjour, dit-il.

— Qu'est-ce que tu fais là ? grommela Dani.

— Moi aussi, je suis enchanté de te voir. Que tu es élégante ! Tu me rappelles Audrey Hepburn dans ce film où il est question d'un petit déjeuner dans une bijouterie.

Ignorant quelle était la tenue appropriée pour se rendre dans une prison, Dani s'était changée trois fois ce matin-là, avant d'opter pour une robe noire sans manches et un collier de perles. Bien qu'elle n'ait plus l'âge de quêter l'approbation de son père, elle estimait préférable d'être à son avantage pour ces retrouvailles après sept ans de séparation.

— Une bijouterie, c'est un drôle d'endroit pour prendre son petit déjeuner, remarqua Matt.

— Peut-être. Mais c'est un très bon film, dit Dani en ôtant le bol de son fils pour le mettre dans l'évier.

— M'man, j'ai pas fini.

— Oh, pardon.

— Tu dois être Matt, dit Jack. Bonjour. Je m'appelle Jack Callahan.

Le petit garçon examina le nouveau venu, visiblement intrigué par sa queue-de-cheval et sa boucle d'oreille.

— T'es pas un pirate, si ?

— Hélas, non.

— C'est dommage, dit l'enfant avec regret. Maman m'a parlé des pirates qui vivaient ici, et je me disais qu'il en restait peut-être quelques-uns.

— Pas à ma connaissance, répondit Jack. Sauf si on compte les deux entrepreneurs à qui j'ai eu affaire récemment. Mais vu que la famille de ma mère a toujours vécu ici, il est possible qu'il y ait un pirate dans mon arbre généalogique.

— Ça serait cool.

— Oui, fit Jack. Je suis un vieil ami de ta mère, tu sais.

— Du temps où elle vivait ici ?

— Oui. On allait à la même école.

— Maman m'a dit qu'elle allait à l'école où je vais. Notre Dame de l'Assomption.

— C'est bien celle-là. Quelle est ta matière préférée ?

— La lecture.

— Moi aussi, j'adorais ça. Nous avons au moins un point commun, toi et moi.

— Tu préfères les histoires inventées ou les vraies ? demanda l'enfant.

— Les deux sortes sont intéressantes, à mon avis.

— Moi, je préfère celles qui sont inventées, dit Matt. De temps en temps, j'en invente dans ma tête, mais j'en ai jamais écrit.

— Tu devrais, fit Jack en enfonçant la casquette des Orioles sur les yeux du garçon. L'imagination est une qualité, il faut l'exploiter... Qu'est-ce que tu aimes d'autre ? Moi, j'aimais bien les récréations.

— Moi aussi.

— Il y a toujours un terrain de base-ball ?

— Oui, mais j'y joue pas.

— Tu joues au foot, alors ? Je parie que tu cours très vite.

— Non. Je joue à rien. Personne me prend dans son équipe.

— Mais je ne le savais pas ! s'écria Dani. C'est sans doute parce que tu es nouveau, ajouta-t-elle pour rassurer son fils.

— C'est pas ça. Ils me prennent pas parce que je sais pas jouer.

Ô Seigneur... Elle n'avait vraiment pas besoin de ça, alors que la perspective de retrouver son père l'effrayait et que Jack semblait encombrer les trois quarts de la cuisine.

— Tu aurais dû me le dire plus tôt. Mais ne t'inquiète pas. Je vais trouver un livre sur le base-ball et nous apprendrons ensemble.

— C'est pas grave, m'man, fit l'enfant, qui semblait regretter d'avoir abordé le sujet. Les autres me chargent d'inscrire le score parce que je suis bon en calcul et que je connais les règles par cœur. De toute façon, on peut pas apprendre le base-ball dans un livre.

— Bien sûr que si, protesta Dani. On peut tout apprendre dans les livres.

— Ta mère a raison, intervint Jack. Les livres sont des outils formidables. Mais parfois on apprend plus facilement en faisant les choses. Moi, j'ai appris en jouant avec mon frère, qui a obtenu grâce au base-ball une bourse pour l'université de Tulane. Tu aimerais que je te donne quelques leçons ?

— Tu veux bien ?

L'espoir qui illumina le regard de Matt aurait pu chasser les nuages au-delà du Mississippi. Dani s'en réjouit, tout en regrettant que ce fût grâce à Jack.

— Bien sûr. Ça sera très amusant. On arrivera peut-être à convaincre ta mère de s'y mettre aussi.

— Ça serait cool. Tu jouais avec elle quand vous étiez à l'école ?

— Mais oui, dit Jack d'une voix amusée. Ta mère et moi, on a fait de sacrées parties autrefois.

Matt quêta des yeux la confirmation de sa mère. Comme elle ne répondait pas, son regard dériva vers la porte-moustiquaire.

— Regarde, m'man ! dit-il en désignant la pelouse, sur laquelle un alligator long de près de deux mètres profitait d'un mince rayon de soleil. L'alligator est revenu.

— Je parie que dans ton ancienne maison, tu ne voyais pas d'alligators, dit Jack.

Dani admira la subtilité avec laquelle il soulignait les avantages de leur déménagement, afin de compenser les problèmes d'adaptation de l'enfant.

— À Fairfax, on n'avait que des écureuils.

— Les écureuils, c'est sympa. Mais un alligator, c'est spécial. Quand j'avais ton âge, il y en avait un qui ne bougeait pas de chez nous. Mon père essayait désespérément de le chasser. Mais *M'su Cocodrile*, comme les Cajuns appellent les alligators, n'avait aucune envie de déménager. Alors, papa a dû trouver une autre solution.

— Il l'a tué ?

— Non. Ce n'aurait pas été juste, puisque l'alligator se contentait de rester au soleil sans embêter personne. Seigneur, il roupillait là toute la journée, au point que sa peau noire devenait grise et terne.

— Alors, qu'est-ce qu'il a fait ? demanda Matt. Ton papa, pas *M'su Cocodrile*.

— Il l'a dressé.

— Tu rigoles ?

— Pas du tout, dit Jack. Ce n'est pas facile de dresser un alligator, mais mon père était un homme patient. Pour commencer, il s'est allongé sur le ventre et a regardé l'alligator dans les yeux.

— C'est vrai ?

— Absolument. Et ils ont fait un concours à qui baisserait les yeux le premier.

Ceux de Matt avaient pris la taille de soucoupes. Dani ne se souvenait pas de l'avoir jamais vu aussi captivé.

— Qui a gagné ?

— Mon père, bien sûr. Il n'y avait pas un homme ni une bête qui pouvait lui faire baisser les yeux. Je le sais, car j'ai essayé une fois ou deux.

— Et après ça, l'alligator est parti ?

— Non. Oh, il n'était pas content d'avoir été battu. Alors, il s'est redressé et a donné un violent coup de queue dans le bayou...

Pan ! Jack assena sur la table une grande claque qui fit sursauter le petit garçon.

— ... et l'eau a giclé si haut dans le ciel que le type de la météo a raconté qu'il avait plu des *crevi* sur toute la ville... Les *crevi*, ce sont de minuscules écrevisses.

Visiblement sceptique, Matt se frotta le nez.

— Il y avait des écrevisses qui tombaient du ciel ?

— Mais oui ! Ça valait le coup d'œil, je t'assure. Quant à *M'su Cocodrile*, il avait beau être très vexé, il ne voulait toujours pas s'en aller, car il aimait trop notre jardin. Mais nous n'avions plus peur.

— Pourquoi ?

— Parce que mon père avait prouvé qu'il était le plus fort. Finalement, mon père et *M'su Cocodrile* se sont mis d'accord pour que chacun s'occupe de ses affaires. Plus tard, mon père lui a appris à rugir.

— Je crois me souvenir que les alligators savent le faire sans dressage particulier, intervint Dani.

Cette histoire était totalement inventée. Mais elle enchantait son fils.

— Bien sûr, répliqua Jack sans sourciller. Mais je parie que tu n'en connais pas qui le fasse sur ordre. Il suffisait à mon père de siffler, enchaîna-t-il à l'intention de Matt. Comme ça...

Il pinça les lèvres et émit un son strident. L'alligator allongé sur la pelouse leva sa grosse tête noueuse.

— Et *M'su Cocodrile* sortait du marais et se hissait sur notre pelouse. Puis il cambrait le dos, un dos aussi large que cette table, et poussait un énorme rugissement qui retentissait dans tout Blue Bayou. Les gens disaient qu'ils n'avaient jamais rien entendu d'aussi sinistre.

— Il rugissait ? Comme un lion ?

— Pas tout à fait. Plutôt comme si tu combinais le rugissement d'un lion avec le bruit d'une locomotive. Les gens comprenaient tout de suite qu'ils n'avaient pas intérêt à venir embêter *M'su Cocodrile*. C'était un bruit à vous faire vibrer tous les os du corps. La famille qui vivait un peu plus loin jurait que l'alligator avait ébranlé les fondations de sa maison.

— Oh là là, fit Matt en soufflant. C'est dingue.

— C'est ce que je pensais, moi aussi, dit Jack en faisant un clin d'œil à Dani. J'aimais bien ce vieil alligator. Très laid mais plutôt sympa, à sa façon. Chaque jour, vers midi, il approchait du ponton et quémandait des restes de nourriture. Si bien que ma mère préparait parfois un *po'boy* rien que pour lui.

— Je ne savais pas que les alligators mangeaient des sandwiches.

— Oh, ils ne sont pas difficiles. Ils mangent à peu près tout ce qu'on leur jette.

— Qu'est-il devenu ?

Jack se frotta le menton.

— Je ne sais pas. Un jour, il a disparu. Quand j'ai grandi et que j'ai découvert comme les filles étaient jolies et sentaient bon, je me suis dit qu'il avait dû rencontrer une dame alligator et décider de s'installer dans son bayou à elle.

— Les dames alligators ne sentent pas bon.

— Pour les alligators mâles, si, fit Jack en souriant.

Matt lui rendit son sourire. L'histoire achevée, Jack se tourna vers Dani.

— Tu cs prête ?

— Pour quoi faire ?

— Pour aller à la prison.

— Je comptais m'y rendre toute seule.

— Je comprends que tu désires un peu d'intimité pour ces retrouvailles, mais j'ai promis au juge de venir le chercher.

— Je vois.

Dani éprouva un pincement de jalousie, très différent de celui qu'avait suscité en elle la blonde aux lectures érotiques.

— Je voulais lui faire la surprise.

— Oh, tu vas le surprendre, tu peux en être sûre. Allez, viens, je t'emmène.

— On ne va pas être un peu serrés, à trois dans ton pick-up ?

— J'ai pris la Pontiac GTO.

— Tu as une GTO ? s'écria Matt avec admiration.

Dani savait que, dans la hiérarchie personnelle de son fils, posséder une GTO figurait avant le statut de pirate.

— Oui. Elle a un moteur si puissant qu'il est capable d'aspirer les oiseaux. Quand je passe près de mamans qui promènent leurs bébés, il faut que je fasse attention à ne pas les aspirer hors de leurs poussettes.

— Jack a toujours aimé exagérer, dit Dani à son fils.

— C'est faux, protesta Jack. Si je n'ai jamais aspiré de bébé, c'est parce que je suis très prudent quand j'en croise. Ma tante Marielle a trouvé la GTO dans sa grange après la mort de son mari, et elle me l'a donnée lorsque j'étais encore au lycée. La carrosserie était toute rouillée, mais dès que j'ai ôté la bâche et que j'ai vu le trésor qu'oncle Léon avait caché toutes ces années, j'ai cru que j'étais mort et que j'étais monté droit au paradis.

— Oh là là, souffla de nouveau Matt, époustouflé. Tu as vraiment eu de la chance.

— Oui. J'ai dû la laisser au garage pendant longtemps parce que je voyageais beaucoup, mais dès que je suis rentré à Blue Bayou, je l'ai restaurée, et maintenant, elle est comme neuve. Tu aimes les voitures ?

— Ça, oui !

— Il n'y a pas une petite voiture que mon fils ne possède pas, dit Dani.

— Maman ne comprend pas, c'est un truc de mec, expliqua Matt.

Dani regarda son fils avec ébahissement.

— Ta mère est une dame formidable, mais que peut-on attendre de quelqu'un qui conduit un break ?

— Il se trouve que c'est une voiture très sûre, répliqua Dani qui, avant d'acheter sa Volvo, trois ans plus tôt, avait étudié tous les tests d'accident.

— Peut-être, fit Matt. Mais c'est une voiture de fille. De maman.

Elle croisa les bras.

— Ça tombe bien, parce que je suis une mère qui tient à la vie de son fils. C'est aussi une voiture d'adulte. Contrairement à d'autres.

— La GTO n'est pas faite pour les adultes, admit Jack. C'est pour ça qu'elle est amusante. Il y a un salon automobile à Baton Rouge, le mois prochain, ajouta-t-il à l'intention de Matt. Ça te dirait d'y aller ?

— Oh ! Je peux, m'man ?

— On verra.

— Viens avec nous, proposa Jack. Tu te trouveras peut-être un joli break tout neuf.

— Merci, mais je suis très contente de ma voiture, fit-elle avec un sourire froid.

— J'pourrai y aller, dis, m'man ? supplia Matt d'un ton qui frôlait le gémissement.

— J'ai dit, on verra.

— Lâche un peu ta mère, suggéra Jack, avant de décocher un clin d'œil complice au petit garçon. Je vais la convaincre en roulant vers la prison.

— Je n'ai pas besoin que tu m'emmènes, protesta-t-elle.

— C'est une excellente idée, intervint Orélia. Tu ne voudrais quand même pas te tromper de route, te perdre et faire attendre ton papa ?

Dani se retint de répliquer que, son père ayant pris l'initiative de couper les ponts en omettant de répondre à ses lettres et en lui interdisant toute visite, quelques minutes de plus ou de moins ne changeraient pas grand-chose.

Car c'était faux. Savoir son père en prison était horrible, mais l'idée qu'il puisse ne trouver personne en train de l'attendre à sa sortie était impensable.

— Bon, d'accord, fit-elle. Je n'ai pas le choix, apparemment.

— Oh, on a toujours le choix, *très chère*, déclara Jack d'un ton traînant. Et tu viens de faire le bon.

Dani embrassa Matt, dit au revoir à Orélia, qui avait suivi la scène avec un intérêt non déguisé, et s'élança sous la pluie vers la Pontiac rouge. Comme autrefois.

— Tu n'avais pas le droit de faire ça, marmonna-t-elle lorsque Jack et elle furent tous les deux assis.

— Je n'ai pas envie de commencer la journée en me chamaillant avec une jolie femme, mais tu as tort. J'ai promis à ton père de venir.

— Et alors ? Ce n'est pas comme si tu n'avais jamais rompu une promesse.

— Fais attention à ce que tu dis, riposta-t-il en tournant la clé de contact. Quand on parle sans savoir, on s'attire des ennuis.

Le moteur s'éveilla avec un rugissement puissant qui rappela à Dani les courses folles dans lesquelles Jack, au temps de son adolescence tumultueuse, avait maintes fois failli se tuer.

— Je sais de quoi je parle, répliqua-t-elle.

Il secoua la tête.

— Tu te trompes complètement, grommela-t-il.

L'homme qui avait proposé des leçons de base-ball à son fils, qui l'avait invité à un salon automobile et avait inventé cette histoire ridicule du shérif Callahan dresseur d'alligator était redevenu un étranger. Ne sachant que dire, Danielle garda le silence.

Jack fixait la route mouillée. Il avait beau tenter de les chasser, les moments qu'il avait passés autrefois avec Danielle dans cette même voiture affluaient à sa mémoire. Puis une bouffée de son parfum s'insinua dans ses narines, et il se rappela le jour où ils s'étaient fait tremper par une averse alors qu'ils se rendaient en barque à la cabane. À peine arrivés, ils s'étaient jetés sur le matelas de mousse et s'étaient arraché leurs vêtements. Il se souvenait de tout, de la bouche et des mains avides de Dani, de son corps fluide comme l'eau, doux comme la soie, brûlant comme le feu de l'enfer...

Aurait-elle le même goût aujourd'hui ? Gémirait-elle comme autrefois lorsqu'il mordillerait ses seins ? L'orgasme lui arracherait-il un cri ?

— Je ne comprends pas ton attitude, dit Dani au bout d'un moment.

— Je tiens ma promesse, je te l'ai dit.

— Je ne parle pas d'aujourd'hui, mais de la façon dont tu me traites. Quand je suis revenue à Blue Bayou, il était clair que tu ne voulais pas me voir. J'ai dû me lancer de nuit dans le marais pour te coincer à Beau Soleil, et lorsque je suis arrivée, tu m'as dit que j'aurais mieux fait de ne pas venir.

— Je le pensais.

— Alors, pourquoi es-tu passé à la bibliothèque ? Pourquoi ces gentillesses envers Matt ? C'est pour coucher avec moi, ces baratins sur le base-ball et les voitures ?

— Bon Dieu, je ne me suis jamais servi d'un enfant pour coucher avec sa mère ! Je connais d'autres moyens pour arriver à mes fins, fit-il avec un clin d'œil.

— Voilà, tu recommences !

— Quoi donc ? demanda-t-il d'un ton innocent.

— Tu passes d'une attitude à l'autre. Tantôt tu cherches à me convaincre de regagner la Virginie, tantôt tu feins de vouloir m'attirer dans ton lit…

— Oh, je ne joue pas la comédie. J'ai vraiment envie de toi dans mon lit. Ou dans le tien. Ou bien sur la banquette arrière, comme au bon vieux temps. Ou encore sur ton bureau, à la bibliothèque. La vérité, c'est que je te veux partout et de toutes les façons possibles, mon cœur.

— Ce ne serait que du sexe.

— Oui. Mais le meilleur que tu aies jamais eu.

— Quand tu utiliseras ta carte de bibliothèque, n'oublie pas de consulter un dictionnaire.

— Pourquoi ?

— Pour te reconnaître dans la définition du mot « arrogant ».

Elle avait beau afficher un air froid et condescendant, Jack n'était pas dupe. Avec sa petite robe noire et son collier de perles, elle aurait pu aller boire le thé chez une dame des beaux quartiers. Mais sous cette allure convenable se cachait une femme qui évoquait pour lui des images de pièces obscures, de nuits chaudes et de draps froissés.

Il tendit la main et lui caressa la jambe.

— Nous n'avions guère de points communs, autrefois... dit-il.

Il glissa un doigt sous sa robe, dessina un huit dans la pliure de son genou et fut récompensé par un petit soupir mal contenu.

— Jack...

— La princesse et le voyou, murmura-t-il.

Les yeux rivés sur la route, il remonta la main sur sa cuisse.

— Mais pour nous rendre mutuellement fous, nous étions champions.

Dani ne tenta même pas de répondre. Le souffle court, elle sentait les doigts de Jack grimper le long de sa cuisse, faire une pause, reprendre leur progression.

— Arrête !

Jack eut l'impression que la lumière s'éteignait brutalement. Une seconde plus tôt, elle soulevait les hanches pour lui faciliter la tâche, et voilà qu'elle s'écartait de lui comme si sa main s'était transformée en tisonnier brûlant.

Dani se massa les tempes.

— Je ne sais pas ce qui me prend quand je suis avec toi.

— C'est très simple, mon cœur. Tu me désires. Autant que je te désire.

— Ça n'est pas simple du tout, dit-elle en renversant la tête sur le dossier de son siège et en pressant les doigts sur ses paupières. Avec toi, rien n'a jamais été simple.

— Comment ça ? J'ai toujours été comme un livre ouvert.

Il mentait, mais, le mensonge étant devenu une longue habitude, cela ne l'empêcherait pas de dormir.

— Le genre de livre qu'on recouvre de papier kraft.

Elle lui jeta un regard troublé qui, s'il n'avait pas été si excité, aurait probablement fait vibrer un reste de conscience enfoui en lui.

— Comment t'y prends-tu ? Cinq minutes avec toi, et j'ai l'impression d'avoir de nouveau dix-sept ans.

— Tu n'es plus une adolescente, Danielle. Tu es une belle femme dotée d'une vigoureuse sensualité. Tu devrais t'en réjouir au lieu de t'en inquiéter. Faire l'amour, c'est aussi naturel que respirer.

— Pour toi, peut-être. Mais je ne suis pas comme ça.

— Vraiment ?

Comme cela arrivait souvent dans cette région, la pluie cessa aussi brusquement qu'elle avait commencé. Ébloui par un rayon de soleil subit, Jack sortit ses lunettes noires de la poche de sa chemise et les mit sur son nez.

— Si ma main était restée deux minutes de plus sous ta robe, tu aurais sauté sur mes genoux.

— C'était une erreur, dit-elle en feignant d'examiner avec intérêt les cyprès qui longeaient la route. Qui ne se reproduira pas.

— Si ça te rassure de penser que tu es un animal à sang froid, à ta guise. Mais je me souviens d'avoir dû porter une chemise malgré la canicule pour cacher les égratignures que tu m'avais faites dans le dos. Et ne crois pas que j'aie oublié la façon dont tu t'es embrasée la première fois que j'ai...

— Bon, ça va, j'ai compris où tu voulais en venir. Mais, pour ton information, je n'ai réagi comme ça qu'avec...

Elle se tut, mais trop tard. Le mal était fait.

— Avec moi, le meilleur amant que tu aies jamais eu. C'est ce que tu allais dire, non ?

Le regard furieux qu'elle lui adressa le fit jubiler.

— Tu lis dans les pensées, maintenant ?

— Non. C'est inutile. Ton visage et ton corps disent : « J'ai envie de baiser avec Jack Callahan. »

— Baiser ? répéta-t-elle avec mépris. C'est un mot que je n'utilise jamais.

— On peut le faire sans le dire, mon ange.

Elle jura entre ses dents, ce qui le fit sourire.

— J'étais bon autrefois, mais je me suis amélioré. Tu verras.

— Inutile. Je te crois sur parole, déclara-t-elle avec un soupir exagéré qui fit tressauter ses jolis seins.

Évidemment, tout chez elle était joli et attirant. Ce qui, s'il avait eu le moindre bon sens, aurait dû l'effrayer. Mais, curieusement, pour la première fois depuis des années, Jack se sentait apaisé et heureux.

15

De grands chênes drapés de mousse espagnole argentée bordaient la route. Plus loin, des rangs de pacaniers ombrageaient des maisons entourées de jardins fleuris aux couleurs éblouissantes.

— Tu ne pourras pas tenir ta promesse si tu nous tues tous les deux, murmura Dani comme le paysage défilait à toute vitesse derrière la vitre.

Jack lui jeta un regard en coin.

— Tu sais quelle est la principale différence entre les hommes et les femmes ?

— Non, mais je suis sûre que tu vas me le dire.

— Un homme est capable d'apprécier une balade en voiture.

— Et une femme n'éprouve pas le besoin de rouler à la vitesse de la lumière.

— Cette voiture n'a pas été conçue pour se traîner sur la route.

À titre d'argument, il enfonça l'accélérateur, et la voiture s'élança comme un boulet de canon.

— Tu aimais la vitesse, autrefois, reprit-il.

— J'avais dix-sept ans. On devrait décréter une amnistie générale pour toutes les âneries commises avant vingt ans.

— Je suis entièrement d'accord.

Bien qu'il ait déjà franchi la vitesse autorisée, Jack accéléra encore un peu. Le silence s'installa, rompu seulement par Steve Riley et les Mamou Playboys qui jouaient *Creole Stomp*.

— C'est encore loin ?

Dani s'était déjà rendue au pénitencier, des années plus tôt, avec une amie et les parents de celle-ci, pour assister au rodéo qu'organisaient les détenus tous les dimanches d'octobre. Depuis, elle n'avait pas eu l'occasion d'y revenir.

— Nous y serons dans quinze minutes environ.

Il se tut un instant, puis lâcha un mot français dans lequel Dani reconnut sans peine un juron.

— Qu'y a-t-il ?

— Écoute, j'ai fait une promesse au juge...

— Je sais. Venir le chercher.

— Il y a autre chose... Qui aurait cru qu'il me restait une once de conscience ? ajouta-t-il dans un murmure qui s'adressait plus à lui-même qu'à Dani. J'ai essayé de me taire, mais ce n'est pas honnête envers toi. Si le juge doit vivre avec toi...

— Il va vivre avec moi, affirma Dani, pour qui toute autre solution était impensable.

— Alors, tu dois savoir qu'il n'est pas en bonne santé.

Des doigts glacés étreignirent le cœur de Dani. Ses yeux se posèrent brièvement sur un trio de cyclistes que la voiture dépassait.

— De quoi souffre-t-il ?

— En résumé, il dit qu'il va mourir.

Dani eut l'impression de recevoir un coup de massue.

— Ce n'est pas possible ! s'écria-t-elle en se tournant vers Jack. Il m'aurait prévenue, quand même !

— Je suis désolé, Danielle. Je lui ai demandé d'autoriser le médecin de la prison à t'écrire, mais il n'a rien voulu entendre. Tu sais quelle tête de mule il est, acheva-t-il avec un haussement d'épaules.

— Il me fuit. Même à l'article de la mort.

De toutes les blessures que lui avait infligées son père, celle-ci était la pire.

— Il ne voulait pas t'accabler.

— M'accabler ? protesta Dani d'une voix tremblante. Mais c'est mon père, bon sang ! Nous sommes censés être une famille.

Les collines vertes disparurent dans un brouillard de larmes.

— Il estime qu'il t'a trahie en se retrouvant en prison.

— Je refuse de croire à sa culpabilité. Mais même s'il avait accepté ce pot-de-vin, ç'aurait été pour sauver notre maison. Comme Annabel Dupree lorsque l'armée yankee a envahi nos terres.

L'ancienne femme du monde de La Nouvelle-Orléans avait égorgé et cuit toutes les volailles de la propriété afin d'amadouer les soldats ennemis. Et cela avait marché : ils avaient renoncé à piller et incendier Beau Soleil.

Les situations désespérées exigeaient des mesures désespérées. L'enfance de Dani avait été nourrie des récits des divers sacrifices consentis par ses ancêtres pour garder la propriété dans la famille.

— Le juge a des critères moraux très élevés. S'il est dur envers les autres, il l'est encore plus pour lui-même. C'est sans doute pour cela qu'il a refusé de plaider coupable, comme l'en suppliait le procureur.

— Mon père, malheureusement, peut se montrer incroyablement rigide.

Il n'avait pas cédé quand, en larmes, elle lui avait demandé de l'autoriser à continuer à voir Jack, qu'il traitait de délinquant.

Le destin, songea Dani, ressemblait à une toile d'araignée dans laquelle les êtres humains se débattaient en vain et finissaient par se retrouver étroitement ligotés tous ensemble.

Son père n'avait pas non plus cédé lorsqu'elle avait souhaité rester à Beau Soleil durant sa grossesse. Et il s'était montré tout aussi intraitable le jour où, une semaine avant la naissance de sa fille, elle l'avait appelé pour le supplier de lui permettre de garder l'enfant.

— Tu ne m'as pas répondu. De quoi souffre-t-il ?

— De problèmes cardiaques.

L'espoir agita instantanément ses ailes délicates dans le cœur de Dani.

— Ce n'est pas forcément fatal. A-t-il pris un second avis médical ? Ou bien n'a-t-il consulté que le médecin de la prison ?

— Je l'ignore. J'ai eu toutes les peines du monde à lui arracher le peu que je sais.

— Et que sais-tu ?

— Il a accepté de faire partie d'un groupe de patients sur lesquels on essayait un nouveau traitement, il y a cinq ans, après sa première crise cardiaque.

— La première ?

— Il en a eu deux, à ma connaissance. La seconde l'a fait exclure du groupe, puisque, au lieu de s'améliorer, son état avait empiré.

— Ce qui signifie que, pendant plusieurs années, ses problèmes cardiaques se sont aggravés parce qu'il ne recevait pas le traitement adéquat ? s'écria Dani.

— C'est comme ça que fonctionne ce genre de protocole. Si l'on associait deux sortes de médicaments, on ne saurait pas lesquels marchent.

L'espoir chuta. Dani tenta de le ranimer.

— Il y a sûrement quelque chose à faire. Un pontage, une transplantation, de nouveaux médicaments, un pacemaker…

— Comme je te l'ai dit, j'ignore les détails. Mais je sais qu'il a choisi librement de rejoindre ce protocole. Personne n'a braqué une arme sur sa tête.

— Pourquoi a-t-il fait ça ?

— Ça me dépasse. Mais, connaissant le juge, je suppose qu'il a voulu rendre service à la société. Peut-être payer pour ce qu'il avait fait.

— Mais c'est précisément à ça que sert la prison : payer sa dette envers la société. Ensuite, on est quitte.

Dani avait encore du mal à y croire. Comment pouvait-on être aussi égocentrique ? Son père n'avait donc pas compris que cette décision affecterait d'autres personnes que lui ? Qu'il le veuille ou non, il avait une famille, une fille et un petit-fils à qui il aurait dû penser.

Le désespoir de Dani cédait la place à une saine colère lorsque le pénitencier apparut. Si la GTO de Jack évoquait les années 1960 que ni l'un ni l'autre n'avaient connues, la prison vous faisait faire un bond de cent cinquante ans en arrière.

Cette ancienne plantation, sur laquelle s'étaient échinés des esclaves venus d'Angola, en Afrique, était à présent le plus grand – et le plus dur – pénitencier des États-Unis, sur les terres duquel travaillaient les détenus. Des files de prisonniers chargés de binettes et de bêches marchaient le long de la levée du Mississippi et entraient dans les champs de coton. En songeant à ce qu'avait dû endurer son père, Dani eut un haut-le-cœur.

— Arrête-toi !

Jack obéit. Elle bondit hors de la voiture et se plia en deux.

— Je suis désolée, fit-elle en revenant.

Les larmes qu'elle avait si longtemps retenues se mirent à ruisseler. Elle les essuya du dos de la main.

— J'ai l'impression d'être un de ces ballons sur lesquels on s'amuse à cogner dans les festivals cajuns. Chaque fois que je crois pouvoir enfin décoller, un coup m'envoie à terre.

Il lui tendit un mouchoir en tissu blanc.

— Merci. Je croyais que plus personne n'utilisait ce genre de mouchoir.

— Je suis un type vieux jeu, dit-il en lui offrant un chewing-gum aux fruits qu'il avait sorti de sa poche.

Le sucre donna à Dani un regain d'énergie.

— L'essentiel, c'est que tu continues à te relever.

— Je n'ai pas le choix. Une mère qui élève seule son enfant ne peut s'offrir le luxe d'une dépression nerveuse.

— Peut-être as-tu besoin que quelqu'un décharge tes épaules un moment de ton fardeau.

Il posa les mains sur les épaules en question, puis, tout naturellement, l'attira dans ses bras. Elle se laissa faire. Une seconde seulement, se promit-elle.

— Tu t'es mis beaucoup de choses sur le dos. Rendre l'appartement habitable après l'incendie, commencer un nouveau boulot, accueillir ton père...

— J'arrive à tout concilier.

— C'est sûr.

Jack se réjouit de voir des petites étincelles de colère et de détermination dans ses yeux. La Danielle d'autrefois avait été d'une docilité frustrante. En fait, les seuls moments où il l'avait vue se rebeller et bousculer les obstacles, c'était lorsqu'elle le voulait, lui. Et alors, elle fonçait bille en tête et sans réfléchir. Jack en avait conclu qu'il n'y avait rien de plus coriace qu'une gamine décidée à mettre la main sur un garçon.

— Tu te débrouilles très bien, assura-t-il. Mais tout le monde a besoin d'aide un jour ou l'autre. Pourquoi ne me laisses-tu pas te faire un peu de bien ?

— Je suppose que cela implique de coucher ensemble ?

— C'est la façon la plus agréable.

Elle leva vers lui des yeux humides.

— Mets-toi bien ça dans la tête, Jack : je ne coucherai pas avec toi.

— Mais si, voyons.

Il prit sa main et l'effleura d'un baiser.

— Je suis un homme patient. Dans l'immédiat, on ferait mieux de repartir, avant que l'un de ces gardes armés ne se demande ce que nous fabriquons sur le bord de la route.

— Je déteste penser que mon père a travaillé aux champs, dit-elle comme il redémarrait.

— Eh bien, n'y pense pas. Il n'a jamais eu de binette en main.

— À cause de sa maladie ?

— Non. Ton père a passé les trois quarts de sa vie à envoyer des gens en prison. Cette prison. Crois-tu que les gardiens auraient pris le risque de le laisser avec des types assoiffés de vengeance et prêts à lui faire la peau avec n'importe quel instrument ?

Dani y avait songé, au début. Puis, en voyant que son père la rejetait, elle avait écarté cette idée, qui ne faisait que la rendre encore plus malheureuse. Quant à Lowell, il ne lui avait été d'aucun réconfort. À partir du moment où le juge s'était retrouvé sur le banc des accusés, le nom de celui à qui il devait son élection n'avait plus franchi ses lèvres.

— Il est resté sept ans en isolement ?

— Six. Durant la dernière année, il a fait du bénévolat dans le service de soins palliatifs de la prison.

Dani prit une longue inspiration.

— Ça me fait horreur, dit-elle.

— Quoi ?

— Tout ça.

Elle désigna d'un geste les champs, les hommes penchés sur leurs binettes, les gardiens à cheval, les marais qui bordaient le pénitencier, les clôtures élevées, les miradors, l'ensemble de bâtiments dont ils approchaient.

— Que mon père ait gaspillé tant d'années en compagnie de vulgaires criminels m'est insupportable.

— Il n'y a rien de vulgaire chez ton père, acquiesça Jack.

Dani lui fut reconnaissante de ne pas avoir ajouté que, si son père n'était pas vulgaire, l'acte qui l'avait envoyé en prison était bel et bien criminel.

Et, bien qu'elle ne fût pas prête à l'admettre, elle lui était aussi reconnaissante de l'avoir accompagnée et de ne pas avoir à affronter seule ces retrouvailles.

Les choses ne se passèrent pas comme Dani l'avait imaginé. Ce fut pire.

Tout d'abord, son père ne ressemblait plus à l'homme intimidant dont elle se souvenait. Bien que Jack l'ait prévenue qu'il était malade, elle eut un choc en le voyant apparaître sur le seuil du pénitencier.

Son épaisse chevelure brune s'était éclaircie et avait blanchi. Son teint était terreux, et le costume en lin beige qu'il portait jadis avec élégance le boudinait.

— Je pensais qu'il serait plus mince, murmura-t-elle.

— J'ai interrogé un cardiologue qui m'a expliqué que lorsque le cœur fonctionne mal, les fluides s'accumulent et le malade grossit, même s'il mange peu.

Au lieu de franchir la porte de la prison d'une démarche fière, le juge traînait les pieds et avançait à petits pas prudents. Dani ne put retenir un soupir.

— Ça va aller ? s'inquiéta Jack.

— Oui, fit-elle avec un sourire forcé pour cacher son désarroi.

Son père salua Jack de la main. Lorsque son regard se posa sur sa fille, son visage s'assombrit.

— Qu'est-ce que tu fais là, Danielle ?

— Bonjour, papa, dit-elle en l'embrassant sur la joue. Je suis venue te chercher pour te ramener à la maison.

— Je n'ai plus de maison. C'est Callahan qui y vit, maintenant, répliqua-t-il.

— C'est ce que j'ai appris en arrivant à Blue Bayou.

Les yeux du juge plongèrent dans les siens.

— Ton mari ne te l'avait pas dit ?

— Non. Il y a toute une partie de l'histoire qui m'a échappé.

Le juge regarda Jack, qui hocha la tête.

— Eh bien, peu importe, reprit-il. Ce qui est fait est fait. Allons-y.

Dani s'installa sur la banquette arrière, laissant le siège du passager à son père. Ils reprirent la route dans un silence pesant.

— Matt a hâte de faire la connaissance de son grand-père, dit-elle au bout de quinze kilomètres.

— Je t'avais demandé de dire au garçon que j'étais mort.

— Ce garçon s'appelle Matthew, et je ne lui mens pas.

— Il aurait été préférable qu'il croie son grand-père mort plutôt que taulard.

— Matt sait que tu as fait une erreur et qu'on t'a puni.

— Tu lui as dit que son grand-père était resté sept ans à l'ombre ?

— Quelque chose comme ça.

Jack lui adressa un regard d'encouragement dans le rétroviseur. Décidée à éviter toute discussion qui risquerait d'énerver son père et de déclencher une nouvelle crise cardiaque avant même qu'elle l'ait ramené à Blue Bayou, Dani inspira à fond et fit une autre tentative.

— Matt est un gentil garçon, papa. Il a bon cœur et il est très tolérant. En classe, il est toujours le premier à se lier avec les nouveaux. Et il lit très bien.

— Comme toi. Tous les ans, tu décrochais le premier prix de lecture.

— Je croyais que tu ne t'en rendais pas compte.

— Ce n'est pas parce que je n'allais pas aux distributions de prix que j'ignorais ce qui se passait. Après tout, qui payait pour ton éducation ?

Le moral de Dani chuta. Son père ne s'était intéressé à ses études qu'en fonction de leur coût. Une fois de plus, elle se dit qu'elle avait eu de la chance d'avoir Marie Callahan comme mère adoptive durant son adolescence.

— Jack m'a dit que tu avais fait du bénévolat.

— Jack parle trop, dit le juge en dardant un œil noir sur le coupable, lequel haussa les épaules avec désinvolture.

— Je ne savais pas qu'il y avait un service de soins palliatifs en prison, reprit Dani en s'ordonnant de ne pas se laisser abattre par l'attitude négative de son père.

— Quatre-vingts pour cent des détenus d'Angola meurent en prison. Tu crois qu'ils se font tous poignarder dans les douches ? Pour la plupart, c'est la vieillesse qui les achève. Comme ils disent eux-mêmes : « On en bave, puis on crève. »

— Quelle pensée réconfortante...

Pourquoi diable se donnait-elle tant de mal ? Cet homme ne l'avait jamais aimée. Pourquoi le temps aurait-il comblé le gouffre qui les séparait ?

— J'espère que tu ne parleras pas comme ça à Matt.

— Tu aurais dû dire au garçon que j'étais mort.

Dani croisa de nouveau le regard de Jack dans le rétroviseur, et la pitié qu'elle lut dans ses yeux l'horripila.

— Il s'appelle Matthew, répéta-t-elle fermement. Que tu le veuilles ou non, papa, tu vas vivre avec nous et faire connaissance avec ton petit-fils parce que, si tu es vraiment à l'article de la mort, tu n'as pas de temps à perdre. Alors, habitue-toi à cette idée et cesse d'être aussi négatif. Je ne veux pas que Matt se sente exclu de ta vie comme je l'ai été.

Le juge se retourna et la regarda avec étonnement.

— Depuis quand parles-tu comme ça ?

— Depuis que j'ai découvert qu'on ne donnait pas de médailles aux gentilles et obéissantes filles du Sud.

Son père jeta un regard en coin à Jack.

— J'imagine que tu es pour quelque chose là-dedans.

— Non, je n'y suis pour rien, répliqua Jack. Mais je trouve que ça lui va bien.

— Je suppose que tu vas l'encourager à harceler son vieux papa. Je t'avais demandé de ne pas lui parler de mes ennuis de santé.

— Je ne voulais pas que vous vous écrouliez un jour devant elle et qu'elle ne puisse pas expliquer au toubib ce dont vous souffrez. En outre, c'est votre fille. Dieu sait pourquoi, elle vous aime, et elle a parfaitement le droit de connaître la vérité.

— Arrêtez de parler de moi comme si je n'étais pas là, protesta Dani. Je regrette sincèrement que tu sois malade, papa, et je ferai de mon mieux pour ne pas te contrarier, mais, sachez-le tous les deux, si quelque chose ne me convient pas, je ne me gênerai pas pour le dire.

Son père croisa les bras et marmonna un juron. Jack fit un clin d'œil à Dani dans le rétroviseur. Elle se força à répondre par un faible sourire.

16

Jack se répétait qu'il n'avait pas à défendre Dani des attaques de son père. Si le juge voulait se comporter comme un imbécile égocentrique, libre à lui. En outre, Dani était une femme adulte, capable de prendre ses décisions toute seule. Son père l'avait certes encouragée à épouser Lowell Dupree, mais personne ne l'avait traînée de force à l'autel.

Personne non plus ne lui avait demandé de revenir à Blue Bayou, et encore moins d'aller chercher son père à Angola. Il était évident que le vieil homme n'était pas ravi de la savoir de retour.

Eh bien, Jack non plus ne voulait pas d'elle à Blue Bayou. Il ne voulait plus voir ces grands yeux verts émouvants, ces lèvres douces et ce charmant petit corps qui lui rappelaient une époque qu'il s'était efforcé d'oublier.

Il avait l'impression d'avoir mis les pieds dans une sorte de sable mouvant émotionnel. Lorsqu'il crispa les mains sur le volant, de peur de ne pouvoir se retenir de gifler le visage bouffi du juge pour le punir de sa méchanceté, il comprit qu'il s'enfonçait bel et bien dans un bourbier.

Il éprouvait le désir grandissant d'emmener Dani à Beau Soleil, de lui faire l'amour dans son ancienne chambre de jeune fille et de promettre de la protéger. Cette pensée-là était la pire de toutes, car il avait cessé de se croire capable de protéger quelqu'un le jour où, dans un entrepôt colombien, plusieurs personnes étaient mortes à cause de lui.

— Que s'est-il passé ?

Dani regardait son fils avec effroi. Il avait le visage couvert de bleus, la lèvre inférieure enflée, un œil presque fermé et les doigts écorchés.

— J'avais pas le choix, m'man. Il fallait que je me batte.

— Il y a toujours une autre solution que la bagarre. Tu ne te battais pas dans ton ancienne école.

— J'y étais pas obligé.

— Je ne comprends pas. Notre Dame de l'Assomption est une école catholique.

— Tous les élèves d'une école catholique ne sont pas des enfants de chœur, intervint Jack, qui en savait quelque chose. As-tu réussi à porter quelques bons coups ? demanda-t-il à l'enfant.

— Oui, répondit Matt, avec un accent de fierté masculine qui décontenança Dani.

— Bravo, fit Jack en lui ébouriffant les cheveux.

— Si ça ne t'ennuie pas, intervint Dani d'une voix glaciale, je voudrais que mon fils renonce à régler ses problèmes avec ses poings.

— C'est bien un conseil de bonne femme, grommela le juge.

Il examina le garçon dépenaillé que Dani avait habillé le matin même d'un tee-shirt et d'un pantalon propres, en prévision de sa rencontre avec son grand-père.

— Parfois, les hommes n'ont pas d'autre choix que de se battre, ajouta-t-il.

— Comme Gary Cooper dans *Le train sifflera trois fois*, lorsqu'il fait face aux bandits, s'écria Matt.

Dani décida que plus jamais elle ne laisserait son fils regarder la télévision le soir.

— Exactement. Mais n'en fais pas une habitude, sinon tu t'attireras des ennuis... Je suis ton grand-père, ajouta le juge en tendant à l'enfant une main noueuse veinée de bleu.

— Oui, je sais, fit Matt en glissant sa petite main dans celle du juge. C'est justement à cause de...

Il s'interrompit brutalement.

Le juge haussa les sourcils.

— C'est à cause de moi que tu t'es battu, n'est-ce pas ?

Son cœur était peut-être en mauvais état, mais son esprit était aussi vif qu'autrefois.

— Oui.

À la grande surprise de Dani, son fils ne semblait pas du tout intimidé par le juge, un homme qui avait fait trembler les criminels les plus endurcis.

— Il y avait des enfants dans le car qui disaient que t'étais un taulard.

— Ils avaient raison.

— Le livre que je lis en ce moment raconte l'histoire d'un garçon qu'on a envoyé en maison de redressement pour avoir volé des baskets. Mais il les avait pas vraiment volées, il se trouvait simplement au mauvais endroit au mauvais moment, et elles lui sont tombées sur la tête à cause d'une malédiction qu'un Gitan avait jetée à sa famille parce que son arrière-arrière-grand-père lui avait volé un cochon.

Il s'arrêta, le temps de reprendre son souffle, puis poursuivit :

— Il s'est retrouvé en prison par erreur. Comme toi, m'a dit maman.

— L'erreur, c'est moi qui l'ai commise, et j'en ai payé le prix.

— Quand je fais une bêtise, maman dit qu'elle m'aime toujours. Même si elle doit me punir. Alors, t'as pas à t'inquiéter, grand-père, parce qu'elle t'aime toujours, toi aussi.

Les yeux du juge étaient-ils humides, ou bien était-ce un effet d'optique ? se demanda Dani.

— J'ai besoin de prendre l'air, grommela le vieil homme. On étouffe, dans cette cuisine.

Il sortit en s'appuyant sur sa canne.

— Voilà qui est intéressant, murmura Dani.

— Tout va bien, m'man. Grand-père doit juste s'habituer à vivre ici, comme moi à l'école... Mme Deveraux, la conductrice du car, a dit qu'elle parlerait de la bagarre au principal, ajouta Matt, l'air soucieux. Il va sûrement te téléphoner.

Dani soupira. Ce ne serait qu'une nouvelle expérience de plus dans une liste déjà longue.

— C'est probable.

Puis elle lissa les cheveux que Jack avait ébouriffés. Elle s'en voulait un peu d'avoir mis son fils dans une situation où il avait dû défendre son grand-père à coups de poing.

— Va prendre un bain. Je viendrai soigner tes écorchures, et nous discuterons des différentes méthodes de résoudre les problèmes.

— D'accord. Mais j'avais pas le choix, m'man.

— J'ai dû mal à croire qu'il se soit bagarré, murmura-t-elle en le regardant monter l'escalier.

— Il n'est pas le premier gamin à devoir se battre contre des petites brutes, dit Jack. Et il ne sera pas le dernier.

Dani se frotta les tempes. La migraine qui couvait depuis le début de la journée virait à présent au marteau-piqueur.

— Ce n'est qu'un bébé.

— Il a huit ans. Tu ne peux pas le garder dans un cocon. Ce n'est pas bon pour lui.

Dani croisa les bras sur sa poitrine et rétorqua d'une voix glaciale :

— J'aurais dû deviner que tu étais expert en matière d'éducation, vu le nombre d'enfants que tu as.

À peine eut-elle lâché ce sarcasme qu'elle sentit s'éveiller en elle une douleur familière.

Au lieu de se vexer, Jack éclata de rire.

— Mon Dieu, que j'aime quand tu montes sur tes grands chevaux !

Puis il s'inclina vers elle et prit ses lèvres dans un baiser fougueux qui lui fit tourner la tête et s'acheva trop vite.

— Va jouer à l'infirmière avec ton fils pendant que je m'occupe du juge, suggéra-t-il en lui caressant le nez du bout du doigt.

— Alors, quel effet ça fait d'être de retour chez soi ? demanda Jack en tendant au juge un jus de fruits qu'il avait sorti du réfrigérateur.

— Aucune idée. Je ne suis pas chez moi.

Jack ne releva pas. Il n'allait pas s'excuser d'avoir sauvé Beau Soleil d'une horde de joueurs.

Le soleil était sur le point de se coucher, mais la chaleur moite écrasait toujours le bayou comme une couverture humide. D'ici trente minutes, des escadrons de moustiques plongeraient en piqué sur toute personne assez stupide pour rester dehors.

— Vous connaissez le dicton : on est chez soi là où bat son cœur.

— Ce qui fait que je n'ai pas de chez-moi, puisque mon cœur est quasiment mort.

— Vous radotez.

Jack s'assit sur la première marche de la véranda, étendit ses longues jambes et but une gorgée de jus de fruits qui lui rafraîchit agréablement la gorge.

— Vous savez, Danielle a raison. Elle a changé. Elle n'est plus la petite fille qui laissait les autres lui dicter sa conduite. Il y a une personnalité vigoureuse derrière cet aspect charmant, elle ne va pas vous regarder mourir sans se battre.

— Ce n'est pas à elle de me dire ce que je dois faire. Je suis son père.

— Dans ce cas, il est temps que vous vous comportiez comme tel.

— Tu oublies à qui tu parles, Callahan, répliqua le juge.

— Vous n'êtes plus magistrat. Vous ne pouvez plus m'envoyer en prison. Et les agents de la brigade des stupéfiants ne se laissent pas intimider facilement.

— Je ne suis peut-être plus magistrat, mais tu n'es plus en service... D'ailleurs, tu n'as pas l'allure d'un flic, ajouta le juge en jetant un regard désapprobateur à la queue-de-cheval et à la boucle d'oreille de Jack.

— J'ai essayé de faire mon boulot en costume trois pièces, mais, curieusement, le cartel s'est méfié. Et même si je ne figure plus sur la liste des fonctionnaires de police, je n'aurai aucun mal à trouver une paire de menottes, si jamais Danielle a besoin d'aide pour vous traîner chez le toubib.

— Ça ne servirait à rien que j'aille consulter. Je vais mourir. Un point, c'est tout.

— Je n'aurais jamais cru que je vous verrais un jour vous comporter en lâche.

— Je ne suis pas lâche, mais réaliste.

Jack secoua la tête. Pourquoi diable s'obstinait-il à discuter avec le juge ? S'immiscer dans les relations compliquées qu'entretenaient Danielle et son père revenait à mettre le pied dans un nid de vipères : aucun homme sensé ne s'y serait risqué.

Hélas, le bon sens n'avait jamais été son fort. Surtout pas quand la jolie et délicieuse Danielle était concernée.

— Vous pouvez bien subir quelques examens, ne serait-ce que pour lui faire plaisir. Qu'avez-vous à perdre ?

— Ça t'est facile de dire ça.

— Bon, c'est vrai qu'il y a plus amusant. Par exemple, passer vos derniers jours assis là, sur la véranda, à vous gratter les fesses et à regarder le soleil se lever et se coucher. Je reconnais que ce sera sûrement moins rigolo d'enfiler une chemise d'hôpital ouverte dans le dos et de vous laisser tripoter, explorer, sonder. Mais vous le devez à Danielle.

— En voilà unc idée !

— C'est vous qui l'avez persuadée d'épouser Dupree.

— Hé, je n'ai pas eu à insister. Lowell Dupree était un bel homme, charmant et intelligent, qui savait comment se comporter avec les femmes.

— Vous estimez qu'il s'est bien comporté avec elle ? Il s'est jeté sur elle, puis il l'a humiliée en public et l'a laissée seule avec un enfant. En outre, je ne vois pas ce qu'il avait de charmant. Je le trouvais aussi visqueux que de la morve sur une poignée de porte.

— Si c'est un exemple de tes talents littéraires, j'ai du mal à croire que tu sois écrivain.

— Moi aussi, j'ai du mal, parfois. D'ailleurs, ça ne s'est pas fait tout seul.

Jack se souvint de l'âpre discussion qu'il avait eue avec son père lorsqu'il lui avait annoncé qu'il ne voulait pas être policier, mais écrivain. Trois jours plus tard, Jake Callahan était tué. Pouvait-il voir, de là où il était, la réussite de son fils ? En était-il fier ?

À la réflexion, Danielle et lui avaient cela en commun : ils recherchaient tous les deux l'approbation de leurs pères qui, pour des raisons différentes, la leur avaient refusée.

— Il ne s'agit pas de moi, mais de vous et de votre fille, reprit-il. Comportez-vous enfin en père avant de faire le grand saut.

— Ne me dis pas que je n'ai pas été un bon père. Danielle n'a jamais manqué de rien.

— Sauf d'amour. Si elle s'est jetée dans mes bras, autrefois, c'était en partie pour compenser ce manque. Elle avait besoin d'amour et de réconfort, et elle les a cherchés dans le sexe.

— Je ne veux pas entendre parler de ce que tu as fait avec ma fille.

— Très bien. Passons à autre chose. Vous savez ce qui m'amuse ? C'est que vous, Maximum Dupree, soyez allé en prison, même si nous savons tous les deux que vous avez été victime d'un coup monté…

— Tu ne l'as pas dit à Danielle ?

— Non.

Mais il en avait eu très envie.

— Bien. Je ne veux pas qu'elle soit mêlée à cette histoire.

Lorsque le juge lui avait ordonné de garder le silence, Jack n'avait pas bien compris pourquoi. Mais à présent qu'il avait vu la femme qu'était devenue Danielle, il se doutait que si elle avait été au courant, elle ne serait pas restée les bras croisés. Elle aurait voulu se battre pour son père et aurait pu se mettre en danger.

— Je trouve quand même incroyable que vous ayez accepté de passer sept ans en prison et d'y ruiner votre santé, uniquement pour tenir votre fille à l'écart de cette sale histoire.

— Il n'y avait pas qu'elle à protéger. Il y avait aussi la carrière de son mari.

— Ça, je n'y crois pas. Car vous comptiez sur lui pour qu'une fois président, il vous fasse nommer à la Cour suprême. Et vous avez déjà vu beaucoup d'ex-détenus devenir juges ? Non, si vous aviez vraiment eu à cœur l'avenir politique de Lowell Dupree, vous vous seriez battu pour ne pas aller en prison.

Jack laissa planer un silence interrogateur, mais le juge refusa, une fois de plus, de répondre à la question qu'il lui posait depuis des mois : pourquoi avait-il refusé de se défendre ?

— Vous soutenez que vous avez passé sept ans en prison pour protéger Danielle, reprit Jack, mais vous ne ferez rien pour compenser le fait que vous l'avez traitée comme une étrangère ? Désolé, mais ça ne colle pas.

— Ma fille a eu tout ce qu'elle voulait, affirma le juge d'un ton ferme.

— C'est là que vous vous trompez. La seule chose qu'elle voulait, elle ne l'a pas eue. L'amour de son père.

Le juge ouvrit la bouche, mais la referma sans rien dire. Puis il jeta à Jack le regard sévère qui, jadis, rétablissait le silence dans sa salle d'audience.

— Qu'y a-t-il entre ma fille et toi ?

— J'aimerais bien le savoir, murmura Jack. En tout cas, je ne couche pas avec elle, si c'est ce qui vous tracasse.

— Ça ne me regarde pas, répliqua le juge. Mais je te préviens, Callahan, poursuivit-il d'une voix menaçante, si tu abuses encore de ma petite fille, je me chargerai de te le faire regretter. Même si je dois me relever de mon lit de mort pour t'arracher le cœur.

— Je ne l'oublierai pas. Et puisqu'on parle de votre fille, il est temps que vous lui disiez pourquoi je suis parti il y a treize ans. Sinon, c'est moi qui le ferai. J'en ai marre de jouer les boucs émissaires. C'est vrai que j'ignore ce qu'il y a entre Danielle et moi, mais une chose est sûre, je veux repartir de zéro avec elle, sans zone d'ombre. Elle doit savoir la vérité.

— Je vais y réfléchir, dit le juge, que cet ultimatum ne semblait pas étonner. Combien de temps me laisses-tu ?

Jack haussa les épaules.

— Si vous ne l'avez pas mise au courant dans une semaine, je dirai à Finn de cesser d'enquêter sur votre affaire.

— C'est du chantage, grommela le juge, ulcéré.

— Appelez ça comme vous voulez.

— Tu mériterais que je t'envoie en taule et que je jette la clé.

— Heureusement, vous n'êtes plus magistrat.

Le juge marmonna un juron, mais répondit :

— Bon, d'accord, je le lui dirai. Mais il y a une chose que tu dois savoir, Callahan.

— Quoi donc ?

— L'un des préceptes les plus utiles qu'on nous a enseignés à l'école de droit, c'est qu'il ne faut pas s'aventurer en terrain inconnu. Autrement dit, mieux vaut ne pas poser de question dont on ne connaît pas la réponse. Une fois que tu auras ouvert la boîte de Pandore, tu ne pourras plus la refermer. Et tu risques d'être sacrément surpris de voir ce qu'elle contient.

— J'ai l'impression que vous vous prenez les pieds dans les métaphores, monsieur le juge.

Le vieil homme haussa les épaules. Il avait accepté l'ultimatum, et la conversation ne l'intéressait plus.

— Je t'aurai prévenu, dit-il simplement.

Dani, qui s'était attendue à devoir mener une bataille en règle pour convaincre son père de subir une série d'examens médicaux, fut surprise qu'il cède si facilement. Elle aurait aimé qu'il aille consulter un spécialiste à La Nouvelle-Orléans, mais trop insister lui parut risqué.

Le Dr Ève Ancelet était une femme mince qui, à en croire les diplômes suspendus aux murs de son cabinet, était à peine plus âgée que Dani. Elle lui serra la main, puis s'assit et croisa les doigts sur une épaisse enveloppe marron posée sur son bureau.

— Le juge m'a autorisée à vous communiquer les résultats de ses examens, dit-elle sans perdre de temps en préambules.

— Tant mieux, car il refuse de me parler de sa santé.

— Un homme qui a eu l'habitude de tout contrôler a du mal à déposer les armes.

— On aurait pu espérer que la prison le changerait, commenta sèchement Dani.

— Il a sans aucun doute appris à supporter la défaite. À sa façon. Mais, manifestement, ça ne lui plaît pas… Tout d'abord, reprit le Dr Ève Ancelet en sortant des feuilles de l'enveloppe, le diagnostic du médecin de la prison est exact : votre père souffre d'arrêt du cœur congestif.

Aux mots « arrêt du cœur », la gorge de Dani se serra. Elle s'efforça d'écouter attentivement Ève Ancelet, mais l'idée que son père risquait de mourir avant qu'elle ait pu nouer avec lui de vrais liens l'empêcha de se concentrer. Comment Matt réagirait-il si son grand-père mourait alors qu'ils avaient à peine eu le temps de faire connaissance ?

— L'hypothèse la plus probable, c'est que votre père a attrapé un virus qui s'est attaqué au muscle du cœur, poursuivit le médecin. Je l'ai interrogé, et il m'a raconté que, quelque temps avant son arrestation, il avait eu une forte grippe. Apparemment, il a été si malade qu'il n'a pas pu siéger pendant deux semaines.

— Je m'en souviens. Il était furieux... En fait, c'était la première fois qu'il était malade à ce point. J'avais décidé de venir m'occuper de lui lorsque je me suis rendu compte que j'étais enceinte, et il a insisté pour que je reste chez moi. Il craignait que je n'attrape quelque chose qui pourrait nuire à mon bébé.

Dani pressa la main sur sa poitrine, là où son propre cœur cognait douloureusement. Si elle avait désobéi à son père et était venue le soigner, aurait-il guéri plus vite ? Aurait-elle pu prévenir ses problèmes cardiaques ?

— Il a eu raison. Le fœtus est très vulnérable durant le premier trimestre de la grossesse. De toute façon, ça ne sert à rien de réécrire l'histoire. Ce qu'il faut, à présent, c'est réfléchir aux moyens de rendre à votre père une réelle qualité de vie.

— C'est possible ? s'écria Dani, qui sentait de nouveau les ailes de l'espoir s'agiter dans son sein.

— Bien sûr. Si nous ne savons pas guérir cette maladie, nous pouvons aider les gens à vivre avec. Évidemment, le succès du traitement dépend de l'âge du patient, de son état général et de sa volonté. Un malade jeune voudra reprendre son travail, jouer avec ses enfants, faire l'amour, pratiquer un sport, alors qu'une personne plus âgée aura des objectifs moins ambitieux. Rester autonome, par exemple.

— Mon père déteste dépendre de quelqu'un.

— C'est un sentiment universel, remarqua le médecin. L'état du cœur ne reste pas statique, après une crise cardiaque. Il s'améliore ou il empire. Malheureusement, celui de votre père a empiré. J'espère que nous pourrons arranger les choses et lui offrir plusieurs années de vie agréables avec vous et votre fils.

— Et la chirurgie ?

— Dans le cas de votre père, ce ne serait pas une bonne solution. Pas en ce moment, du moins. Il est trop faible. Je vais être franche avec vous, madame Dupree...

— Dani.

— Entendu, Dani, fit le médecin avec un sourire. Appelez-moi Ève. Comme je l'ai dit au juge, nous allons tenter un traitement médicamenteux, auquel il faudra adjoindre une meilleure hygiène de vie. Votre père est visiblement déprimé.

— Qui ne le serait pas après sept ans de prison ?

— Bien évidemment, l'incarcération n'a pas arrangé les choses mais, à mon avis, il souffrait de dépression avant même d'arriver à Angola.

— Je ne me rappelle pas l'avoir jamais vu déprimé.

— En colère ? Distant ?

— Oui, mais j'ai toujours mis ça sur le compte de son caractère. Il est perfectionniste et très exigeant, y compris avec lui-même.

— En tout cas, qu'il ait ou non été déprimé par le passé, il l'est aujourd'hui, dit Ève Ancelet. Ce qui n'est pas surprenant, puisque l'insuffisance cardiaque s'accompagne souvent de dépression.

— La dépression aurait-elle pu l'empêcher de se défendre lorsqu'on l'a accusé à tort ?

— C'est possible, fit Ève Ancelet. Quand nous diagnostiquons une dépression, nous recommandons au patient d'éviter toute décision importante avant que le traitement ait commencé à faire de l'effet. Choisir de ne pas se défendre peut certainement être qualifié de décision importante.

— Pourquoi son avocat n'a-t-il pas prévenu la cour ?

— Il est fort possible qu'il ne s'en soit pas rendu compte. Votre père n'est pas le patient le plus ouvert que j'aie connu.

— À qui le dites-vous, murmura Dani.

— Je lui ai prescrit plusieurs médicaments, dont un antidépresseur. Il faut impérativement qu'il les prenne.

— Il les prendra, marmonna Dani.

Quitte à ce qu'elle s'assoie sur sa poitrine et les lui enfourne de force dans la bouche.

— Bien. Je l'ai constaté moi-même, un malade optimiste réagit mieux au traitement qu'un pessimiste. Plus vite votre père retrouvera le moral, plus vite son état s'améliorera. Il lui faut aussi un peu d'exercice physique.

— Ce n'est pas dangereux, avec un cœur malade ?

— Pas du tout. Autrefois, on recommandait aux cardiaques de se reposer, mais nous savons aujourd'hui que supprimer tout effort physique affaiblit le cœur qui, comme tout muscle, doit s'entraîner pour rester efficace. Aussi ai-je mis au point avec votre père un programme quotidien.

— Il pouvait à peine marcher quand il est sorti de prison.

— C'est pourquoi nous commencerons lentement. Deux fois par jour, il devra marcher jusqu'au coin de la rue et en revenir. S'il respecte mon programme, nous pouvons espérer une amélioration notable d'ici quelques semaines.

Si elle se sentait plus optimiste qu'à son arrivée, Dani n'était pas complètement rassurée pour autant. Après tout, Ève Ancelet n'était que médecin généraliste.

— J'envisageais de l'emmener consulter à Tulane.

— Ce n'est pas une mauvaise idée. Prendre un second avis est toujours utile. Mais sachez que j'ai envoyé les résultats de votre père à un cardiologue de Tulane et à un autre de La Nouvelle-Orléans. Ils se sont rangés à mon opinion.

— Cela me rassure. Ce n'est pas que je n'ai pas confiance en vous...

— Je comprends votre inquiétude, dit Ève en souriant. L'état de votre père est sérieux, mais, bien qu'il n'en ait pas conscience aujourd'hui, ses chances ne sont pas nulles. En outre, il possède une arme que tous les patients n'ont pas.

— Quoi donc ?

— Sa famille.

17

Une semaine plus tard, tandis que Dani aidait Matt à faire ses devoirs dans la cuisine et qu'Orélia regardait la télévision dans le salon, le juge sortit pour sa promenade vespérale.

Le premier jour, il avait tout été juste capable de descendre le perron. Mais, cette fois, il put marcher jusqu'au coin de la rue et en revenir. Sans canne. Selon le Dr Ancelet, qui avait l'air de savoir ce qu'elle faisait malgré sa jeunesse, l'antidépresseur que Dani lui fourrait d'autorité dans la bouche ne devait avoir d'effet qu'au bout de deux semaines ; mais ce matin, pour la première fois depuis une éternité, il avait été heureux d'ouvrir les yeux.

Durant ses années de magistrature, il avait envoyé des centaines, voire des milliers d'hommes et de femmes en prison en sachant fort bien à quelle vie il les condamnait. Mais il avait fallu qu'il se retrouve incarcéré lui-même pour comprendre ce qu'impliquait le bruit inimitable de la porte d'une cellule qu'on verrouille, à savoir la perte de la liberté quotidienne.

Les jambes un peu tremblantes, il s'assit sur la marche supérieure de la véranda et se réjouit de pouvoir regarder le ciel. Comme une première étoile apparaissait, il se rappela la menace de Jack et s'aperçut que le délai qu'il lui avait accordé s'était écoulé.

Il y avait beaucoup réfléchi et était toujours persuadé d'avoir eu raison, même s'il reconnaissait que sa méthode avait été maladroite. Mais Danielle lui aurait-elle obéi, s'il lui avait interdit de fréquenter le fils de Marie Callahan ?

— Sûrement pas, marmonna-t-il.

Il ne se reprochait pas d'avoir expédié le garçon au loin. En revanche, les événements qui avaient suivi le départ de Jack pesaient sur sa conscience. Le juge avait toujours su qu'on ne l'aimait guère à Blue Bayou. Néanmoins, jusqu'à ce qu'il soit victime d'un coup monté et accusé de corruption et de faux témoignage, sa réputation d'intégrité n'avait jamais été mise en doute. Mais il n'avait pas été impartial lorsqu'il s'était agi de juger sa fille, cet été-là.

Quant au manque d'affection dont s'était plainte Dani... Eh bien, elle n'avait pas tort, mais comment lui expliquer qu'il en avait autant souffert qu'elle ?

Il était déjà un célibataire endurci de quarante-huit ans lorsqu'il avait commis l'énorme erreur d'épouser cette traînée et croqueuse de diamants qu'était la mère de Dani. Ébloui par sa beauté, il ne lui était pas venu à l'esprit qu'une sténographe de vingt-deux ans ne pouvait tomber sincèrement amoureuse d'un homme deux fois plus âgé qu'elle.

Pris au piège classique de la grossesse, il avait cédé aux flatteries de Savannah Bodine, lesquelles s'étaient interrompues net quand un solitaire de cinq carats avait orné son doigt. Dès leur voyage de noces aux Caraïbes, il l'avait soupçonnée d'avoir une aventure avec un garçon de plage. Et cela n'avait été que le commencement.

Ils n'étaient pas mariés depuis un an qu'il lui avait déjà offert des implants pour les seins et un nouveau nez, tout ça pour qu'elle fasse chambre à part, le ridiculise en passant ses soirées à boire et à flirter au *Sans Nom* et couche avec tous les célibataires du comté. Ainsi qu'avec un certain nombre d'hommes mariés.

Selon le contrat de mariage qu'il avait signé alors qu'il en était encore à réfléchir avec son sexe, il ne pouvait divorcer sans abandonner une grosse partie de ses biens à sa femme. Leur union n'était qu'une parodie de mariage, mais cela ne gênait aucunement Savannah, qui continuait à se comporter comme si personne ne l'attendait chez elle, ni mari ni enfant.

Mais lorsque l'épouse d'un capitaine de crevettier avait accusé son mari d'avoir couché avec Savannah et demandé le divorce, le juge avait jeté l'éponge. En apprenant que sa femme allait comparaître dans sa propre salle d'audience – le seul endroit où il était encore respecté et craint –, il avait décidé de réagir.

Deux semaines avant leur troisième anniversaire de mariage, Savannah s'était envolée pour Los Angeles, un gros chèque dans ses bagages. Ayant constaté à maintes reprises qu'elle n'avait aucun instinct maternel, le juge ne s'était pas étonné qu'elle abandonne la fillette blonde dont elle lui avait dit, un jour de colère, qu'elle n'était pas son enfant.

À Hollywood, Savannah Dupree née Bodine avait tiré parti de sa beauté voluptueuse en se lançant dans une carrière d'actrice porno. Alors qu'il séjournait à Manhattan pour un congrès, le juge l'avait reconnue dans le catalogue des films pour adultes que proposait son hôtel. Cédant à la curiosité, il avait payé neuf dollars et quatre-vingt-quinze *cents* pour assister aux ébats de sa femme, beaucoup plus imaginatifs que ceux auxquels il avait eu droit.

La mort avait interrompu cette brillante carrière lorsque, ivre et droguée, Savannah avait perdu le contrôle de sa voiture et basculé dans l'océan Pacifique.

Le juge avait appris avec étonnement que les papiers officiels de sa pulpeuse épouse le citaient toujours comme son parent le plus proche. Surprise qui s'était dissipée lorsqu'il avait découvert le monceau de dettes qu'elle lui avait légué. Il avait payé la crémation, mais avait laissé MasterCard, Visa et American Express se débrouiller sans lui.

Étant donné la conduite scandaleuse de Savannah, il était normal que les habitants de Blue Bayou s'interrogent sur l'ascendance de Danielle. Mais personne n'en avait soufflé mot devant le juge, et il avait mis un point d'honneur à vêtir, héberger et nourrir l'enfant qui était le portrait craché de sa mère et ne lui ressemblait en rien.

Durant les premiers mois de la vie de Danielle, le juge avait ignoré le bébé, dont s'occupait la nounou noire qui avait jadis veillé sur lui. Jusqu'au jour où un rhume avait dégénéré en pneumonie. La perspective de perdre ce bébé de neuf mois l'avait bouleversé, et il avait compris à quel point il s'était habitué à sa présence.

Il avait annulé toutes ses obligations et avait passé les cinq jours suivants dans le service d'urgences pédiatriques de l'hôpital St. Mary, penché tel un bouclier au-dessus du berceau.

Savannah, qui était partie faire du shopping à Dallas, n'avait répondu à aucun de ses messages. Mais aurait-elle accepté de veiller une enfant fiévreuse et gémissante alors qu'elle ne lui accordait aucun regard lorsqu'elle était en bonne santé ?

Quand la fièvre était enfin tombée, le sourire de la petite bouche en bouton de rose et des yeux qui n'avaient pas encore choisi entre le bleu et le vert avait pris possession du cœur du juge.

S'il avait eu peur durant cette brève maladie, il n'avait compris la véritable signification du mot terreur qu'après le départ de Savannah. Plus il s'attachait à Danielle, plus il redoutait que son ancienne épouse ne revienne la lui arracher. Aucun tribunal ne l'aurait soutenue, mais elle était fort capable d'embaucher un voyou pour kidnapper la petite fille, uniquement pour le blesser, lui.

Déjà peu démonstratif, il s'était barricadé derrière une façade glaciale. Non parce qu'il ne voyait en Danielle qu'un fardeau, ce qui avait certes été le cas au début, mais parce qu'il ne supportait pas l'idée de perdre la seule personne qui comptât pour lui. L'unique inconvénient de ce comportement, réalisait-il un peu tardivement, c'était qu'en protégeant son propre cœur, il avait gravement meurtri celui de Dani.

Le juge Victor Dupree avait été élevé dans les mystères de l'Église catholique romaine. Il était censé croire en un seul Dieu, au pardon des péchés et à la vie éternelle. Mais, dès ses études de droit, il n'avait plus vu dans les notions du ciel et de l'enfer que des concepts inventés par les hommes en réponse au besoin de croire à un au-delà.

Cependant, sept années d'isolement lui avaient donné le temps de se livrer à l'introspection. Maintenant qu'il approchait de la mort et de l'éventualité d'un procès présidé par le juge suprême, il craignait d'avoir à justifier les actes de toute une vie.

Durant des années, il avait épié chez Danielle des ressemblances avec sa mère. En vain, car, en dehors de son amour d'adolescence pour Jack, elle ne lui avait causé aucun souci. Elle avait été une enfant modèle, jolie, aimable et obéissante, même quand cela lui coûtait. Et même quand il l'avait envoyée à Atlanta pour accoucher sous prétexte de protéger sa réputation, alors qu'il ne cherchait qu'à sauvegarder la sienne.

Et, comble du miracle, alors qu'elle n'avait eu aucun modèle maternel, excepté celui que lui avait donné Marie Callahan, Danielle était devenue une bonne mère. Son fils était un petit garçon intelligent et gentil qui, tout en possédant beaucoup des traits de caractère de sa mère, rappelait au vieil homme l'enfant qu'il avait lui-même été.

Le juge marmonna un juron et passa la main sur son visage. Il avait du pain sur la planche. Des dégâts à réparer. Des liens à renouer. Voilà pourquoi il n'était pas question de mourir. Pas tout de suite, du moins.

Mais ses derniers jours risquaient d'être plutôt agités avec Bad Jack dans les parages, aussi enclin qu'autrefois à faire du grabuge. Sans être lâche, le juge préférait ne pas penser à ce qui arriverait si la vérité sur les événements de cet été fatidique éclatait au grand jour.

Jack intercepta la balle.

— Tu as fait des progrès.

— Je sais, dit Matt, dont le visage rayonnant aurait pu illuminer tout Blue Bayou. Qu'est-ce que tu en penses, grand-père ?

— D'énormes progrès, renchérit le juge, qui s'amusait beaucoup. Continue comme ça, et tu seras dans l'équipe des grands en un rien de temps.

— Je suis trop jeune, dit Matt sans sourciller. Je voudrais seulement qu'on me laisse jouer à la récréation.

— Encore un peu d'entraînement, et tu seras la star du terrain, dit Jack.

Il lança une balle lente, qui échappa au geste désordonné de l'enfant.

— Ça y était presque.

— Je l'ai quand même loupée.

— Hé, même les plus grands joueurs en ratent deux fois plus qu'ils n'en touchent.

— C'est vrai ?

Matt renvoya la balle avec une habileté surprenante pour un enfant qui, une heure plus tôt, ne savait pas tenir correctement sa batte.

— Absolument, affirma Jack.

Ce gamin était merveilleux, songea-t-il, et le fait que son père ne s'en soit pas rendu compte était une preuve supplémentaire de sa bêtise.

Jack lança une autre balle que Matt stoppa et qui roula sur la pelouse.

— Super ! J'ai du mal à croire que tu n'aics jamais joué.

— Papa était trop occupé pour m'apprendre.

Cette fois-ci, il frappa la balle un peu n'importe comment, mais Jack parvint à l'arrêter avant qu'elle ne plonge dans le bayou.

— Il faisait des lois, acheva Matt.

— C'est un travail très important, déclara Jack.

— C'est ce que maman disait.

Il fronça les sourcils et enchaîna :

— Mais ce qui intéressait vraiment papa, c'était la politique. C'est uniquement pour ça qu'il m'a voulu.

— Tu dis n'importe quoi, fiston.

— Non. Il voulait un enfant à cause des élections. Les gens préfèrent voter pour les pères de famille. C'est maman qui l'a dit.

— Serre moins fort la batte, suggéra Jack. Tu la tiens de nouveau comme une arme.

Quand ils avaient commencé à jouer, Matt étreignait la batte avec l'énergie du désespoir. Ses doigts s'étaient peu à peu détendus, jusqu'à ce que la conversation dérive sur son père.

— D'accord.

Matt plia et déplia les doigts, puis inspira à fond.

— Ça m'étonne que ta mère t'ait dit ça de ton père, remarqua le juge.

— C'est pas à moi qu'elle l'a dit, expliqua le petit garçon.

Il pivota et frappa un grand coup, net et franc, qui lui aurait valu des applaudissements si les adultes n'avaient pas été troublés par ses propos. Jack intercepta la balle et la laissa rouler à terre.

— Je l'ai entendue le dire à papa. Au téléphone. C'était le lendemain du jour où j'ai dû aller le voir à Washington à cause des avocats et où ma patinette a heurté la voiture neuve de Robin. Robin, c'est la dame que papa allait épouser. Elle m'a traité de sale gosse, mais ça, je l'ai pas dit à maman pour pas la faire pleurer.

— Je ne crois pas que ça l'aurait fait pleurer, dit Jack, qui voyait plutôt Danielle se ruer à Washington et ordonner à cette Robin de ne plus jamais parler à son fils de cette manière.

— Papa l'a beaucoup fait pleurer. Au téléphone, elle a dit qu'il neigerait en enfer avant qu'elle me laisse partir vivre chez lui et Robin.

Jack se baissa pour ramasser la balle et échangea un regard entendu avec le juge.

— Tu ne devrais pas écouter aux portes quand ta mère téléphone, intervint le vieil homme.

— Je l'ai pas fait exprès. Je venais de me lever pour aller aux toilettes. Je l'ai entendue dire ça et elle a raccroché. Et elle a pleuré.

— Eh bien, en voilà une histoire !

Le juge, Jack et Matt tournèrent la tête. La femme dont ils parlaient entrait dans le jardin, un sac à provisions à la main.

— Salut, m'man. Tu m'as vu frapper la balle ?

— Oui. C'était impressionnant, dit-elle d'une voix calme que démentait son regard bouleversé.

— Tout à l'heure, j'ai frappé encore plus fort. Dis-lui, Jack.

Enchanté de ses progrès, il ne remarquait pas la nervosité des adultes.

— C'est vrai. La balle a failli sortir du jardin.

— Les enfants jouent bien d'instinct, commenta le juge dans une vaine tentative de détendre l'atmosphère.

— C'est génial, commenta faiblement Dani, avant de se tourner vers Jack. Puis-je te dire un mot à l'intérieur ?

— M'man, moi et Jack, on commence tout juste à bien jouer !

— Jack et moi, corrigea-t-elle.

— Jack et moi, répéta-t-il docilement. Est-ce que tu savais que quand Barry Bonds avait mon âge, il frappait si fort la balle que le souffle cassait les fenêtres ?

— Mme Bonds devait sûrement applaudir, répliqua Dani. Je suis désolée d'interrompre la partie, mais c'est important.

— Je te suis, fit Jack en jetant la balle à Matt qui, lâchant sa batte, l'attrapa d'un geste preste. Demande à ton grand-père de t'en lancer quelques-unes. Quand ta mère et moi aurons eu notre petite conversation, nous achèterons des pizzas que nous irons manger à Beau Soleil.

— C'est vrai ?

— Il est temps que tu voies l'endroit où ta mère a grandi. Et maintenant que la route est finie, le trajet est deux fois plus rapide que par le bayou.

— Excellente idée, dit le juge. Cela fait une éternité que je n'ai pas mangé de pizza.

— Et tu n'en mangeras pas non plus ce soir. Ton dîner est là-dedans, décréta Dani en montrant le sac à provisions.

— Un blanc de poulet de plus, et je vais me mettre à caqueter.

Dani reconnaissait qu'elle suivait peut-être trop scrupuleusement le régime prescrit par le médecin. Mais elle était décidée à aider son père à se rétablir, afin qu'il vive assez longtemps pour connaître son petit-fils.

— Ne vous en faites pas, intervint Orélia, qui sortait de la cuisine. Je prépare des spaghettis selon une recette que j'ai inventée pour l'hypertension de mon Léon. J'en ai d'autres comme ça, si bonnes que, bientôt, vous voudrez m'épouser.

Le juge plissa les yeux.

— Je ne m'étais pas rendu compte que vous étiez aussi effrontée.

— Il y a un tas de choses que vous ignorez à mon sujet, répliqua Orélia en plantant les poings sur ses hanches.

Dani les laissa se chamailler, ce qu'ils faisaient depuis le retour du juge d'Angola, et rentra dans la maison. Jack la suivit et la débarrassa de ses provisions.

— Tu es furieuse contre moi, constata-t-il en posant le sac sur le plan de travail.

— Tu es très observateur.

— Je passe mon temps à te contempler, si bien que peu de choses m'échappent… Laisse-moi ranger ça, dit-il en s'emparant d'un bocal de sauce tomate sans sel. Avant que tu ne me le jettes à la figure.

— C'est ce que je devrais faire, marmonna-t-elle en serrant les poings. Tu n'avais pas le droit…

Sa voix se brisa, et elle désigna le jardin d'un geste.

— Avec Matt, acheva-t-elle.

— Tu m'en veux de lui apprendre à jouer au base-ball ? J'essaie seulement de l'aider à s'intégrer dans sa nouvelle école.

— J'ai entendu des ragots à la supérette. Apparemment, il a dit à ses camarades que tu lui apprenais à se battre.

— À se défendre, rectifia Jack en lui prenant les mains, dont il déplia chaque doigt. À ne pas baisser la garde.

Ce qu'elle-même aurait dû faire, se dit Dani en songeant à d'autres commérages, selon lesquels Jack et Désirée Champagne avaient une liaison. Elle avait eu beau se répéter qu'elle s'en fichait, imaginer Jack dans les bras d'une femme dont le corps méritait d'orner la double page centrale de *Penthouse* la faisait souffrir.

— Tu peux appeler ça comme tu veux, le résultat est le même. Je n'ai pas envie que mon fils voie dans la violence une façon de résoudre ses problèmes. Et je n'apprécie pas non plus la façon que tu as de lui extorquer des informations sur mon mariage.

— Je n'ai jamais fait ça, protesta Jack avec sincérité. Il en a parlé de lui-même. En disant que son père était trop occupé pour jouer avec lui.

Dani poussa un soupir et ferma brièvement les yeux.

— Lowell n'a jamais consacré de temps à son fils. Il ne s'intéressait qu'aux gens qui pouvaient favoriser sa carrière.

— Alors, c'est vrai ? Il a voulu un enfant uniquement pour gagner quelques voix de plus ?

L'entendre dans la bouche d'autrui rendait la chose encore plus insupportable. L'expression méprisante de Jack la bouleversa. Pourquoi avait-elle été aussi sotte ?

Parce que, répondit-elle en son for intérieur, elle essayait désespérément d'oublier l'homme qui se tenait en ce moment même si près d'elle qu'elle sentait l'odeur de son corps et de sa sueur.

Lowell ne transpirait pas. Ni durant la canicule, ni en faisant l'amour.

Elle avait fini par accepter l'idée que son mari ne l'avait jamais aimée. Mais comment avait-elle pu épouser un homme incapable d'aimer son fils ? Comment avait-elle pu rester avec lui sans voir le mal qu'il causait au petit être qui lui était le plus cher au monde ?

Rétrospectivement, il lui paraissait évident qu'elle aurait dû arrêter les dégâts dès la naissance de Matt. Imprégnée de la bonne éducation qui la poussait à se plier aux désirs d'autrui, elle n'avait pas protesté lorsque Lowell avait refusé d'interrompre sa campagne électorale afin de se rendre à la maternité et de lui tenir la main pendant qu'elle mettait leur fils au monde.

Et, le lendemain, aussi seule et abandonnée que lors de son premier accouchement, il lui avait fallu, entre deux tétées, téléphoner aux épouses des donateurs pour les remercier de leurs contributions à la campagne de Lowell.

— Ce n'est pas aussi simple que ça, dit-elle en se détournant.

— Il y a peu de choses simples dans la vie, répondit Jack, qui se glissa derrière elle et posa le menton sur son crâne. Regarde-nous, par exemple.

— J'essaie de ne pas le faire.

— Ça ne marche pas, n'est-ce pas ? Que tu l'admettes ou non, tu ne cesses de penser à moi.

Il frotta sa joue sur les cheveux de Dani, caressant sa nuque de son souffle.

— Et moi aussi, je pense à toi tout le temps. Dans la journée, en tapant sur des clous...

Il la fit pivoter vers lui et suivit du doigt le contour de son visage.

— Le soir, alors que j'essaie d'écrire.

Son pouce effleura les lèvres de Dani.

— La nuit, au lieu de dormir.

— De dormir avec Désirée Champagne ? s'écria Dani, qui le regretta aussitôt.

— Désirée et moi sommes amis, c'est vrai. Et je ne vais pas nier que nous avons passé de bons moments, elle et moi, ainsi qu'on a dû te le raconter. Mais il n'y a plus rien entre nous depuis le jour où tu es revenue à Beau Soleil.

— Pourquoi ? C'est une belle femme, et elle n'est pas du genre à pleurer son défunt mari.

— Désirée fait partie de la race de ceux qui survivent à tout, dit Jack. Heureusement, car la vie n'a pas été clémente avec elle. Mais elle a beau être très séduisante, aujourd'hui, elle ne m'attire plus, parce que c'est toi que je veux, *très chère*.

Ses yeux plongèrent dans ceux de Dani, tandis que sa main se posait sur sa nuque.

— Je te promets de répondre à toutes tes questions sur Désirée ou n'importe quelle autre femme de mon passé mais, dans l'immédiat, il y a plus urgent.

18

Il inclina la tête et l'embrassa. Une vague de chaleur envahit chaque cellule du corps de Dani, et toute pensée cohérente la déserta. Les lèvres expertes de Jack jouaient avec les siennes, ses mains l'effleuraient avec une tendresse surprenante. Lorsqu'il abandonna sa bouche pour s'aventurer le long de sa mâchoire, puis derrière son oreille, elle retint sa respiration.

— Je te trouvais très jolie autrefois, murmura-t-il, tandis que ses doigts s'attardaient sur la gorge de Dani, où le pouls palpitait follement. Mais tu es vraiment devenue une beauté, mon ange.

Ses doigts continuèrent à descendre, enflammant le triangle de peau que découvrait le décolleté de Dani. Lorsqu'ils atteignirent le renflement de ses seins, elle se mit à trembler.

— Nous nous accordons toujours aussi bien… chuchota-t-il.

— Je suis pourtant sur la pointe des pieds.

Les doigts noués sur la nuque de Jack, elle lui rendit son baiser.

— Ce n'est pas une question de taille, dit-il en l'étreignant. Nous sommes bien assortis de toutes les manières qui comptent.

Elle poussa un petit cri de surprise lorsqu'il la souleva et la déposa sur le plan de travail, avant de se placer entre ses genoux. Sa jupe se retroussa, révélant ses cuisses.

— Très joli, commenta-t-il en caressant la dentelle qui ornait le haut de ses bas. Tu les as mis pour moi, mon cœur ?

— Mais non, voyons. Je ne pouvais pas deviner que tu serais là quand je rentrerais.

Jack glissa un doigt entre la dentelle et la chair brûlante.

— Je préfère les bas aux collants. C'est plus frais et plus pratique, expliqua-t-elle d'une voix haletante.

— Effectivement. Il n'y a rien de plus exaspérant que d'essayer d'extirper sa femme d'un de ces foutus collants.

— Je ne suis pas ta femme, s'écria-t-elle en tapant sur la main de Jack. Et arrête avant que quelqu'un n'entre…

Elle avait à peine fini sa phrase que la porte-moustiquaire s'ouvrit brutalement.

— Hé, Jack ? demanda Matt. C'est qui le meilleur arrêt-court, pour toi ? Grand-père pense que c'est Nomar Garciaparra, et moi, je trouve que c'est Alexander Rodriguez.

— C'est Alexander Rodriguez, bien sûr, répondit Jack, tandis que Dani tirait sur sa jupe. Il est aussi le joueur le plus offensif qu'on puisse trouver. Les résultats de Nomar sont formidables, mais il se blesse trop souvent. Enfin, il ne faut pas oublier Jeter, qui est moins offensif que les deux autres mais plus résistant.

— Grand-père traite Jeter de foutu Yankee.

— Eh bien, ce n'est pas faux, admit Jack.

— Pas de gros mot, intervint Dani.

— D'accord. Mais j'ai fait que répéter ce que grand-père a dit… Merci, Jack.

Il avait presque franchi la porte lorsqu'il se retourna.

— M'man ?

— Oui, chéri ?

— Pourquoi tu es assise sur le plan de travail ?

— Ta mère s'est fait une petite écorchure, répondit Jack avant que Dani ait pu trouver une explication plausible. J'étais en train de l'examiner pour voir s'il fallait la désinfecter.

— Oh… Orélia pourrait t'aider. Elle est infirmière.

— Ce n'est pas nécessaire, dit Dani. Tout va bien.

— Ah, bon.

Il courut dehors, et Dani l'entendit crier, avec un enthousiasme qu'il n'avait pas manifesté depuis des mois :

— Grand-père ! Jack dit que tu as tort et que j'ai raison.

— C'est un chouette gamin, murmura Jack comme la porte se refermait en claquant. Voyons, où en étions-nous ? demanda-t-il en entourant le mollet de Dani de ses doigts.

— Je te disais de ne pas trop t'impliquer dans la vie de mon fils.

— Trop tard. Je suis déjà très impliqué dans la vie de ce garçon et de sa jolie maman.

— Voilà où je voulais en venir, justement, s'écria-t-elle en dégageant sa jambe et en sautant à terre. J'ai déjà été mariée, et ça n'a pas marché.

— Tu m'as entendu parler mariage, *très chère* ?
Le visage de Dani s'embrasa.
— Je ne voulais pas dire... Merde !
— Pas de gros mot, Danielle.
Devant le sourire malicieux de Jack, elle hésita entre la gifle et le sourire. Et ne fit ni l'un ni l'autre.
— Tu ne prends rien au sérieux... Tu dois comprendre que je n'ai pas décidé de revenir à Blue Bayou sur un coup de tête, dit-elle après un bref silence. J'y avais souvent pensé avant, mais je restais en Virginie parce que j'espérais bêtement que Lowell finirait par s'intéresser à Matt et se rendrait compte que son fils avait besoin de lui. Ensuite, après sa mort, j'y ai sérieusement réfléchi.
— Tu as dressé des listes, avec le pour et le contre.
— Oui... Tu te moques de moi ?
— Jamais, affirma-t-il en portant à ses lèvres les doigts de Dani. Les listes peuvent rendre service. J'en ai dressé quelques-unes moi-même.
— Bref, je n'aurais jamais pensé te retrouver à Blue Bayou.
— Eh bien, moi non plus, je ne m'attendais pas à te voir revenir.
— J'ignore où ces retrouvailles vont nous mener.
— Pourquoi ne pas nous laisser porter par les événements et voir où nous aboutissons ? Je ne te mentirai pas. Je veux toucher ton délicieux petit corps. Partout et souvent. Je veux goûter ta peau et te faire crier de plaisir. Mais si tu as peur de précipiter les choses, pas de problème, nous prendrons notre temps. Dans l'immédiat, j'ai besoin de ton aide pour choisir du papier peint.

— Pourquoi n'engages-tu pas un décorateur ?

— Parce que aucun décorateur ne connaît Beau Soleil aussi bien que toi. S'il te plaît, dis oui. Nous prendrons quelques échantillons de papier peint, mangerons une pizza et passerons un bon moment. Tu ne veux pas que Matt voie la maison où sa maman a grandi ?

— Tu es insupportable, gémit-elle en levant les mains.

— Loin de moi l'idée de me disputer avec une jolie fille, mais je suis obligé de te contredire. Je ne suis pas insupportable. J'ai un tas de qualités. Pour commencer, je suis un bon amant. Mieux que bon, je suis...

— ... le meilleur que j'aie jamais eu, je sais, acheva-t-elle.

Il éclata de rire, passa un bras autour de ses épaules et l'entraîna dans le jardin, où Matt jouait avec Mev'là, laquelle plantait les dents dans la balle et courait trois fois autour de lui, avant de déposer son butin à ses pieds.

— Elle est super, non ? cria Matt à sa mère.

— Oui, vraiment.

— On pourrait pas avoir un chien, m'man ?

— On verra. C'est difficile de garder un chien dans un appartement.

Un appartement déjà trop petit pour trois personnes, ajouta-t-elle en son for intérieur.

— Je le sortirai tous les jours. Je te le promets.

— Quand on sera installés, on ira faire un tour au refuge. Juste pour voir.

— C'est vrai ?

La joie de son fils émut Dani. Il suffisait de peu de chose pour le rendre heureux, finalement.

— Attention, je n'ai rien promis.

Il existait des animaux habitués à vivre en appartement, se rappela-t-elle, qui prenaient peu de place et ne mangeaient pas autant qu'un cheval, contrairement à Mev'là.

— Mais ça ne coûte rien de regarder, n'est-ce pas ?

— Merci, m'man !

Matt se jeta à son cou. Par-dessus la tête de son fils, Dani croisa le regard de Jack, qui leva le pouce. Durant un très bref instant, elle eut le sentiment d'être pleinement heureuse.

— Waouh ! fit Matt en contemplant la façade à colonnes de Beau Soleil. C'est vraiment là que tu vivais, maman ?

— Eh oui.

Grâce à son fils, Dani ne voyait plus les travaux qui restaient à faire, mais la splendeur passée de la demeure.

— Je vivais là avec ton grand-père. Et la mère de Jack.

— C'est aussi cool que la Maison-Blanche... Toi aussi, tu vivais là, Jack ?

— Non. Ma maman était la gouvernante du juge. Mais avant, quand mon père était encore en vie, nous habitions en ville.

— Toi aussi, ton papa est mort ?

— Oui. J'étais un peu plus vieux que toi quand c'est arrivé.

— Il t'a manqué ?

— Beaucoup, répondit Jack. Il me manque encore, de temps en temps.

— Le père de Jack était quelqu'un d'exceptionnel, intervint Dani. C'était le shérif de Blue Bayou.

— Oh ! Il avait une arme ?

— Oui, dit Jack. Mais il savait faire régner la paix et il n'a jamais eu à s'en servir.

En voyant son visage s'assombrir, Dani devina qu'il se rappelait le jour où son père était mort pour sauver le sien.

— Quand mon père est mort, ma mère, mes frères et moi, nous nous sommes installés ici, dans l'une des maisons de la propriété.

— Elle était aussi belle que celle-ci ?

— Pas autant, mais elle nous plaisait. Même si elle était hantée.

Matt écarquilla les yeux.

— Vraiment hantée ?

— Bien sûr. D'ailleurs, elle l'est peut-être toujours. Ça m'étonnerait que le fantôme soit parti. C'est celui d'un officier confédéré qui, après une bataille, s'est perdu dans le bayou et est arrivé ici, gravement blessé. Or, des troupes yankees s'étaient installées dans la grande maison, si bien que l'ancêtre de ta maman l'a caché dans l'une des petites maisons de la plantation. Durant la journée, elle chargeait sa servante de s'occuper de lui et, tous les soirs après dîner, elle se débarrassait des soldats...

— Comment ça ? Elle les tuait ?

— Heureusement, elle n'a pas été obligée d'en arriver là. Elle leur distribuait autant de porto qu'ils voulaient et, une fois qu'ils étaient tous ivres morts, elle se faufilait dehors et allait soigner le jeune homme. C'était dangereux, car abriter un soldat sudiste méritait la potence.

— Elle devait être très courageuse.

— Sûrement. Mais les femmes de la famille Dupree ont toujours été exceptionnelles. Par exemple, elles savent très bien se diriger dans le noir. Ça ne leur fait pas peur du tout.

En souvenir des nuits où Dani s'échappait pour le rejoindre, il lui décocha un sourire malicieux.

— Malheureusement, reprit-il, le soldat est mort et, depuis, son fantôme hante la maison. Pendant des années, la dame a raconté qu'il venait lui rendre visite la nuit, mais comme c'était une vieille femme, les gens se sont dit qu'elle avait perdu la tête.

— Et toi, qu'est-ce que tu en penses ?

— Je n'ai aucune certitude. On dit que la dame et le soldat dansent de temps en temps dans la salle de bal de la grande maison, mais je ne les ai jamais vus. Bien que, parfois, si je tends l'oreille, il me semble entendre de la musique.

— C'est supercool ! Tu crois qu'on va en entendre ce soir ?

— On ne sait jamais. Après le dîner, je te ferai visiter la maison.

— Oh là là, fit Matt en découvrant la fresque. C'est la plus grande peinture que j'aie jamais vue.

— Elle raconte l'histoire d'Evangeline et de Gabriel, deux jeunes gens qui s'aimaient mais qui ont été séparés lorsque les Acadiens ont été déportés en Louisiane, expliqua Dani.

— Ils sont arrivés sur ces bateaux ? demanda le petit garçon en désignant les vaisseaux.

— Oui.

— Ils ont pu se retrouver et vivre ensemble ?

— Hélas, non.

— Dommage… On mange la pizza, maintenant ? Le base-ball, ça donne faim.

— S'il vous plaît ?

Tirée brusquement d'une rêverie dans laquelle Jack jouait le rôle principal, Dani leva les yeux. Un homme se tenait devant son bureau.

— Je suis désolée. Je ne vous avais pas vu.

— Ne vous en faites pas. Ça m'arrive souvent.

Ce qui n'avait rien d'étonnant, se dit Dani en l'examinant. D'âge moyen et de taille moyenne, le nouveau venu avait une apparence des plus ordinaires : des yeux ni bleus ni gris, des cheveux bruns coupés court, une chemise bleue aux manches retroussées, un pantalon marron et des mocassins – sans pompons, lesquels auraient suscité les moqueries des pêcheurs de crevettes et des ouvriers du pétrole s'il s'était aventuré dans un bar local.

— J'ai besoin de renseignements, dit-il d'une voix dépourvue de tout accent.

— Eh bien, vous êtes au bon endroit, répondit-elle avec un sourire.

Il lui rendit son sourire, ce qui, sans le faire ressembler à Brad Pitt, donna un peu de personnalité à son visage.

— Je cherche des renseignements sur une maison de la région. Vous la connaissez peut-être. Beau Soleil.

Les doigts de Dani se crispèrent sur son crayon.

— Bien sûr. C'est une demeure qui date d'avant la guerre de Sécession.

— C'est ce qu'on m'a dit, acquiesça-t-il en se balançant sur les talons de ses mocassins. Il paraît qu'elle est hantée.

Il ouvrit son portefeuille et en sortit une carte de visite, qu'il tendit à Dani. « Docteur Dallas Chapman, parapsychologue », lut-elle. Suivait le titre de consultant auprès de la « Société américaine de recherches en parapsychologie ».

— Vous êtes un chasseur de fantômes ? demanda Dani en tapotant la carte de l'ongle.

— Oh, je ne les chasse pas, je les étudie. J'observe leur environnement, leur comportement, les autres apparitions de la région, dans le seul but de mieux comprendre le phénomène. Bien que cela déçoive les gens, mes activités ne ressemblent pas à ce qu'on voit dans le film *SOS fantômes*. Je ne fais pas sauter d'hôtels pour traquer d'horribles petites créatures vertes, je n'ai jamais porté de combinaison, et mes moyens ne me permettent pas de construire un accélérateur de particules portable.

— Quel dommage !

— Absolument. Certains de mes collègues ont reproché à ce film de traiter leur profession à la légère, ajouta-t-il en prenant un air plus grave. Moi, je n'y ai vu qu'une fiction amusante et j'ai découvert qu'au lieu de nuire à mon travail, elle le facilitait.

— Ah, bon ?

Matt avait vu ce film une douzaine de fois et l'avait si peu pris pour une fiction que, durant quelque temps, il avait eu l'ambition de devenir chasseur de fantômes. Dani avait hâte de montrer la carte de visite de Dallas Chapman à son fils. Il serait impressionné de savoir que sa maman avait rencontré un vrai chasseur de fantômes.

— Maintenant, au moins, je peux parler de mon métier. Avant la sortie de ce film, personne n'avait la moindre idée de ce que je faisais, alors que la parapsychologie est une science qui remonte à plus de cent ans.

Dani n'avoua pas qu'elle ignorait quasiment tout du sujet.

Il secoua la tête et prit un air frustré.

— Lorsque je me présentais, les gens ouvraient de grands yeux. Ou bien ils me confondaient avec un psychologue. Ou même avec l'assistant d'un psychologue. Une sorte de larbin, quoi. À cause du préfixe « para », expliqua-t-il en réponse au regard ahuri de Dani.

— Ah, oui, fit-elle avec un hochement de tête. Je comprends.

Il se pencha vers elle et reprit d'un ton de conspirateur :

— Un jour que je revenais en avion de Rome, où j'avais participé à un congrès, le pilote a failli se poser d'urgence. J'avais commis l'erreur de vouloir expliquer à ma voisine le concept de la vie après la mort, ou plutôt, comme nous autres professionnels préférons l'appeler, la survie du corps. Dès que j'ai prononcé les mots « apparition » et « phénomènes paranormaux », elle s'est mise à hurler en italien et à me frapper avec son chapelet. Apparemment, elle était persuadée que j'avais partie liée avec le diable et que je lui jetais le mauvais œil... Pour la calmer, il a fallu l'aide de trois hôtesses et la moitié d'une excellente bouteille de chianti que j'avais achetée à l'aéroport.

— En tout cas, votre travail n'a pas l'air ennuyeux, commenta Dani en riant.

— Oh, il n'est jamais ennuyeux. Un peu fatigant parfois, car les esprits ne sont pas toujours très coopératifs. Il arrive qu'on doive passer beaucoup de temps dans une maison abandonnée en attendant qu'un fantôme se manifeste. Mais, l'un dans l'autre, c'est un métier satisfaisant. Et puis, c'est dans un manoir écossais que j'ai fait la connaissance de ma femme. J'étais là pour étudier le fantôme d'un des seigneurs du lieu, mort au XVIe siècle, qui se glissait dans le lit des femmes et leur faisait passionnément l'amour alors que leurs maris dormaient profondément juste à côté.

— Votre femme est aussi parapsychologue ?

— Oh, non. Du moins, elle ne l'était pas à l'époque. Elle faisait partie de l'équipe qui cherchait à détruire le mythe.

— Qui a gagné ?

— Nous deux, je dirais, répondit-il avec un regard lumineux.

— Merveilleux, fit Dani qui, malgré ses échecs amoureux, adorait les dénouements heureux.

— Le mois prochain, nous fêterons notre dixième anniversaire de mariage. Et nous travaillons ensemble depuis huit ans. Les Presses Universitaires du Tennessee ont publié notre étude sur une autre maison hantée, et notre livre a été très apprécié. J'espère remporter le même succès avec le fantôme de Beau Soleil. Si tout marche bien, ce soldat confédéré pourrait attirer des touristes à Blue Bayou.

Jack n'aimerait pas du tout qu'on envahisse son intimité, se dit Dani, qui n'avait pas non plus envie de voir la région passer aux mains des touristes et des marchands de souvenirs.

— J'imagine que vous connaissez cette maison, dit-il d'un ton qui sonna comme une interrogation.

— Il est difficile de vivre ici sans connaître Beau Soleil, répondit-elle sans se compromettre.

Qu'elle y ait grandi ne le regardait pas. Elle ne lui dirait pas comment s'y rendre et ne lui raconterait aucun des contes transmis par des générations de Duprec. Quant aux bruits étranges qu'on entendait parfois à Beau Soleil, gémissements, musique ou craquements, il n'en saurait rien.

Néanmoins, en tant que bibliothécaire, son devoir était de fournir aux usagers l'information qu'ils lui demandaient.

— Je peux vous suggérer quelques livres. Pas seulement sur Beau Soleil, mais sur d'autres maisons que l'on prétend hantées, ajouta-t-elle, dans l'espoir de l'égarer.

Elle consulta l'ordinateur et nota plusieurs titres.

— Merci. Mais c'est Beau Soleil qui m'intéresse, dit-il en prenant le papier. C'est là qu'habite Jack Callahan, non ?

Dani hésita.

— Ne vous inquiétez pas, fit Dallas Chapman en riant. Je vois que ça vous ennuie de trahir un secret, mais je suis passé maître en matière d'enquêtes. Je vais commencer par ces livres, et ensuite, je me débrouillerai. J'ai été très content de bavarder avec vous, madame Dupree, et j'espère que nous aurons l'occasion de nous revoir.

Il lui adressa le sourire chaleureux qui avait dû séduire sa femme lors de leur affrontement au sujet du fantôme écossais, puis alla chercher les livres qu'elle lui avait recommandés et s'installa à une table pour les étudier. Ensuite, Mme Rullier vint demander à Dani de lui conseiller un bon roman policier, Sally Olivier eut besoin d'aide pour chercher sur Internet des recettes de gâteaux de mariage en vue des noces de sa nièce, et Jean Babin la pria de trouver un manuel pour fabriquer une pirogue en fibres de verre. Lorsque Dani chercha des yeux le chasseur de fantômes, il était parti.

19

Il avait beau se dire qu'il s'en fichait complètement, Jack attendait avec anxiété de savoir ce que pensait Danielle des travaux effectués dans son ancienne chambre.

Deux ouvriers y avaient travaillé sans relâche durant une semaine. Les murs vert pâle faisaient écho à la vue champêtre qu'offrait la fenêtre, les moulures avaient été peintes d'un blanc crémeux et le parquet avait été poncé et ciré. Jack avait lui-même décapé au papier de verre les montants en fer forgé du lit et, grâce à Désirée, il avait déniché chez un brocanteur de Lafourche Crossing un dessus-de-lit au crochet qui ressemblait à celui dont il se souvenait. Et, bien qu'il n'en vît pas l'utilité, il avait suivi le conseil de Désirée et avait acheté des quantités de coussins de toutes tailles.

Jack poussa la porte de la salle de bains pour montrer à Dani la baignoire circulaire si grande qu'on aurait presque pu y faire une ou deux brasses. Ce fut à ce moment-là que sonna son portable.

— J'ai réfléchi à ton ultimatum, dit le juge sans préambule.

— Oh ?

Jack, qui regardait Dani caresser le cou de cygne qui faisait office de robinet, revint brutalement sur terre.

— Tu as raison. Elle mérite de savoir la vérité.

— En effet, fit Jack, soulagé.

— Mais je suis un vieil homme malade, et cette confrontation est au-dessus de mes forces. Puisque tu tiens tellement à ce qu'elle sache pourquoi tu es parti, eh bien, à toi de le lui dire.

— Je comprends, dit Jack en adressant un sourire rassurant à Dani, qui l'interrogeait du regard.

— Bon, alors, c'est réglé, acheva le juge, qui raccrocha aussitôt.

— Qu'y a-t-il ? demanda Dani, inquiète.

Jack se frotta le menton en réfléchissant. Comment dire à une femme que le père avec qui elle s'efforçait d'établir des relations affectueuses était un vulgaire maître chanteur qui les avait manipulés avec autant de désinvolture que des pions sur un échiquier ?

— C'était mon père, non ?

Jack était un menteur de premier ordre, qualité indispensable pour qui voulait exercer le métier d'agent de la brigade des stupéfiants. Petits dealers des rues ou chefs de cartel, peu importait, il les avait tous roulés dans la farine avec aisance.

Mais avec Danielle, c'était une autre histoire. Il y avait quelque chose en elle, peut-être sa gentillesse et sa franchise, qui rendait le mensonge difficile.

— Pourquoi penses-tu que c'était le juge ? demanda-t-il.

— Je ne sais pas. Ta façon de parler, peut-être... Il ne s'agit pas de Matt ? Papa n'appelait pas pour...

— Non. Tu sais bien que je te l'aurais dit tout de suite, s'il y avait eu un problème avec ton fils. Il doit encore être en train de faire de la pâtisserie avec Orélia, comme quand nous sommes partis.

— Et mon père ? Il va bien ?

— Dani, je sais que le juge n'arrête pas d'annoncer sa mort et que le toubib n'écarte pas cette éventualité, mais si ça se trouve, il nous enterrera tous. Sais-tu ce qu'il m'a dit lorsque je suis allé lui avouer que j'avais vandalisé les boîtes aux lettres ?

— Non.

— J'ai lâché une plaisanterie stupide sur son âge, comme quoi il ne serait pas toujours juge. Façon subtile de dire que je lui survivrais et quc jc continuerais à faire tout ce qui me passait par la tête. Il m'a arraché de ma chaise comme si je ne pesais pas plus lourd que Matt et m'a dit que je ne devais pas espérer lui survivre, car il était quasiment invincible, et que, lorsque la terre serait réduite en cendres, les seuls êtres vivants qui resteraient, ce seraient lui et une armée de cafards.

— Charmante image.

En l'entendant soupirer, il eut très envie de la prendre dans ses bras et de lui assurer que tout allait s'arranger. Promesse présomptueuse, car il n'y croyait pas vraiment lui-même.

Seigneur... Il redoutait cet instant depuis le jour où il avait compris que, pour tourner la page, il leur fallait mettre les choses au clair. Il était temps que la vérité éclate. Mais était-il nécessaire de le faire tout de suite ? Aborder ce sujet délicat serait plus facile lorsqu'il ne serait plus distrait par le désir violent de la déshabiller.

Elle s'approcha de la fenêtre et appuya le front contre la vitre.

— Tu te souviens des boules qui permettaient de prédire l'avenir ? demanda-t-elle à mi-voix.

— Oui. Nate en avait une.

La boule avait ainsi prédit que son frère perdrait sa virginité dans les bras de Misty Montgomery, ce qui s'était effectivement produit. Mais, vu la réputation de Misty, la boule en plastique noir n'y était pas pour grand-chose.

— Moi aussi. Je me tenais là, devant la fenêtre, et j'interrogeais la boule pour savoir si tu viendrais me faire l'amour.

— Tu connaissais déjà la réponse, remarqua-t-il.

Bien que Dani lui tournât le dos, il devina qu'elle souriait.

— Je l'interrogeais sur tout. Aurais-je une bonne note à l'examen d'histoire ? Serais-je élue déléguée de classe ? Deviendrais-je aussi jolie que ma mère l'était, d'après ce que disaient les gens ?

— Ça aussi, c'était facile. Tu es beaucoup plus jolie.

— Comment le sais-tu ? Tu ne peux pas te souvenir de ma mère.

— J'ai vu une photo d'elle.

Il omit de dire que c'était dans un film porno que Nate et lui avaient loué dans une boutique spécialisée, lors d'un voyage clandestin dans le comté voisin. Il avait quatorze ans, à l'époque, et Nate un an de moins. Durant les deux semaines suivantes, des rêves érotiques avaient perturbé son sommeil.

— Elle était jolie, mais d'une façon superficielle.

Vulgaire et sacrément excitante dans son rôle d'infirmière nymphomane, acheva-t-il en son for intérieur. Les deux frères en avaient déduit qu'il existait différentes façons de soigner les gens, certaines plus agréables que d'autres, et Nate avait instantanément renoncé à devenir joueur de base-ball pour envisager des études de médecine.

— Ta beauté est plus authentique. Elle est de celles qui durent.

Elle se retourna à moitié, un sourire ténu sur les lèvres.

— Quel gentil compliment !

— C'est la vérité.

— Je sais que ça paraît idiot aujourd'hui, mais je croyais aux prédictions de cette boule.

— Nate aussi.

— Ce serait bien, non, s'il existait vraiment un moyen de connaître l'avenir ?

— À condition de pouvoir modifier les événements.

S'il avait su que son père allait mourir, il se serait hâté d'entrer dans la salle d'audience avant que le forcené ne brandisse son arme. Mais aurait-il aimé savoir que son père allait être assassiné s'il avait aussi su qu'il ne pourrait rien y changer ? Il en doutait.

Il s'approcha de Dani.

— Je ne prétends pas connaître l'avenir, chérie, mais je sais ce qui va se passer dans les minutes qui viennent.

Ses lèvres frôlèrent le cou de la jeune femme.

— Ah, bon ?

Dani sentit le souffle lui manquer. Les dents de Jack jouaient avec le lobe de son oreille.

— Je vais te faire des choses défendues, délicieuses... dit-il en glissant la main sur sa clavicule.

Les yeux fixés sur leur reflet dans la vitre, il lui caressa la gorge.

— Je vais t'emmener dans un univers dont tu n'as fait que rêver.

Ses mains remontèrent sous son chemisier et s'emparèrent de ses seins.

— Puis je te prendrai. Et tu aimeras ça, mon cœur.

Dani émit un petit soupir. Il y avait si longtemps qu'aucun homme ne l'avait désirée...

— J'en ai envie depuis le soir où tu es venue à Beau Soleil.

Il commença à déboutonner son chemisier, et la vue de ses mains brunes sur elle accrut le trouble de Dani.

— Tu prétendais chercher des ouvriers...

— C'était la vérité.

— Peut-être.

Il la mordilla entre le cou et l'épaule, et un frisson la parcourut.

— Mais ce que voulaient ton délicieux petit corps et ton cœur esseulé, c'est cela.

Il la fit pivoter et, la main plongée dans ses cheveux, pencha la tête pour lui embrasser la gorge. Les tremblements qui s'emparèrent de la jeune femme le firent sourire. Puis il dégrafa son soutien-gorge et baissa les bretelles le long de ses bras. Ses gestes étaient empreints d'une tendresse que Dani ne lui connaissait pas. Autrefois, à l'exception de leur dernière nuit, ils faisaient l'amour avec une ardeur fébrile, semblable aux tornades du mois d'août, qui ne leur laissait pas le temps de s'attendrir.

— Charmant, murmura-t-il.

Il inclina de nouveau la tête, et sa langue dessina des cercles humides autour de chaque sein.

Lowell préférait faire l'amour en silence et, bien que Dani ne pensât pas à lui, l'habitude l'emporta. Elle se mordit la lèvre pour réprimer ses gémissements.

— Non. Ne fais pas ça, murmura-t-il, la bouche collée à la sienne. Ne te retiens pas. Je veux savoir ce que tu aimes. Ce qui te donne du plaisir.

— Toi.

Elle le sentit sourire.

Il continua à la dévêtir avec une lenteur torturante, accordant à chaque nouveau morceau de peau découvert l'intérêt de l'explorateur passionné.

Des images de ce que Jack allait peut-être lui faire lui traversèrent l'esprit – érotiques, brûlantes, fiévreuses. Chaque centimètre carré de sa peau réclamait qu'il le touche, son être tout entier cherchait à se soulager d'une passion trop longtemps reniée. C'était effrayant. Et merveilleux.

— Bon Dieu, tu es la femme la plus réceptive que je connaisse.

Dani s'interdit de penser aux autres. Elles appartenaient au passé, et c'était elle qui était avec lui en ce moment.

— Avec toi seulement, dit-elle comme il l'allongeait sur le lit.

— Je sais.

Les lèvres de Jack jouèrent avec un sein, tandis que sa main se plaquait sur son ventre offert.

— Quelle arrogance ! souffla-t-elle.

— Ce n'est pas de l'arrogance.

— Parce que c'est vrai ?

Il la contemplait comme un homme qui s'apprête à savourer le fruit défendu après un long jeûne. Personne ne l'avait jamais regardée ainsi, avec une telle intensité.

— Inutile de nier, mon cœur, puisque nous savons tous les deux que c'est la vérité, dit-il, sans cesser de la caresser des épaules aux genoux. Et tu me fais le même effet. Sais-tu avec combien de femmes j'ai dû coucher pour me remettre de t'avoir perdue ?

— Non.

La tête lui tournait, et penser devenait très difficile. Sa peau lui semblait recouverte d'un liquide brûlant.

— Moi non plus, je ne sais pas. Parce qu'en fait, je ne m'en suis jamais remis…

Sa langue traça un chemin sur le ventre de Dani.

— Nous sommes les meilleurs, toi et moi.

— Jack… s'il te plaît, gémit-elle en se cambrant, tant le désir se faisait poignant.

— Pas encore.

Il lui prit les poignets et, les maintenant d'une main au-dessus de sa tête, pressa son corps contre le sien.

Être nue et prisonnière d'un homme encore vêtu avait quelque chose d'érotique et de douloureux à la fois. Elle sentait le métal froid des boutons de sa chemise contre ses seins, la boucle de sa ceinture qui s'incrustait dans son ventre, son sexe dur contre le sien. Il ressemblait plus que jamais à un pirate, prêt à violer sa victime.

— Qu'est-ce que tu as dit ? murmura-t-il contre sa bouche.

Elle avait parlé à haute voix sans s'en rendre compte.

— Depuis le soir où je t'ai vu sur la véranda, tu me fais penser à Jean Laffite, le célèbre pirate.

— C'est bien ? Ou c'est mal ? demanda-t-il en se frottant contre elle.

— Mal. D'une bonne façon.

— Bien, fit-il, tout en amenant leurs mains jointes entre ses cuisses.

— Jack... non... Je ne peux pas.

Ce genre de caresse demandait plus d'intimité, la porte verrouillée et les stores baissés.

— Mais si, tu peux. Je vais t'aider.

Ignorant ses protestations, il bougea leurs mains, les pressa, accéléra le rythme, jusqu'à ce qu'une vague de plaisir emporte Dani.

— Oui... souffla-t-elle. C'était merveilleux.

— C'était juste histoire de te détendre avant de passer à la suite.

Il sourit et l'embrassa, longuement, profondément. Puis il se leva et ôta sa chemise.

Il était à la fois semblable au garçon de ses souvenirs et différent. Plus costaud, mais sans un gramme de graisse. Et tout aussi bronzé que cet été-là.

Les yeux rivés à ceux de Dani, il défit sa ceinture et la retira de chaque passant avec une telle lenteur qu'elle dut se retenir de bondir pour achever le travail en vitesse.

La ceinture rejoignit la chemise sur le sol. Jack défit le bouton métallique de son jean et descendit la fermeture Éclair, dont le bruit parut anormalement fort dans la chambre silencieuse.

Habillé, Jack Callahan était beau. Nu, il était magnifique. Il n'avait pas du tout le physique d'un homme qui gagne sa vie assis devant un ordinateur.

— Il me suffit de penser à toi, et voilà le résultat.

La fin du monde aurait pu survenir, des météorites s'écraser sur la planète, un tremblement de terre ouvrir le bayou, que Dani aurait été incapable de se détourner de la vue de ce sexe ardent.

Le même désir creusait son ventre. Des années de manque qui attendaient d'être comblées. Elle se mit à genoux sur le lit et ouvrit les bras. Il traversa la pièce de sa démarche de prédateur, et le matelas s'affaissa sous son poids. Agenouillés face à face, ils se pressèrent l'un contre l'autre.

Il lui soutint la nuque et l'embrassa tandis qu'elle lui caressait le dos. Laissant sombrer sa raison et son bon sens, elle autorisa son corps – et Jack – à prendre le pouvoir.

Les mains, la langue, les dents de Jack lui révélaient des sources de plaisir qu'elle ignorait. Il la palpait, la savourait, murmurait contre ses lèvres, contre sa gorge et son ventre frémissant. Il la liait à lui, corps et âme. Plus Dani s'abandonnait, plus le plaisir s'intensifiait.

Il embrassa l'une de ses cuisses, puis l'autre. Son dos se cambra lorsqu'il introduisit deux doigts en elle. Puis il les retira et recommença sa caresse en redressant la tête pour la regarder.

L'orgasme la balaya avec brutalité. Sans attendre qu'elle ait repris son souffle, il lui fit agripper les montants du lit et plongea la tête entre ses cuisses, qui se crispèrent dans l'attente d'une autre rafale de plaisir. Des étoiles blanches surgirent devant ses yeux et, au moment où elle craignait d'exploser en un million de morceaux, la langue de Jack la fit jouir de nouveau.

Il ne lui laissa pas le temps de reprendre ses esprits.

— Encore, fit-il d'une voix rauque.

Plus haut, plus fort. La respiration haletante, Dani ferma les yeux pour se concentrer sur les sensations délicieuses et terrifiantes que les caresses de sa langue faisaient naître en elle.

— Regarde-moi, Danielle, demanda-t-il. Je veux voir ton visage quand je te prendrai.

Elle obéit et croisa son regard. Il la pénétra brusquement, avec une puissance qui leur coupa le souffle à tous les deux. Tout en se cambrant, Dani noua les jambes autour de ses reins pour l'étreindre plus complètement.

Il tenait ses promesses. Il la prenait, la revendiquait, la marquait au fer rouge. Sans jamais détourner les yeux des siens.

Leurs cœurs s'emballèrent, les mouvements de Jack s'accélérèrent. Il rejeta la tête en arrière, et l'orgasme les saisit en même temps. Il gémit contre la bouche de Dani quelques mots de français qu'elle ne put comprendre.

Combien de temps restèrent-ils ainsi, bras et jambes enchevêtrés au milieu des draps froissés ? Dani n'aurait su le dire. Mais des frémissements la parcouraient encore lorsque Jack s'écarta d'elle.

— Reste, gémit-elle.

— Je ne m'en vais pas.

Promettait-il de rester au lit ou dans sa vie ? De peur de gâcher cet instant, elle ne posa pas la question. Elle se blottit contre lui et savoura le bien-être qui suit la passion.

— C'était encore mieux que dans mes souvenirs, dit-elle avec un soupir d'aise.

— Tu as donc pensé à moi, fit-il d'un ton satisfait.

— De temps en temps, répondit-elle, avec une désinvolture qu'elle était loin d'éprouver. Quand la télévision passait *La Fureur de vivre*.

— Je suis flatté d'être comparé à James Dean, même si je n'aime pas le personnage pleurnichard qu'il incarne dans ce film.

— Ce n'est pas un pleurnichard, mais un être sensible.

— Sensible si tu veux, mais il n'aurait pas survécu quarante-huit heures dans le bayou.

Il avait probablement raison. Les hommes du bayou avaient un tas de qualités, mais la sensibilité n'était pas leur fort.

— Pour rester dans les films des années 1950, je me verrais plutôt comme un mélange de Brando dans *L'Équipée sauvage* et de Newman dans *Le Plus Sauvage d'entre tous*.

La force ardente de Brando et la sensualité de Newman... songea Dani. Oui, cela collait.

— Je crois que *Le Plus Sauvage d'entre tous* date des années 1960. Et je trouve intéressant que tu aies choisi deux néandertaliens misogynes comme modèles.

— Ce n'étaient pas des misogynes, mais des hommes très virils.

— Que c'est rafraîchissant de trouver au xxie siècle un homme dont l'ego démesuré lui permet de ne pas simuler une attitude politiquement correcte !

— Je reconnais que je ne suis pas un fan du politiquement correct. Quant à mon ego démesuré, poursuivit-il en glissant un doigt le long de la cuisse de Dani, donne-lui quelques minutes pour récupérer, et le néandertalien des marais sera très heureux de s'occuper de nouveau de toi.

— Tu es incorrigible.

— Tu ne te plaignais pas quand tu hurlais mon nom dans mon oreille, tout à l'heure.

Dani tressaillit lorsque le doigt de Jack frôla la chair fragile de son sexe.

— Je t'ai fait mal ?

— C'est encore un peu sensible. Et je n'ai pas hurlé.

— Ça ressemblait pourtant à un hurlement. Mais ça ne fait rien. Je n'ai pas besoin de ce tympan. Un seul me suffira.

Il embrassa sa poitrine, puis lui lécha le nombril.

— Jack…

— Ne t'inquiète pas, chérie, je vais juste te faire un peu de bien.

Lorsque sa bouche se fraya un chemin entre ses cuisses, elle n'eut pas la force de protester. Et elle ne protesta pas non plus quand son ego démesuré l'entraîna jusqu'à l'extase.

Plus tard, beaucoup plus tard, elle se réveilla dans les bras de Jack. Elle jeta un coup d'œil à sa montre.

— Ô mon Dieu ! Il est tard. Il faut que je rentre.

Jack se redressa sur un coude et regarda les chiffres fluorescents du réveil.

— Il n'est pas si tard que ça.

— Ce n'est pas toi qui dois préparer un enfant pour l'école et arriver à l'heure au travail.

En partant immédiatement, elle parviendrait tout juste à grappiller quatre heures de sommeil avant que l'alarme de son réveil ne se déclenche.

— Reste, dit-il en la retenant par le poignet.

— Je veux être là quand Matt se réveillera.

— Je te ramènerai chez Orélia avant qu'il ouvre les yeux. Il faut que nous parlions.

— Vraiment, Jack, ce n'est pas nécessaire. Je n'ai plus besoin de petits mots gentils comme lorsque j'avais dix-sept ans. Sans être très expérimentée, je suis assez grande pour savoir que ce que nous avons fait n'était que du sexe. Du sexe formidable, mais...

— Il ne s'agit pas de ça. J'ai quelque chose à te dire.

Sa voix avait pris un ton grave qui effraya Dani.

— C'est au sujet du coup de fil de tout à l'heure ?

— D'une certaine façon, oui. C'est à propos de notre dernier été. De la raison pour laquelle j'ai quitté Blue Bayou.

20

Bouche bée, Dani écouta le récit sordide de Jack.

— C'est mon père qui t'a obligé à partir sans même un mot d'adieu ? demanda-t-elle enfin.

Elle savait que son père n'était pas un tendre, mais cette cruauté inutile la stupéfiait.

— Oui. Je voulais te voir une dernière fois, m'expliquer, mais il me l'a interdit. Il m'a dit que si je n'étais pas parti dans l'heure, ma mère perdrait son travail et je me retrouverais en prison, accusé de viol.

Ces mots la déchirèrent comme une lame de rasoir.

— C'est incroyable.

— Je ne mens pas.

Un flot d'émotions violentes assaillit Dani. Elle leva une main tremblante et caressa la joue de Jack, où apparaissait déjà une barbe naissante.

— C'était horriblement injuste envers toi. Et envers moi.

Et envers notre enfant, songea-t-elle sans le dire.

— Et envers ta mère qui a gardé son travail, mais a perdu son fils.

Après l'avoir accusé durant des années de l'avoir abandonnée, Dani était bouleversée d'apprendre que Jack n'en avait rien fait. Incapable de rester immobile, elle se mit à marcher de long en large dans la chambre.

— Depuis ce jour, ma vie s'est construite sur la trahison de mon père.

Elle n'avait jamais tenté de retrouver Jack. Pas même lorsqu'elle avait eu la certitude d'être enceinte. Parce qu'elle avait cru qu'il ne l'aimait pas.

Les souvenirs lui revinrent dans un torrent d'images douloureuses. Elle se remémora cet après-midi d'automne où son père lui avait expliqué calmement que la fuite de Jack prouvait qu'il ne l'avait jamais aimée et qu'il était donc inutile de lui apprendre qu'il allait être père. Avec une logique implacable, il lui avait démontré que ses rêves d'une vie idyllique avec Jack Callahan n'étaient que des niaiseries de collégienne.

Avait-elle une idée des conséquences que pouvait avoir un mariage forcé ? lui avait-il demandé. Il avait été témoin à maintes reprises des vengeances qu'infligeaient à leurs épouses des hommes furieux d'avoir été piégés. Pire encore, des souffrances causées aux enfants innocents qui avaient le malheur d'être le fruit de ces unions désastreuses.

Jack était incapable de brutaliser une femme ou un enfant, avait protesté Dani, en larmes. Ce à quoi son père avait rétorqué qu'elle ignorait ce dont Jack était capable. Ne s'était-il pas enfui après avoir pris sa virginité ?

Dani savait que le garçon qu'elle aimait ne ressemblait pas au portrait qu'en faisait son père, mais la solitude, la peur et le fait qu'elle était encore mineure l'avaient emporté.

— Il est clair que ce jour-là, le juge a complètement chamboulé nos vies, dit Jack dans son dos.

Perdue dans ses pensées, Dani ne l'avait pas entendu la rejoindre. Il la prit dans ses bras et appuya le menton sur son crâne.

— Mais les conséquences n'ont pas toutes été dramatiques. Tu as eu un fils que tu adores.

— Bien sûr.

Des larmes brûlantes emplirent ses yeux. Des larmes de colère et de regret.

— C'est un enfant beau et intelligent, Danielle. Ces dernières semaines, j'ai souvent regretté qu'il ne soit pas mon fils.

Il la fit pivoter face à lui et essuya les joues humides de la jeune femme. Le désespoir et l'incompréhension hantaient son regard. Il se souvint qu'à l'époque, il avait eu l'impression que le juge ouvrait une trappe sous ses pieds. Il n'était pas surprenant que Dani éprouve la même chose, malgré le temps écoulé.

— Comme tu l'as dit un jour, Matt n'existerait pas si tu n'avais pas épousé Lowell. Ce que tu n'aurais pas fait si ton père ne m'avait pas chassé de Blue Bayou.

Il observa le visage de Dani et vit la rage et l'amertume s'estomper, tandis que son raisonnement faisait son chemin dans son esprit.

— Tu as raison. Mais ton calme m'étonne.

— J'ai eu plus de temps que toi pour m'y faire, dit-il en plongeant la main dans ses cheveux emmêlés.

— Treize ans, murmura-t-elle.

Elle garda le silence un instant, puis reprit :

— C'est vrai, je pensais à toi. Malgré moi. Même si j'étais persuadée que tu m'avais abandonnée.

— Moi aussi, je pensais à toi, fit-il en soulevant le menton de Dani et en caressant ses lèvres du pouce. Trop et trop souvent. Je regrette d'avoir cédé au juge.

— Je n'aurais pas supporté que tu ailles en prison à cause de moi.

— Ce n'est pas ça qui m'a poussé à partir, protesta-t-il. Ce que nous avions vécu compensait largement ce risque. J'ai cédé à cause de ma mère. Avant de travailler chez vous, le seul boulot qu'elle avait exercé était celui d'épouse et de mère. Elle n'avait aucune expérience professionnelle. Finn était à l'université, et Nate venait d'avoir dix-sept ans. Ni l'un ni l'autre n'étaient en mesure d'entretenir la famille. Je n'étais pas convaincu que le juge renverrait ma mère, mais je ne pouvais pas prendre ce risque. Tu comprends ?

— Bien sûr, répondit Dani, plus calme à présent. Mon père aussi l'avait compris.

Elle se mordit la lèvre inférieure, l'air songeur, et Jack devina ce qui allait suivre.

— Mais tu aurais pu revenir plus tard, après ma majorité, et mon père n'aurait rien eu à dire. Il s'est encore passé cinq ans avant que j'épouse Lowell.

— À ce moment-là, j'étais dans la marine. Je n'allais pas t'arracher à tes études pour t'installer dans une caserne avec d'autres épouses de militaires, ou toute seule dans une caravane minable où tu m'aurais attendu pendant que j'étais en mer. Il te fallait une bonne éducation et un peu plus de maturité, et moi, je voulais attendre de pouvoir t'offrir une existence qui en vaille la peine.

— J'ai toujours pensé que tu en valais la peine.

— Toujours ? Ne me dis pas qu'après mon départ, tu ne m'as pas traité d'enfoiré !

— Peut-être, admit-elle. Mais, au bout d'un moment, je t'ai rangé dans la catégorie des très jeunes gens qui prennent peur lorsque leur petite amie proclame leur amour et leur désir d'avoir des bébés.

Les larmes affluèrent de nouveau dans les yeux de Dani. Jack ne l'avait jamais vue ainsi.

— C'est vrai qu'à l'époque, avoir des bébés ne faisait pas partie de mes projets, reconnut-il.

Ce qui n'était plus le cas. À sa grande surprise, l'image d'une Danielle enceinte de son enfant le séduisait. Autant que la perspective d'être un père pour son fils.

Doucement, se dit-il. Un pas après l'autre.

— C'était il y a longtemps, reprit-il en portant leurs mains jointes à ses lèvres. Beaucoup d'eau a coulé sous les ponts. Il faut tourner la page.

Si seulement c'était aussi simple… songea Dani, bouleversée. « Dis-lui, susurra la voix de sa conscience. Tu ne retrouveras peut-être pas de meilleure occasion. »

Mais il était tellement plus facile de se laisser soulever et déposer sur le lit…

Alors, elle s'abandonna au plaisir et s'interdit de penser à la réaction de Jack lorsqu'il apprendrait ce qui s'était passé après son départ de Blue Bayou.

La colère habitait encore le cœur de Dani tandis qu'elle préparait les tartines du petit déjeuner de Matt. Elle feignit de s'intéresser à ses récits d'exploits sportifs, sourit à ses plaisanteries et l'accompagna jusqu'au car de ramassage scolaire. Puis elle revint dans la cuisine, où son père buvait une tasse de café.

— Tu ne dois pas en boire, lui rappela-t-elle.

— Une tasse ne me tuera pas.

— Peut-être pas, mais moi, si.

— Ah... fit-il en lui jetant un regard où l'on eût cherché en vain une trace de remords. Dois-je déduire de cette remarque que Callahan t'a parlé ?

— Tu n'as pas l'air surpris.

— Je ne le suis pas. Il m'a donné une date limite pour t'avouer les choses, mais j'ai préféré lui en laisser le soin.

— Dommage que tu n'aies pas fait preuve d'une telle modération autrefois.

— Il n'était pas obligé de partir. Je lui ai laissé le choix, protesta le juge.

— L'exil ou la prison et le renvoi de sa mère ? Ce n'est pas ça, laisser le choix, bon Dieu !

— Surveille ton langage, Danielle. Inutile de jurer comme un charretier.

— Après ce que tu as fait, tu t'inquiètes de mon vocabulaire ? s'écria-t-elle en élevant la voix. Qui t'a donné le droit de régenter nos vies ?

— Je devais te protéger. Jimbo Lott était venu me dire qu'il vous avait trouvés tous les deux dans la cabane.

— C'était de Jimbo Lott que tu aurais dû me protéger. Ce pervers t'a-t-il raconté qu'il avait laissé ses phares braqués sur moi pendant que je me rhabillais ?

Un nerf frémit dans la joue du juge, mais il répondit d'une voix calme :

— Non.

— T'a-t-il dit qu'il avait frappé Jack avec la crosse de son revolver lorsqu'il a tenté de me défendre ?

— Non, mais cela ne m'étonne pas. Lott est un individu ignoble, et c'est une honte qu'il soit encore shérif. Quant à Jack, il a toujours été trop impétueux.

— Il me protégeait.

— Ce qui n'aurait pas été nécessaire s'il ne t'avait pas emmenée là-bas, répliqua le juge de la voix posée avec laquelle il l'avait convaincue d'abandonner son enfant.

Dani avait haï ce ton à l'époque, et elle le haïssait tout autant à présent.

— Moi aussi, j'essayais de te protéger, reprit le vieil homme. En outre, la mère de Callahan n'était pas plus contente que moi de vous voir fricoter tous les deux.

— Je croyais que Marie m'aimait, dit Dani, blessée.

— Elle t'aimait, mais elle s'inquiétait pour l'avenir de son fils. Elle ne voulait pas qu'il bousille sa vie en se retrouvant papa à dix-huit ans.

Jack avait été père. Et il l'ignorait encore. Dani se sentit soudain accablée de remords.

— Demande-toi ce que tu éprouverais si Matthew, dans dix ans, venait t'annoncer qu'il a mis une fille enceinte. Ça m'étonnerait que tu cries de joie.

— Je serais inquiète. Sans doute même bouleversée, admit-elle en priant le Ciel que cette expérience leur soit épargnée. Mais je ne balayerais pas l'histoire sous le tapis en faisant comme s'il ne s'était rien passé. Et, en tout cas, jamais je n'aurais honte de lui.

« Comme toi tu as eu honte de moi. » Elle n'eut pas à prononcer ces mots. Ils flottèrent entre eux dans l'air calme du matin.

Dani avait une folle envie de hurler, de jeter des choses, de se frapper la tête contre les murs. Si elle se contint, ce fut uniquement pour ménager la santé de son père.

— Même si tu étais convaincu d'agir pour mon bien, tu n'avais pas le droit de menacer Jack.

— Je n'avais pas le choix. Il avait refusé mon argent.

Dani eut un hoquet de surprise.

— Tu lui as proposé un pot-de-vin pour qu'il s'en aille ?

— C'est un bien grand mot. Disons que je lui ai offert une certaine somme d'argent pour l'encourager à partir. Tu étais trop jeune pour savoir ce que tu voulais.

Le regard du juge prit une teinte métallique. Bien que la maladie l'eût affaibli, Dani eut l'impression de le revoir en train de siéger, d'exercer sur les autres son pouvoir de vie et de mort.

— Tu étais encore au lycée, lui rappela-t-il. Tu avais toute la vie devant toi. Je ne voulais pas que tu la fiches en l'air pour un délinquant.

— Jack n'était pas vraiment un délinquant. C'était un garçon perdu et révolté. Si son père n'avait pas été assassiné…

— C'est moi qui serais mort dans la salle d'audience. Tu aurais préféré ça ?

Dani secoua la tête et regarda par la fenêtre.

— Je ne crois pas que tu aurais mis ta menace à exécution. Tu n'aurais pas jeté à la rue la veuve de l'homme qui t'avait sauvé la vie.

— J'étais persuadé qu'on n'en arriverait pas là, dit le juge avec un haussement d'épaules désinvolte. Après tout, Callahan avait beau être un petit voyou, il aimait sa mère. Il savait qu'il lui aurait brisé le cœur s'il s'était retrouvé en prison.

— C'est l'aspect le plus ignoble de l'histoire.

L'idée que leur histoire d'amour aurait pu se transformer en scandale public la révulsait.

— Marie a-t-elle su ce que tu avais fait ?

— Pas en détail. Mais elle en a deviné une partie, car, plus tard, elle m'a remercié d'avoir remis son garçon sur le droit chemin. La marine en a fait un homme. S'il était resté à Blue Bayou, il aurait été un paumé de plus, fou furieux contre la vie et tout le monde.

— C'est faux. Le camp où tu l'avais envoyé l'avait changé. Il avait compris que la colère ne règle rien.

— C'est ce que tu dis. Mais je n'étais pas prêt à prendre ce risque.

— Ce n'était pas à toi de trancher.

— Tu étais mineure. Et il ne faisait vraiment pas preuve de bon sens en te séduisant comme ça, dans mon dos. Puisqu'il avait envie de sortir avec toi, il aurait dû demander ma permission.

— Ta permission ? Nous ne sommes plus au Moyen Âge, papa. Et sache que Jack voulait que nous nous aimions au grand jour. C'est moi qui insistais pour garder le secret, parce que je savais que tu ne serais pas d'accord... Mais jamais je n'aurais imaginé que tu t'abaisserais à ce chantage.

— Ne me juge pas trop vite, petite fille. Tu es mère. Un jour viendra où tu comprendras que j'ai agi pour ton bien.

— Non, s'écria Dani avec véhémence. Je me soucierai toujours de l'avenir de Matt. Et de celui de mes autres enfants, si j'ai la chance d'être de nouveau mère. Mais jamais je ne les manipulerai comme tu l'as fait avec Jack et moi.

— Ça n'aurait pas marché entre vous, de toute façon.

— C'était à moi de le découvrir, non ? D'ailleurs, tu t'es trompé sur Lowell. Notre mariage a été un échec.

— Exact. Mais, grâce à lui, tu as un merveilleux petit garçon.

Jack avait dit la même chose.

Dani s'efforça de juguler les émotions qui se bousculaient en elle et de garder son calme. Crier et insulter son père malade n'était pas une solution. Même s'il le méritait.

— J'aime énormément Matt, mais cela n'excuse pas ce que tu as fait, père. En aucune façon, décréta-t-elle en s'apprêtant à quitter la pièce.

— Je ne suis pas le seul à avoir des secrets, lança-t-il. Si tu es tellement éprise de franchise, pourquoi ne dis-tu pas à Jack où tu as passé ta dernière année de lycée ? Et pour quelle raison ?

Cette journée, qui avait déjà mal commencé, ne fit qu'empirer. Dani, qui avait besoin de réconfort

– de préférence sous forme chocolatée – après sa discussion avec son père, passa à la supérette avant d'aller travailler. Un groupe de femmes agglutinées devant la caisse bloquait l'accès aux tablettes de chocolat.

— Tu as vu ça, Dani chérie ? s'écria Bessie Ardoin, une octogénaire excentrique qui prétendait avoir été kidnappée par des extraterrestres et avoir passé une nuit dans un vaisseau spatial, quelques décennies plus tôt. C'est palpitant ! ajouta-t-elle en agitant un tabloïd.

— Laissez-moi deviner. Elvis Presley a été retrouvé sur la banquise en compagnie d'un survivant du *Titanic*.

— Ce n'est pas gentil de plaisanter au sujet du King, protesta Édith Ardoin, la sœur jumelle de Bessie.

Si Édith n'avait pas eu d'expérience extraterrestre, elle avait bel et bien approché Elvis Presley, ayant été figurante dans le film *Bagarres au King Creole*. Cela avait été le point culminant de son existence et, quarante ans plus tard, elle en parlait toujours.

— Excusez-moi, mademoiselle Ardoin, dit Dani.

— Ce n'est pas grave, intervint Bessie. Édith sait que tu ne voulais pas lui manquer de respect. Après tout, comment aurais-tu pu deviner que le fantôme de Beau Soleil est célèbre à présent dans tout le pays ?

— Comment ?

Dani arracha le journal des mains de la vieille dame et lut le gros titre.

Fortes émotions dans le bayou. Le fantôme d'un soldat confédéré hante la demeure d'un auteur de thrillers.

Horrifiée, elle chercha le nom du journaliste.

— Ô mon Dieu... C'est le type qui voulait des informations sur Beau Soleil.

Il lui avait menti. Dallas Chapman n'était pas plus parapsychologue qu'elle n'était star de rock.

— Eh bien, c'est gentil à toi de l'avoir aidé.

— Je ne l'ai pas aidé. Je lui ai seulement indiqué quelques livres.

Il l'avait bien roulée, avec son histoire de coup de foudre dans un manoir écossais !

— Il y a une belle photo de la maison, dit Édith.

— On peut même voir le fantôme, renchérit Bessie.

— Où ça ? s'écria Charlotte Cassidy, la caissière, en se penchant par-dessus le comptoir.

— Là, fit Bessie en désignant une tache blanche au-dessus du toit.

Dani examina la photo.

— Ce n'est pas un fantôme. C'est le flash de l'appareil.

— Je comprends qu'on puisse penser ça, admit gentiment Bessie. Mais, pour ceux d'entre nous qui ont eu une expérience paranormale, il est évident qu'il s'agit d'une apparition. Cette lumière blanche est juste une source d'énergie, bien sûr, pas un fantôme. Tout le monde sait que les esprits refusent de se laisser photographier.

Depuis sa balade à bord d'un vaisseau spatial, Bessie se proclamait voyante et, tous les premiers samedis du mois, elle complétait sa retraite de la Sécurité sociale en prédisant l'avenir dans le salon de coiffure *Shear Pleasures*.

— C'est vrai, il paraît que les fantômes ont peur des appareils photo, approuva Charlotte.

Dani était furieuse contre elle-même. Comment avait-elle pu être aussi naïve ? Elle aurait dû se renseigner sur ce Dallas Chapman. Au moins regarder sur Internet si le livre qu'il prétendait avoir écrit existait.

— Il disait qu'il était parapsychologue, marmonna-t-elle.

— On peut être parapsychologue et journaliste, commenta Bessie.

— Je me demande si Jack a vu cet article, dit Édith.

— Ça lui fera plaisir, non ? lança Bessie. Regardez, il y a même la liste de ses livres, ajouta-t-elle en désignant le dernier paragraphe.

— À mon avis, il ne sera pas très content que l'on suggère que ses livres doivent beaucoup plus au fantôme d'un soldat confédéré qu'à son talent, dit Charlotte.

Dani ferma brièvement les yeux. Charlotte avait raison. Jack n'allait pas être content du tout.

21

— Vous allez vous marier, Jack et toi ? demanda Matt en fin d'après-midi.

Dani leva les yeux, sans cesser de disposer des petits tas de pâte à cookie sur la plaque à pâtisserie.

— Pourquoi cette question ?

Son fils plongea un doigt dans la boule de pâte et le lécha.

— Tu sors avec lui.

— Je l'aide à décorer Beau Soleil, c'est tout.

— Il va t'emmener à un mariage. Tu as même acheté une nouvelle robe.

Dani, dont le budget était serré, se reprochait cette extravagance – une robe en soie qui soulignait ses formes et bruissait quand elle marchait. Elle l'avait essayée devant Orélia, qui avait émis un sifflement d'admiration.

— Avec ça, Jack est fichu, pour sûr.

Ensuite, Orélia avait entraîné Dani dans un magasin où la jeune femme avait aussitôt repéré les chaussures adéquates. Étant rouge vif, elles n'iraient qu'avec cette robe, et les talons étaient si minces et si hauts qu'elle risquait de se casser une cheville dès le premier pas... Mais dès qu'elle les avait enfilées, elle avait été séduite. Il lui fallait ces escarpins.

— C'est un vieil ami de Jack qui se marie, et je l'accompagne, c'est tout.

— Tant mieux, fit Matt en piochant dans la fournée précédente, qui était en train de refroidir. Je suis bien content que tu ne te maries pas avec lui.

— Ah, bon ? fit Dani, surprise, car l'enfant adorait visiblement Jack.

— Oui. J'aime beaucoup Jack, reprit le petit garçon, la bouche barbouillée de chocolat. Mais si vous vous mariez, il sera mon papa.

— Je suppose, dit-elle prudemment. Mais je n'ai pas l'intention de me marier avec qui que ce soit.

— OK.

Matt haussa ses épaules minces sous le maillot de l'équipe de base-ball qu'on venait de lui octroyer. Il n'était que remplaçant, mais l'entraîneur lui avait promis qu'il ne passerait pas toute la saison sur le banc de touche. Grâce à Jack.

Il prit un autre cookie.

— Si tu épousais Jack, il deviendrait mon papa, et peut-être qu'il ne voudrait plus jouer avec moi ou parler de base-ball ou de voitures. Ou venir assister à un match quand je jouerai, comme il a dit qu'il le ferait.

La gorge de Dani se serra. Elle avait épousé un homme qu'elle n'aimait pas vraiment afin d'oublier Jack, et elle avait ainsi déclenché une série d'événements qui avaient blessé son enfant.

— Oh, chéri… fit-elle en caressant les cheveux de son fils. Tu n'as pas à t'inquiéter. Si Jack a promis de venir te voir jouer, il le fera. Il tiendra parole.

Le rugissement de la GTO leur fit lever les yeux.

— Le voilà !

Matt repoussa brutalement sa chaise, bondit sur ses pieds et courut dehors. Dani s'essuya les mains sur son tablier, puis suivit son fils.

— Hé, Jack ! criait Matt en bombant le torse. Regarde ! Je fais partie de l'équipe !

— J'étais sûr que tu y arriverais, répondit Jack en décochant un clin d'œil à Dani. Je t'avais bien dit que tu étais doué, non ?

— Je ne jouerai pas tout de suite, mais M. Pitre, l'entraîneur, dit que c'est important d'être remplaçant et de savoir rentrer dans la partie n'importe quand.

— C'est vrai. Il faut un vrai talent pour être capable de démarrer au quart de tour.

— M. Pitre a dit exactement la même chose. Nous sommes les Panthères de Blue Bayou. Tu savais que des panthères noires vivaient ici autrefois ?

— Il me semble l'avoir entendu dire, mais je n'en ai jamais vu.

— C'est parce qu'elles ont toutes disparu. Mais c'est quand même un nom supercool pour une équipe, tu ne trouves pas ?

— Si, c'est génial.

— M. Egan, le coiffeur, nous sponsorise. On va avoir des photos et tout ce qu'il faut. Et on va aller dans un camp spécial pour s'entraîner et souder l'équipe.

— C'est formidable. Il faut fêter ça. Je propose que nous allions tous les trois dîner au *Cajun Cal's Country Café* et voir le film que donne l'Emporium, *La Grande Casse*. Ce n'est pas le remake mais l'original, qui date de 1974.

— On peut, m'man ? s'écria Matt en tournant vers sa mère un regard ébloui.

— J'ai déjà fait la sauce des spaghettis.

Ce n'était pas aussi appétissant que la carte du *Cajun Café*, mais Matt en aurait mangé tous les jours de la semaine si elle n'avait pas insisté pour diversifier son alimentation.

— Ça peut se garder jusqu'à demain soir, dit Jack.

— Oui, m'man, ça peut se garder, répéta Matt.

Son visage rayonnait d'excitation.

— *La Grande Casse*, c'est ce film où on vole des voitures ? demanda Dani, les sourcils froncés.

— Oui, répondit Matt. Tu te rappelles, je voulais louer la cassette.

— Je me rappelle aussi que j'ai refusé parce que ce film est déconseillé aux enfants de moins de treize ans.

— Voyons, m'man ! Je ne vais pas me mettre à voler des voitures. C'est juste l'histoire inventée d'un type qui renonce à une vie de criminel mais doit voler pour sauver son frère. À la fin, il y a une poursuite et quatre-vingt-treize bagnoles sont détruites.

— Voler et détruire des voitures, murmura Dani. Quelle louable ambition !

— Ce n'est qu'un film, Danielle, intervint Jack. Et la version de 1974 doit être moins violente que le remake. Si ça peut te rassurer, je ferai ensuite une petite conférence sur les risques qu'on court lorsqu'on conduit une voiture qui ne nous appartient pas.

Le vol de voitures, Jack en avait expérimenté les conséquences. Elle eut du mal à retenir un sourire.

— Bon, d'accord, dit-elle à son fils. Après tout, tu es le premier joueur de base-ball de la famille. Je reconnais que ça mérite une petite fête.

— Ouais ! cria Matt en brandissant le poing.

— Dépêchons-nous d'y aller avant qu'elle ne change d'avis, suggéra Jack. Tu aimerais emmener quelqu'un ?

Le front de Matt se plissa.

— Un ami, tu veux dire ?

— C'est exactement ce que je veux dire.

— Il y a Danny Pitre. C'est le fils de l'entraîneur et le meilleur joueur de l'équipe. J'ai échangé ma Dodge Viper GTS contre sa DeTomaso Pantera à la récréation, hier.

— Passe-lui un coup de fil. Je t'attendrai dehors avec ta mère.

— D'accord !

Matt se rua dans la maison en laissant la porte-moustiquaire claquer derrière lui.

Se rappelant ce qu'il avait dit de Jack et de l'indifférence des pères envers leurs enfants, Dani secoua la tête. Quelle triste leçon elle lui avait donnée sans le savoir ! Une leçon sûrement plus nocive à long terme qu'un film sur un voleur de voitures.

— Merci, dit-elle à Jack. J'aurais dû deviner que la soirée méritait autre chose que des spaghettis et des boulettes de viande.

— Les spaghettis et les boulettes de viande, c'est très bon. Et si tu envisageais de m'inviter à dîner demain soir, je ne refuserais pas.

Dani avait craint que faire l'amour avec Jack ne complique les choses. Au lieu de quoi, leur relation avait pris un tour plus aisé. Plus épanouissant.

— Entendu, c'est un rendez-vous. Non, un marché, rectifia-t-elle tandis qu'ils rentraient dans la cuisine.

— Les marchés, c'est quand on négocie le prix d'une voiture ou qu'on plaide coupable pour obtenir une réduction de peine. Ce dont je parle, Danielle chérie, c'est bel et bien d'un rendez-vous.

Son sourire compensa largement la mauvaise journée qu'avait eue Dani. Ce qui lui rappela le tabloïd qu'elle avait vu au magasin.

— Au fait, tu es allé à la supérette, aujourd'hui ? demanda-t-elle avec une désinvolture feinte.

— Oui. Mais j'aurais pu m'en passer, car le téléphone n'a pas arrêté de sonner de la journée. Je suis surpris qu'autant de gens lisent ce torchon.

— À mon avis, ils se contentent de lire les titres. Tu es furieux ?

— Si je m'énervais chaque fois que j'entends des imbécillités sur mon compte, il y a longtemps que je me serais payé un ulcère... Sans compter que, moi-même, je gagne ma vie en racontant des mensonges.

— Tu écris de la fiction. Les journaux sont censés rapporter des faits.

— Aucune personne moyennement intelligente ne considère ce torchon comme un vrai journal, dit Jack en attirant Dani à lui. Ne t'inquiète pas, je ne suis pas en colère... Mmm ! Tu sens rudement bon.

— Merci. Mais je crois que c'est l'odeur des cookies.

— Des cookies ? Au chocolat ? s'écria-t-il en découvrant le plat.

— Y a-t-il une autre sorte de cookies ?

— Je savais que j'aurais dû t'épouser.

« Vas-y, dis-le-lui », glapit de nouveau la petite voix dans la tête de Dani.

— Nous étions trop jeunes pour nous marier.

— Probablement, admit-il. C'est sûr qu'à l'époque je n'aurais pas fait un bon mari. Mais, ajouta-t-il avec un sourire malicieux, si tu m'avais promis des cookies au chocolat de temps en temps, je me serais donné du mal… Et, à propos, j'ai une très bonne idée.

— Tu me fais peur.

— Laissons Matt et son copain s'installer devant et se délecter des carambolages, et mettons-nous au balcon pour flirter tranquillement.

Treize ans plus tôt, l'obligation de se cacher les avait privés de ce petit plaisir.

Dani éclata de rire. Elle se sentait étrangement jeune et insouciante pour une femme qui, quelques semaines auparavant, se trouvait presque à la rue et accablée de dettes. Elle n'avait toujours pas de maison et continuait à rembourser les dettes de Lowell, mais sa vie était beaucoup plus satisfaisante qu'en Virginie.

Et elle avait beau en vouloir énormément à son père, ses relations avec lui étaient plus naturelles. La veille, alors qu'elle était en train de faire ses comptes dans la cuisine, il lui avait dit qu'il était fier de la femme qu'elle était devenue. Sa surprise avait été telle qu'elle avait effacé sans le vouloir la somme inscrite sur sa calculatrice, et il lui avait fallu tout recommencer.

— Excellente idée, dit-elle avec un sourire.

— Et dis-toi que la soirée ne fait que commencer, ajouta-t-il avant de l'embrasser.

Deux jours plus tard, Dani et Matt buvaient de la limonade sous le chêne qui ombrageait le jardin d'Orélia.

— Dès que nous aurons emménagé dans l'appartement, nous irons faire un tour au refuge pour animaux, déclara Dani.

L'espoir illumina les yeux bleus de l'enfant.

— On va vraiment adopter un chien ?

— À moins que tu ne préfères un chat.

— Non. Mark Duggan a un siamois qui court derrière les balles, mais la plupart des chats ne font que dormir. On ne peut pas jouer avec eux.

— Alors, il vaut mieux prendre un chien.

— Tu parles sérieusement ?

— Très sérieusement.

— Oh, merci, m'man !

Il se jeta sur elle, manquant de peu renverser leurs verres de limonade.

— Tu es la plus gentille maman du monde. De l'univers, même !

— Il faudra que tu le sortes régulièrement.

— Ça sera amusant… Tu parles d'un vrai chien ?

— Existe-t-il des faux chiens ? demanda-t-elle, perplexe.

— Non. Mais je pense qu'on devrait prendre un bâtard. Comme Mev'là. Jack dit que ce sont les plus malins. Si on prend un toutou avec un nœud rose et des ongles vernis comme celui de la mère de Danny, les autres vont se moquer de moi et je devrai encore me battre.

— Tu ne te battras plus, dit Dani d'un ton sévère. De toute façon, tu n'as pas à t'en faire. Je ne me vois pas vernir les ongles d'un chien.

Elle baissa les yeux sur les orteils qui dépassaient de ses sandales. Cela faisait une éternité qu'elle ne s'était pas mis de vernis.

— On pourra lui acheter un bol avec son nom dessus ?

— Pourquoi pas ? Bien sûr, il faudra d'abord lui trouver un nom.

— Oui, fit Matt.

Il réfléchit une seconde, avant de reprendre :

— Il vaudrait mieux prendre un mâle, comme ça il pourra avoir des bébés avec Mev'là. Ça serait cool, non ?

— Ça demande réflexion.

Jack ne tenait sûrement pas à ce que Beau Soleil soit envahi par une portée de chiots, mais elle lui laisserait le soin de tirer à bout portant sur cette idée.

— J'ai hâte que Jack arrive pour lui dire ça.

Lorsque la GTO s'arrêta devant la maison, Matt bondit vers la voiture, tandis que Dani restait sous l'arbre, à regarder Jack s'extirper de son siège.

Il ne quittait plus ses pensées. Comme autrefois. Le matin, elle regrettait de ne pouvoir se réveiller à côté de lui. Le soir, alors qu'elle n'avait pas souffert de la solitude après le départ de Lowell, elle avait l'impression de se coucher dans un lit aussi vaste et désert que le Sahara, et les longues heures qu'elle passait à chercher le sommeil étaient peuplées de pensées érotiques.

Pour la première fois depuis des années, Dani était très consciente de son corps. Chaque nerf, chaque fibre, chaque cellule de son être était douloureusement vivant. Et réclamait satisfaction.

Cependant, s'il ne s'était agi que de sexe, elle ne se serait pas inquiétée. Le problème, c'était qu'elle avait l'impression qu'il s'agissait aussi d'amour.

« Quel bon père il ferait ! » se dit-elle pour la énième fois, en regardant Jack écouter avec attention le petit garçon qui sautillait d'excitation devant lui.

Elle devait le mettre au courant, se répétait-elle une douzaine de fois par jour, pour se raviser aussitôt. Il lui fallait d'abord voir si leurs sentiments étaient sérieux, ou s'ils n'étaient qu'une illusion née des souvenirs idéalisés d'une vieille histoire d'amour.

Elle avait appris, à ses dépens, que les dénouements heureux ne se produisaicnt que dans les livres et dans les films. Mais maintenant qu'elle avait retrouvé Jack, elle ne pouvait s'empêcher d'espérer de nouveau. Comment refuser le bonheur ? Et le refuser à son fils ? En voyant cet enfant intelligent et trop studieux se transformer parfois en une boule d'énergie bien de son âge, Dani n'avait pas le cœur de restreindre le temps que Jack et lui passaient ensemble.

En outre, il était visible que Jack appréciait aussi la compagnie de Matt. L'homme sombre et égocentrique qu'elle avait retrouvé en rentrant à Blue Bayou avait cédé la place à un homme gai et chaleureux.

Elle lui dirait tout. Il lui fallait juste encore un peu de temps.

— Tu es bien silencieuse, ce soir, dit Jack comme ils roulaient sur la route du bayou. La journée a été dure ?

— Non, pas particulièrement. Je réfléchissais, c'est tout.

— Ça, c'est dangereux.

— Je te dois des excuses. Je regrette de t'avoir accusé d'utiliser Matt pour me séduire. Tu lui fais beaucoup de bien, et je te remercie de lui consacrer autant de temps.

— Je l'aime beaucoup. C'est un gosse génial... Tu as fait du bon boulot avec lui, ajouta Jack en tirant sur la tresse de Dani.

— J'aurais dû faire mieux.

— La vie est pleine de « j'aurais dû ». Il faut s'en méfier, sinon ils vous bouffent.

— Tu as sans doute raison.

— Crois-moi, je suis un expert dans ce domaine.

L'avant-veille, en regardant le fils de Dani dévorer un cheeseburger, des frites et une glace au chocolat, Jack s'était rendu compte qu'il n'avait plus de cauchemars et ne se réveillait plus en sueur au milieu de la nuit.

Et ce matin-là, tandis qu'il buvait son café en regardant le soleil se lever, il avait eu une sensation bizarre. Il finissait sa seconde tasse lorsqu'il avait mis le doigt dessus : le remords du survivant ne lui rongeait plus les tripes.

À cela s'ajoutait qu'il ne buvait plus, sinon une bière de temps en temps, et fumait de moins en moins. Non seulement Danielle Dupree donnait un coup de fouet à ses hormones, mais en plus elle avait un effet bénéfique sur sa santé.

— Tu vas bientôt t'installer dans l'appartement ?

— La semaine prochaine. Orélia m'a proposé de continuer à garder Matt après l'école.

— Tu ne pourrais trouver meilleure baby-sitter.

— Je sais… Elle a aussi suggéré que papa reste chez elle, ajouta Dani en soupirant.

— Ça me paraît être une bonne idée, puisqu'elle a été infirmière. En outre, sa maison est beaucoup plus grande que ton futur appartement.

Beau Soleil apparut au détour d'un virage, telle une demeure féerique dans le crépuscule.

— Rappelle-toi que tu as promis un chien à Matt. Tu vas avoir besoin de place.

— Oui, tu as raison, admit-elle comme ils s'arrêtaient devant la maison. Mais ce n'est pas ce que j'avais prévu.

— Eh bien, c'est ça, la vie : on fait des projets, et il arrive autre chose.

Il glissa la main sous le chemisier de Dani et vit le désir briller dans ses yeux.

— À propos de projets…

— Ça y est. Michael, mon personnage, est tombé amoureux, annonça Jack.

Ses deux frères, Alcée et lui s'étaient donné rendez-vous dans la cabane Callahan pour une friture de poissons-chats.

Une soirée d'enterrement de vie de garçon incluait normalement une virée à La Nouvelle-Orléans, histoire de picoler et d'écumer les boîtes à strip-tease du Quartier français. Mais, connaissant Alcée, Jack savait que l'ancien prêtre aurait tenté de « sauver » les filles cinq minutes seulement après avoir commandé sa boisson.

Aussi avait-il convié tout le monde à la cabane. Ils pêcheraient, mangeraient leurs prises, joueraient aux cartes et taquineraient Alcée, le premier d'entre eux qui se jetait dans les rets du mariage.

— Tu parles d'une surprise, ricana Nate.

Il se renversa sur son dossier, posa ses bottes sur la rambarde et avala une gorgée de bière Dixie, dont Jack avait mis une bonne réserve à rafraîchir dans une glacière.

— Ton héros consomme autant de nanas que Tiny Dupree bouffe d'écrevisses.

Tiny Dupree pesant près de cent cinquante kilos et remportant depuis des années le concours des mangeurs d'écrevisses lors du festival cajun, ce n'était pas peu dire. Et ce n'était pas faux. Car, si les romans de Jack comportaient de la violence, il ne lésinait pas non plus sur les scènes d'amour torrides. Ce qui, selon son agent, expliquait le nombre hallucinant de femmes parmi ses lecteurs.

— Il ne s'agit pas de ce genre de femmes. Mais de LA femme.

— Quoi ? s'écria Nate en reposant brutalement les pieds par terre. Tu ne vas pas le marier, quand même ?

— Pas tout de suite.

Jack n'était pas idiot. Les succès féminins de son personnage plaisaient aux lecteurs, tandis que les lectrices comprenaient qu'il se console en attendant de rencontrer celle qui lui ferait oublier que son épouse était morte à sa place dans l'explosion de leur voiture.

En outre, sa propre vie amoureuse ayant été chaotique, Jack ne voyait pas pourquoi il en aurait offert une plus facile à son héros.

— Peut-être plus tard, ajouta-t-il.

Jack vit le regard de Nate s'éclairer. Le cadet des Callahan avait beau être le seul de la fratrie à ne pas avoir embrassé la carrière de flic, ses capacités de déduction n'étaient pas mauvaises.

— Ceci aurait-il quelque chose à voir avec une jolie bibliothécaire ? demanda Alcée.

Jack se balança d'avant en arrière sur sa chaise.

— C'est possible. Faut que je vous dise, les copains, je n'ai rien éprouvé de tel depuis Yeoman Rand.

Un soupir lui échappa au souvenir de cet amour d'enfance.

— Tu étais amoureux de Yeoman Rand ? De *Star Trek* ?

— Eh oui... À douze ans, j'ai imaginé l'histoire suivante : l'*Enterprise* partait accomplir une mission secrète sur Alpha du Centaure quand arrivait un appel de détresse provenant d'une planète inconnue.

— Ce qui était un piège, suggéra Alcée.

— Bien sûr. Un piège monté par des extraterrestres qui s'étaient si longtemps mariés entre eux qu'ils avaient besoin de sang neuf.

— Du sang de blonde, renchérit Nate.

— Naturellement. Bref, ils kidnappaient Yeoman Rand pour l'utiliser comme esclave sexuelle et repartaient vers leur planète, laquelle se trouvait dans un univers parallèle.

Alcée éclata de rire.

— Que savais-tu des esclaves sexuels à l'âge de douze ans ?

— J'étais un enfant prodige, répliqua Jack. Et j'ai toujours eu une imagination fertile, moi.

— Alors, poursuivit Nate, tel le capitaine Kirk, tu apparaissais et sauvais la dame.

— Exact. Car je passais justement par là dans mon petit vaisseau à deux places de couleur criarde. Inutile de dire que Yeoman se montrait extrêmement reconnaissante.

— J'imagine, fit Nate. Ce n'est pas étonnant que tu sois devenu écrivain. Dire que je me contentais de feuilleter en cachette les *Playboy* de Finn !

— Les *playmates* étaient très sexy, admit Jack. Mais elles ne valaient pas Yeoman Rand. J'ai passé beaucoup de temps à nous imaginer nus, mais pas une seconde je n'ai rêvé de mariage ni de bébé.

— Et tu y penses, ces jours-ci ? demanda Alcée.

— Peut-être bien.

Pour une raison inconnue, depuis le soir où Dani, Matt et lui étaient allés au cinéma, Jack ne pouvait chasser de son esprit l'image de la jeune femme enceinte de lui. Un rêve presque aussi émoustillant que celui dans lequel il la portait pour franchir le seuil d'une chambre d'hôtel des Caraïbes et la déshabillait lentement, avant de lui faire l'amour dans la clarté blanche de la lune des tropiques.

— Putain ! s'écria Nate. Mon grand frère est amoureux.

— Garde-le pour toi. Je n'en ai rien dit à Dani.

— Tu comptes la mettre au courant ? Ou tu vas attendre qu'elle lise ton roman et en déduise ce qui la concerne ?

— J'ai une idée, mais ce n'est pas encore très précis... Quand j'ai acheté Beau Soleil, ça m'a paru une bonne façon de faire un pied de nez au juge. Le mauvais garçon qu'il avait chassé de la ville revenait, riche et célèbre, et s'installait dans la maison d'où lui-même avait été expulsé. Il ne me manquait plus qu'une chose pour parachever ma vengeance : courtiser la fille que j'avais reçu l'ordre d'éviter.

— C'est un sentiment compréhensible, intervint Alcée. Pas vraiment admirable mais, vu ce que t'a fait le juge, excusable.

Alcée, lui, aurait sans doute tendu l'autre joue, se dit Jack. Et n'aurait pas entretenu de rancœur aussi longtemps que lui.

— Et puis, les choses ont changé, reprit-il. J'ai compris que je ne voulais pas Danielle parce qu'on me l'avait refusée, mais parce que je la voulais, point. Ce qui m'a amené à penser que nous étions peut-être destinés à revenir ici afin d'accomplir ce qu'on nous avait empêchés de faire.

— Les voies du Seigneur sont impénétrables, commenta Alcée en ouvrant une canette de Coca-Cola.

— Que ce soit Dieu ou le destin, je me sens empli de gratitude.

Jack finit sa bière et en prit une autre.

— Parfois, après avoir raccompagné Dani chez Orélia, je m'assois sur la véranda de Beau Soleil et je nous imagine tous les deux en train de vivre dans cette maison, de nous aimer, de regarder nos petits-enfants jouer avec ceux de Mev'là, et vous savez quoi ?

— Ça te donne envie de reprendre du service dans la brigade des stups ? suggéra Nate.

— Non. Cette perspective m'enchante.

— Putain, Jack ! Cette image de bonheur familial me fout la trouille.

— Ça ne m'étonne pas. Toi, pour que tu t'engages avec une femme, il faudrait trois hommes en blanc armés d'une camisole de force et d'un revolver à tranquillisants. À propos de bonheur familial, comment va Suzanne ? Comment s'est terminée l'escarmouche au sujet de la vaisselle ?

— Aux dernières nouvelles, elle penche pour le style Chantilly, mais je n'ai pas à m'inquiéter, car elle s'est lassée d'attendre ma demande en mariage et s'est fiancée avec l'un de ses anciens copains de fac.

— Te voilà sauvé, une fois de plus.

Nate déclarait souvent qu'il préférerait se baigner à poil au milieu d'une bande d'alligators plutôt que de passer sa vie entière avec une seule femme. Se rappelant qu'il avait pensé de même, Jack attendait le jour où son frère regretterait ses paroles.

Il jeta un coup d'œil à Finn qui, debout à l'extrémité du ponton, sirotait le même verre depuis une heure. Il n'était pas intervenu dans la conversation et n'avait sans doute pas prononcé plus de dix mots depuis l'instant où Jack l'avait retrouvé à l'aéroport Louis Armstrong de La Nouvelle-Orléans.

Jack se leva et alla rejoindre son frère aîné.

— Eh bien, qu'en dis-tu ? demanda-t-il.

— C'est un sujet sérieux, répondit simplement Finn, sans détourner les yeux des nuages noirs qui traversaient le ciel au-dessus du bayou.

— Et dire que les gens te trouvent peu loquace !

— J'ignorais que les gens parlaient de moi.

— Seigneur, tu prends tout au pied de la lettre... Ce n'était qu'une boutade. Mais c'est vrai qu'on a pas mal parlé de toi dans le coin, lorsqu'on t'a invité pour la seconde fois à la Maison-Blanche pour te féliciter d'avoir pincé un tueur en série.

— Je l'ai pincé trop tard.

— Finn, tu as sauvé la femme qu'il gardait prisonnière. Pense à toutes celles qu'il aurait tuées si tu ne l'avais pas arrêté.

— Va dire ça à la mère de Lori Hazelton.

La jeune fille de dix-neuf ans avait disparu lors de la foire du comté de San Diego. Son corps mutilé avait été retrouvé peu après dans les buissons de Griffith Park.

— Tu ne pouvais pas deviner qu'un pervers la prendrait pour cible.

— Lori a été la première, dit Finn en pressant son verre contre sa tempe. Mais elle n'a pas été la dernière.

— C'est vrai, ces meurtres ont été tragiques, mais les choses auraient été bien pires si tu n'avais pas mis la main sur ce monstre.

Son frère répondit par un haussement d'épaules. Des trois fils Callahan, Finn avait toujours été le plus exigeant envers lui-même, le perfectionniste qui tentait d'égaler leur père. Jack avait pris le rôle du voyou, du rebelle, tandis que Nate jouait au garçon accommodant que tout le monde aimait.

Un nuage en forme d'enclume traversa le croissant de lune, signe que la saison des ouragans était proche.

— Il y a toujours quelqu'un qui nous hante, déclara Finn après un long silence.

— Ouais.

Jack en avait fait l'expérience, hélas. Il avait eu sa part de fantômes, dont une splendide Colombienne qu'il revoyait couchée en travers d'un lit, sa chemise de nuit inondée de sang, le visage à peine reconnaissable tant elle avait été rouée de coups.

— Si tu veux exorciser tes démons, tu devrais peut-être m'imiter.

— C'est-à-dire ?

— Trouve-toi une femme. Je me suis aperçu l'autre jour que je n'avais plus de cauchemars depuis que Dani est revenue à la maison.

Finn regarda son frère avec la même intensité que la nuit où, quinze ans plus tôt, Jack était rentré à 2 heures du matin, empestant la bière et le hasch.

— Je n'aurais jamais cru que je t'entendrais utiliser l'expression « à la maison » pour parler de Blue Bayou... Tu t'enracines, finalement, murmura-t-il.

— Bien que je redoute toujours de tout foutre en l'air, oui, c'est vrai.

— À cause de Dani.

— Oui.

Finn réfléchit en silence.

— Parfait, dit-il enfin.

22

L'église était pleine, preuve du grand nombre d'âmes qu'Alcée avait touchées, à sa façon discrète. La mariée était très belle, comme il se doit, et ses yeux brillaient de bonheur. Le marié, très nerveux au début, rayonna dès qu'il eut survécu à la cérémonie.

Les mariages faisaient systématiquement pleurer Dani, et celui-ci n'échappa pas à la règle. Elle dut se réfugier dans les toilettes de la salle paroissiale, où avait lieu la réception, afin de rafraîchir son maquillage.

Comme elle se tamponnait le contour des yeux pour effacer les traînées de mascara, Désirée Champagne sortit de l'une des cabines. Sa coiffure, visiblement l'œuvre d'un artiste de la ville, lui donnait l'air d'émerger tout juste d'étreintes amoureuses. Ses yeux étaient habilement maquillés, son teint était d'un blanc crémeux et ses lèvres rouge vif. Une robe en soie bleue collait voluptueusement aux courbes de son corps.

— Bonjour, Dani, dit-elle avec un sourire froid, tout en examinant la jeune femme des pieds à la tête. Tu as l'air en pleine forme. La vie dans une bourgade semble te convenir.

Elle se lava les mains, puis sortit un poudrier doré de son sac Prada et se tamponna le nez.

— Je comprends pourquoi Jack n'a plus le temps de voir ses vieux amis.

— Il est très occupé, avec la restauration de Beau Soleil.

— Cette excuse en vaut bien une autre, fit Désirée avec un rire de gorge.

Son regard ironique rappela à Dani celui de Jack. Rien d'étonnant à ce qu'ils aient été attirés l'un par l'autre, songea-t-elle. Ils étaient tous les deux des rebelles fort séduisants.

— Tu es très belle, dit Dani. Comme toujours.

— Je prends soin de moi.

Un solitaire étincela à son doigt tandis qu'elle faisait gonfler ses cheveux. D'autres diamants brillaient à ses oreilles.

Elle sortit un bâton de rouge et le promena sur ses lèvres.

— Je n'aime pas tourner autour du pot, Dani, alors je vais te le dire carrément : j'aurais préféré que tu ne reviennes pas à Blue Bayou.

— Je regrette que cela t'ennuie.

— Oh, ça va.

Désirée haussa les épaules, ce qui fit glisser légèrement sa robe sur ses épaules, juste ce qu'il fallait pour susciter l'intérêt des hommes. Dani se demanda si ce geste était accidentel ou s'il était le fruit d'un long entraînement.

— Mon histoire avec Jack n'a jamais été très sérieuse. Mais j'avais pris l'habitude de l'avoir tout à moi.

— Dois-je dire que je suis désolée de t'avoir volé le temps que Jack te consacrait ?

— Si tu n'es pas sincère, ne dis rien.

— Alors, je ne dirai rien.

Désirée lui décocha un sourire éblouissant. Dani ne put s'empêcher de le lui rendre.

— Excuse-moi, reprit-elle. Il faut que j'y aille. Jack doit se demander où je suis passée.

— Laisse-le se poser des questions, conseilla Désirée. C'est bien que les hommes sachent que les femmes n'accourent pas au moindre claquement de doigts.

— Jack n'est pas comme ça.

— Non, c'est vrai. Vu la façon dont il te regardait pendant le mariage, il est évident que vous avez repris l'histoire là où vous l'aviez interrompue.

— Tu étais au courant ?

— Bien sûr. Jack et moi n'avons jamais eu de secrets.

— Et à l'époque, lui et toi…

Dani s'interrompit, un doigt sur les lèvres.

— Tu veux savoir si on couchait ensemble ?

Dani secoua la tête.

— Ça m'est égal. C'était il y a longtemps, et ça ne me regarde pas.

— Bien sûr que si. Parce que tu l'aimais. Et qu'il t'aimait.

Dani était partagée entre le désir d'éviter cette femme que Jack avait embrassée, caressée et pénétrée, et l'envie de lui demander ce qu'elle savait des sentiments de Jack à l'époque.

— Allons dans le jardin parler du bon vieux temps, suggéra-t-elle.

Cette fois-ci, le rire de Désirée n'eut plus rien d'enjoué.

— Chérie, si Jimmy Ray n'avait pas eu plus d'argent que Dieu lui-même, tu ne m'aurais jamais conviée à tes réceptions de donateurs. Toi et moi n'avons pas de « bon vieux temps » à évoquer.

— Mais Jack et toi, si ? demanda Dani comme elles sortaient.

Le jardin, situé entre l'église et la cure, avait été destiné à la prière et à la contemplation. Des haies touffues protégeaient un dédale d'allées. Dani et Désirée s'éloignèrent de la réception et s'assirent sur un banc en fer forgé.

— Jack est comme le bayou, dit Désirée en allumant une longue cigarette très fine. Des eaux calmes et impénétrables qui cachent de mystérieuses profondeurs... Il a failli tuer mon beau-père, tu sais.

— Ah, bon ?

— Oui. D'un coup de batte sur la nuque – il rentrait de l'entraînement de base-ball. Il aurait tué ce salaud si ma mère n'était pas arrivée et ne s'était pas jetée sur lui en hurlant, toutes griffes dehors... Seigneur, ça a été une des pires journées de ma vie ! ajouta-t-elle en lâchant une bouffée de fumée.

— Pourquoi Jack a-t-il frappé ton beau-père ?

— Parce que ce salopard était en train de me violer dans l'appentis derrière notre maison.

Comment pouvait-on raconter une chose aussi affreuse d'une voix aussi calme ? se demanda Dani avec un mélange d'horreur et de stupéfaction.

— Oh, ce n'était pas la première fois. Et je n'étais pas vierge car, Jack et moi, nous nous amusions depuis des mois.

Dani s'interdit de penser à cela.

— Ton beau-père n'a aucune excuse. Il n'avait pas le droit de faire une chose aussi monstrueuse. Il a été arrêté ?

— Non. Je n'ai pas voulu porter plainte. Je n'avais pas très bonne réputation, et j'ai eu peur qu'on ne me croie pas. Et puis, Jimbo Lott n'aurait jamais fourré en prison son cousin issu de germain. Alors, Jack a hissé mon beau-père à moitié inconscient dans sa voiture, avec quelques affaires ; il l'a conduit jusqu'à la frontière du Mississippi et l'a jeté sur le bas-côté de la route en menaçant de le tuer s'il s'avisait de revenir à Blue Bayou.

Désirée tira sur sa cigarette, exhala un nuage de fumée et reprit :

— Je ne sais pas si tu as déjà vu Jack en colère, mais c'est effrayant. Plus il est furieux, plus il devient glacial. Et puis, tout à coup, il explose. Ce jour-là, j'ai compris qu'il était capable de tuer quelqu'un. Mon beau-père l'a sans doute compris aussi, car il n'a jamais remis les pieds ici.

— Tu as dû être soulagée, murmura Dani, qui se demandait pour quelle raison Désirée lui racontait une histoire aussi personnelle.

— Oui, bien sûr. Mais pas ma mère, qui était furieuse. Elle a caché le départ de son mari afin de continuer à recevoir ses indemnités. Il avait travaillé dans le bâtiment et souffrait du dos – ce qui ne l'avait d'ailleurs jamais empêché de la rouer de coups. Elle a roulé l'administration pendant six mois jusqu'à ce qu'on s'aperçoive que ce n'était pas mon beau-père qui touchait les chèques et qu'on la mette en prison.

Prise de frissons, Dani serra les bras autour d'elle. Elle avait passé son adolescence à s'apitoyer sur sa situation de gamine mal aimée alors qu'à quelques kilomètres d'elle, une jeune fille de son âge vivait un véritable enfer.

— Je suis désolée. Je ne peux pas imaginer à quel point tout cela a dû être pénible.

— Bien sûr que tu ne peux pas, puisque tu menais une vie de princesse à Beau Soleil. Mais je dois reconnaître que tu n'étais pas comme ces sales gosses de riches qui adoraient répandre des ragots sur mon compte et ricanaient lorsque je les croisais dans les couloirs du lycée. Et, dans tes réceptions en Virginie, tu m'as toujours traitée comme une dame. Bien sûr, tu ne m'aurais pas invitée si Jimmy Ray n'avait pas généreusement alimenté la caisse de ton mari mais, au moins, tu ne m'as pas snobée.

Elle tira sur sa cigarette et recracha une bouffée de fumée.

— Ma mère est morte il y a quelques années, si bien que plus personne, à part Jack et moi, ne connaît cette histoire. Et si je te l'ai racontée, c'est pour que tu comprennes ce qu'il y a entre lui et moi. Très jeunes, nous avons eu le sentiment d'être exclus de la communauté. C'est ce qui a créé ce lien entre nous. Je serai toujours reconnaissante à Jack d'être venu à mon secours, et je ne ferai rien qui puisse le rendre malheureux. Autrement dit, je n'essaierai pas de m'immiscer entre vous deux.

« J'avoue que j'ai mené une vie tumultueuse, mais je me suis calmée quand j'ai épousé mon Jimmy Ray. Peu importe ce que racontent ses enfants, qui ne s'intéressaient aucunement à lui de son vivant, j'ai aimé cet homme et j'ai pris soin de lui lorsqu'il a eu son cancer du poumon.

Les yeux humides, elle joua un instant avec sa bague, puis reprit :

— Jimmy et Jack sont les seuls hommes qui se soient occupés de moi, et je les aimerai jusqu'à mon dernier souffle. Jack ne te l'a peut-être pas dit, puisqu'il n'aime guère parler de lui, mais il a vécu des moments pénibles ces dernières années, et il en souffre encore. Mais c'est le type le plus réglo que je connaisse. Et le plus honnête, ce qui est comique vu qu'il a passé des années à enquêter en clandestin.

Elle jeta son mégot dans sa coupe de champagne vide.

— Il n'a jamais été homme à juger les autres, mais, après avoir dû mentir pendant des années, il ne supporte pas qu'on lui mente.

Elle se leva avec une grâce féline, autre point commun qu'elle avait avec Jack.

— Bien sûr, tu n'as pas à t'inquiéter. Tu ne lui caches rien puisque, grâce aux médias, ta vie s'est déroulée au grand jour. Depuis ton mariage, du moins.

Perplexe, Dani attendait la suite.

— Puis-je te donner un conseil ? demanda Désirée.

— Bien sûr.

— Si tu lui caches quelque chose, n'importe quoi, en relation avec cet été d'autrefois, dis-le-lui. Et vite. Avant que quelqu'un d'autre ne le fasse.

Le cœur de Dani se glaça.

— C'est une menace ?

— Bien sûr que non ! s'écria Désirée avec humeur. Ce n'est qu'un avertissement. Je t'ai dit que je ne ferais rien qui puisse blesser Jack. Mais, malheureusement, tout le monde ne l'aime pas autant que moi, et les secrets ont une curieuse tendance à s'échapper.

Sur ce, elle s'éloigna d'une démarche chaloupée que Dani n'aurait pu imiter, même après des années d'entraînement. À mi-chemin de la salle de réception, Désirée se retourna et lui lança :

— Je t'ai raconté que j'avais travaillé à La Nouvelle-Orléans ?

— Je l'ai entendu dire.

Désirée balaya sa réponse prudente d'un geste de la main.

— Ce n'est pas ce que tu penses. Pendant quelque temps, j'ai vendu des cosmétiques dans une pharmacie du Quartier français. Une boutique minuscule où l'on pouvait à peine se retourner. Rien de luxueux.

Son regard cribla Dani comme un laser.

— Mais, curieusement, j'ai plusieurs fois vu des gens d'ici y entrer pour acheter quelque chose. Je n'y ai pas travaillé longtemps. Seulement deux mois en automne, peu après le départ de Jack pour la Californie.

Les mots sonnaient comme les balises du Golfe qui empêchaient les bateaux de s'échouer. La pharmacie en question était celle où Dani avait acheté son test de grossesse. Bien sûr, Désirée ne pouvait savoir que le résultat avait été positif. Mais si elle connaissait le secret de Dani, il était possible que d'autres personnes l'aient deviné aussi. La situation devenait risquée. D'autant plus qu'à présent, Jack et elle se montraient souvent ensemble, presque comme un couple.

Non, corrigea-t-elle. Exactement comme un couple.

Elle le lui dirait, se promit-elle. Le soir même. En espérant qu'il comprendrait qu'à l'époque, elle n'avait pas eu d'autre choix que de confier son enfant – leur enfant – à une famille adoptive.

Ce qui n'avait pas eu lieu. Car, alors qu'elle s'était ravisée et avait décidé de garder le bébé, sa petite fille était morte avant même d'avoir vécu une journée.

— Orélia m'a parlé d'Alcée, dit Dani tandis qu'elle dansait avec Jack.

Elle ne comprenait pas les mots de la chanson française, mais l'air était triste. Encore une histoire d'amour malheureux, sans doute.

— Elle m'a dit qu'il avait eu un problème d'alcoolisme et qu'il avait renoncé à la prêtrise.

Elle jeta un coup d'œil au bel homme mince qui, les yeux plongés dans ceux de la mariée, ses bras autour d'elle, avait l'air extatique d'un chercheur d'or qui vient de découvrir le filon de ses rêves.

— C'est merveilleux que tout se soit arrangé pour lui.

— Si quelqu'un mérite d'être heureux, c'est bien Alcée, renchérit Jack. Juste avant que Jaycee entre dans l'église, j'ai cru qu'il allait s'évanouir dans mes bras.

— Le cliché du futur marié anxieux repose donc sur une réalité.

— C'est vrai.

Leurs cuisses se frôlaient tandis qu'elle se laissait guider. Jack était un bon danseur, sûr de lui et habile, qui faisait parfois preuve d'une fantaisie qui surprenait sa cavalière. On se sentait en sécurité dans ses bras, mais il savait aussi rompre la routine avant que les choses deviennent ennuyeuses. Voilà à quoi devait ressembler la vie avec lui, songea Dani.

En regardant Désirée, qui chantait avec l'orchestre, Dani se demanda si Jack les comparait toutes les deux et la trouvait, elle, ennuyeuse.

— Est-ce que les hommes ont peur du mariage ? demanda-t-elle avec une curiosité sincère. Est-ce que ça les angoisse de renoncer à leur liberté ?

— Probablement pas plus que les femmes, dit-il en posant une main sur ses reins pour l'attirer contre lui. Et je doute qu'Alcée ait l'impression d'avoir perdu sa liberté. Au contraire, il doit se sentir enfin propriétaire d'un bout du paradis.

La réponse de Jack la surprit. Elle n'aurait jamais imaginé qu'il envisageait le mariage de façon aussi positive.

— Alors, pourquoi était-il anxieux ?

Il glissa une jambe entre les siennes.

— Parce qu'il avait peur d'échouer. De la décevoir.

— Peut-être est-ce cela, le mariage, dit-elle. Des déceptions inévitables, mais un amour assez fort pour que l'un et l'autre veuillent poursuivre l'aventure.

Ce dont avait été privé son propre mariage.

— Tu as sans doute raison, dit Jack, dont la main s'emmêlait dans ses cheveux. À propos de poursuivre l'aventure, que dirais-tu de partir ?

— Avant les mariés ?

— Il y a tellement de monde que nous ne leur manquerons pas.

Ses lèvres effleurèrent le petit creux derrière l'oreille de Dani, cette zone dont il avait découvert la sensibilité la première fois qu'ils avaient fait l'amour.

— D'ailleurs, on pourrait se coller à eux et leur jeter du riz qu'ils ne nous remarqueraient même pas.

Effectivement. M. et Mme Bonaparte n'avaient d'yeux que l'un pour l'autre. Mais Dani avait été élevée dans le respect des convenances. Et, pour être parfaitement honnête, bien qu'elle ait décidé de se confesser à Jack le soir même, elle n'avait nullement hâte de lui annoncer qu'elle l'avait privé de la chance d'être père, ne fût-ce que quelques heures.

— Pourquoi ne règles-tu pas cette question à ta façon, en pesant le pour et le contre ?

Comme Dani ne répondait pas immédiatement, il inclina la tête vers elle et l'embrassa. Ce bref baiser ne fut pas aussi ardent que beaucoup d'autres, mais Dani sentit sa tête tourner et ses jambes faiblir.

— Ta voiture rouge roule toujours aussi vite ? demanda-t-elle quand elle put parler.

— Ce soir, elle va battre son record, promit-il en riant.

Une main sur la cuisse de Dani, l'autre sur le volant, Jack brûla trois feux rouges en traversant la ville qui, heureusement, était déserte, tout le monde étant invité au mariage. Et, malgré cela, le trajet jusqu'à Beau Soleil parut durer une éternité.

La voiture pila dans un crissement de pneus devant la maison. Jack aida Dani à détacher sa ceinture et s'empara de sa bouche. Le désir se faisait impérieux. Il voulait la sentir nue sous lui, goûter sa peau parfumée, la caresser jusqu'à en perdre la raison.

Les mains de Dani lui caressaient le dos tandis qu'il pétrissait ses seins. Elle arracha les boutons de sa chemise amidonnée, et il descendit la fermeture Éclair de sa ravissante robe en soie, dont il fit tomber les bretelles sur ses épaules.

Avide de la toucher, il dégrafa le soutien-gorge qui, grâce au Ciel, s'ouvrait sur le devant. Sa bouche s'empara d'un sein et le mordilla, pendant que sa main se glissait sous la robe. Dani se souleva légèrement pour qu'il puisse achever de la dévêtir.

— Ce n'est pas juste, protesta-t-elle comme il introduisait un doigt en elle.

Les vitres se couvraient de buée, et de grosses gouttes de pluie s'écrasaient sur la carrosserie.

— Qu'est-ce qui n'est pas juste ?

— Il te suffit de me regarder pour que j'aie envie de toi. De prononcer mon nom pour que je fonde. De me toucher pour que toute la retenue que je croyais posséder se volatilise.

Sa respiration haletante et la façon dont elle se cambrait en étaient des preuves indéniables.

— Qu'est-ce qui te fait croire qu'il en va autrement pour moi ?

Sans cesser de la caresser, il ouvrit son pantalon. Les doigts de Dani effleurèrent son sexe.

Il la hissa sur ses genoux, lui écarta les jambes et la pénétra avec une violence qui la fit crier.

Elle le chevaucha, renversée en arrière sur le volant, et ils emplirent la voiture de mots hachés, de cris et de l'odeur de la passion. Lorsque Jack sentit son corps se tendre comme un ressort, il la regarda et songea qu'il n'avait rien vu d'aussi érotique que Danielle Dupree à cet instant. Ses seins blancs brillaient au clair de lune, sa robe était retroussée autour de sa taille, les muscles de ses cuisses crispés, et ses yeux étincelaient d'une façon qui lui aurait valu le bûcher à l'époque de la chasse aux sorcières.

Il l'agrippa par les hanches, plongeant les doigts dans sa chair, donna un coup de reins et s'abandonna à l'orgasme.

23

Un hurlement réveilla Dani.

Jack et elle avaient fini par s'extirper de la voiture, puis, tels les adolescents insatiables qu'ils avaient été, ils avaient fait l'amour dans l'immense baignoire, avant de s'effondrer sur le lit. Comme Matt passait la nuit au camp de base-ball, elle avait pu rester à Beau Soleil. Quant à la conversation qu'elle s'était promis d'avoir avec Jack, elle l'avait reportée au lendemain, et le sommeil l'avait aussitôt happée.

Les nuits dans le bayou n'étaient jamais silencieuses, aussi attribua-t-elle d'abord ce cri à un ragondin qu'étripait un alligator.

Puis elle se rendit compte qu'il ne s'agissait pas d'un cri animal, mais d'un hurlement d'angoisse très humain. Elle se redressa en sursaut et vit que Jack s'était assis dans le lit.

— Jack ?

Elle comprit qu'il était ailleurs. Très loin d'elle, face à quelque chose de terrifiant.

— Jack, réveille-toi, supplia-t-elle en écartant ses cheveux noirs de son visage. Tu es en train de rêver.

Elle prit son menton et tourna sa tête vers elle.

Ses yeux grands ouverts la traversaient comme si elle n'avait pas plus de substance que l'air.

— Ce n'est qu'un rêve, dit-elle. Un cauchemar.

Elle l'entoura de ses bras et fut effrayée de le sentir trembler.

— Tout va bien.

Le regard de Jack perdit de sa fixité, et elle le vit avec soulagement revenir de l'enfer où il s'était aventuré seul.

— Tout va bien, répéta-t-elle en s'efforçant de sourire.

— Merde...

Il se détourna et s'assit sur le bord du lit, les paumes sur ses genoux. Mev'là, qui s'était levée, lui lécha les mains.

— Je suis désolé, Danielle, dit-il. J'ai dû te faire très peur.

— Juste le temps que je comprenne ce qui se passait, dit Dani. Je faisais un rêve merveilleux... Ce qui n'était visiblement pas le cas du tien, ajouta-t-elle en caressant son dos humide de sueur.

— Non. Ce n'était pas du tout le cas. Des cauchemars, j'en ai souvent eu. Même éveillé. Mais ils se sont interrompus peu à peu quand j'ai cessé de picoler. Et, avant cette nuit, je n'en avais pas fait un seul depuis ton retour.

— Ce doit être le plus gentil compliment que tu m'aies fait... Tu as envie de me raconter ton rêve ?

— Non. Mais puisque, apparemment, je n'en suis pas complètement débarrassé et que j'espère que tu oseras encore dormir avec moi, il faut que je te dise la vérité sur mon passé. Tu dois savoir ce que j'ai fait, qui je suis, quitte à ce que, ensuite, tu prennes tes jambes à ton cou.

— Je sais quel genre d'homme tu es, protesta Dani, convaincue que rien de ce qu'il pourrait lui raconter ne modifierait ses sentiments.

— Tu penses le savoir.

— N'insulte pas mon intelligence, Jack. Je te connais. En plus, renchérit-elle en regardant la tête de la chienne nichée dans la main de Jack, Mev'là t'adore, et tout le monde sait que les chiens ne se trompent pas sur les gens.

— Je pourrais te rétorquer que cette chienne a très mauvais goût. La preuve, elle boit dans les toilettes.

— Elle a grondé quand on a croisé Jimbo Lott devant la supérette, l'autre jour.

— C'est vrai, admit Jack en grattant la nuque de la chienne qui, rassurée, se recoucha et se rendormit avec béatitude. Tu sais que j'étais agent des stups…

— Oui.

— Agent clandestin. Ce qui signifie que je ne suivais pas toujours les règles. Je devais constamment improviser et, parfois, il me fallait anticiper les réactions de mon adversaire.

— C'était ton boulot. Un boulot important.

La naïveté de Dani le désarma.

— Tu n'as pas l'air de comprendre, *très chère*. J'ai tué des hommes.

— Ils essayaient de te tuer ?

— Oui, mais…

— Alors, tu n'avais pas le choix.

— C'est ce qu'ont dit les enquêteurs après mon opération.

— Tu as été opéré ?

— Oui. On m'avait tiré dessus. Je m'en suis bien tiré, mais, à cause d'une brève aventure que j'avais eue en Colombie, mon meilleur ami et la femme avec qui je couchais sont morts.

Dani se retint de demander ce qu'il entendait par « brève aventure ».

— Ça a dû être terrible pour toi. Raconte-moi ce qui s'est passé, ajouta-t-elle.

— Ce n'est pas joli, joli.

— Pour ton information, Callahan, je ne suis pas une petite princesse gâtée par la vie qui n'a jamais souffert ni commis d'erreurs. Par exemple, on pourrait m'accuser d'être en partie responsable de la mort de Lowell.

— En voilà une idée !

— Si je ne l'avais pas épousé, il n'aurait pas été élu, il ne serait pas allé à Washington, et l'ambition ne l'aurait pas grisé et rendu capable de tout. Si j'avais été une meilleure épouse, une meilleure amante...

— Chérie, si tu étais une meilleure amante, je serais mort d'une crise cardiaque tout à l'heure dans la voiture.

Elle sourit, puis reprit d'un ton sérieux :

— Ce que je veux dire, c'est que si mon mari ne s'était pas lassé de moi, il ne m'aurait pas quittée pour une autre femme, il n'aurait pas entrepris de déménager et ne se serait pas trouvé sur ce trottoir lorsque le piano est tombé.

— Est-ce que tu te rends compte que tu dis des conneries ?

— Ça m'arrive, c'est vrai. Mais, parfois, je me demande quelle part de notre vie est déterminée par nos actions, et quelle autre est due au destin…

— Nous créons notre propre destin. Ton crétin de mari a scellé lui-même le sien lorsqu'il a été assez stupide pour te quitter. Ce qu'il n'aurait jamais dû faire, car tu es une femme exceptionnelle.

— Tu es très gentil de dire ça.

— C'est la vérité.

Il soupira, puis reprit son histoire, décidé à en terminer une fois pour toutes.

— Dave, mon équipier, et moi enquêtions à Bogotá. Des rumeurs nous étaient parvenues selon lesquelles des trafiquants de drogue construisaient un sous-marin.

— Bogotá est à plus de deux mille six cents mètres d'altitude dans les Andes et à au moins cent soixante kilomètres d'un port, rétorqua Dani.

— On ne peut pas rouler une bibliothécaire, remarqua-t-il avec un petit sourire. Pour être précis, le premier port est à plus de deux cent cinquante kilomètres.

— Pourquoi diable auraient-ils construit un sous-marin à cet endroit ?

— Justement parce que c'était improbable. Ils avaient embauché des ingénieurs issus de la mafia russe et des Américains, et ils étaient effectivement en train de construire un sous-marin capable de transporter deux cents tonnes de cocaïne. D'après les plans que nous avons trouvés ensuite, ils comptaient le trimballer en trois morceaux et l'assembler dans le port de Cartagena.

« Dave et moi passions nos nuits en planque et, un soir que nous avions épuisé le sujet des sports, nous avons abordé celui des femmes. Il m'a parlé de Trish, sa femme, et je lui ai parlé de toi.

— De moi ?

— Oui. Oh, je ne lui ai pas tout raconté. Seulement les bons moments. Ensuite, Dave s'est endormi pendant que je surveillais les alentours. Je contemplais les étoiles en me disant que tu les regardais peut-être aussi, et je me sentais moins seul.

« L'opération avait commencé doucement. Nous avions laissé tranquilles les sous-fifres, de peur de faire capoter le projet. Ce que nous voulions, c'était coincer des types du milieu de la chaîne pour qu'ils nous donnent les noms des grands chefs.

« Dave et moi, nous nous présentions comme des dealers de Los Angeles en quête de drogue. Les premiers jours, nous avons traîné en ville, sans nous cacher et en claquant du fric, exactement comme les gros bonnets de Californie.

— Est-ce vraiment une bonne idée de se faire remarquer lorsqu'on veut acheter des substances illicites ?

— À Bogotá, à cette époque, un tiers des gens était là pour se procurer de la drogue, un tiers pour en vendre, et le dernier tiers détournait la tête et tentait d'éviter les balles perdues. Crois-moi, tout le monde était au courant. Si le personnel de l'hôtel et les chauffeurs de taxi avaient su qui nous étions réellement, nous n'aurions pas obtenu d'eux d'aussi bons services.

— Ce n'est pas difficile de toujours mentir ?

— Si, c'est très dur. Mais je le faisais depuis si longtemps que j'avais oublié que ce n'est pas ainsi que vivent les autres gens – dans la vraie vie.

Songeant à son propre mensonge, Dani garda le silence.

— Les choses semblaient bien s'annoncer. Sauf que, lorsque nous nous sommes pointés dans le hangar, nous ignorions que nous étions cuits. Par ma faute.

— Tout le monde peut faire une erreur.

— Oui. La mienne a été de penser avec mon sexe. Cela faisait quelques mois que j'avais une liaison avec une femme, à Barranquilla. Une journaliste qui enquêtait sur le cartel tout en informant la brigade des stups. Cela m'avait paru une idée de génie – avoir une copine sur place et obtenir des informations utiles. Ce que je n'avais pas compris, c'était qu'elle jouait double jeu. Elle travaillait aussi pour le cartel. Plus tard, j'ai appris qu'elle était la maîtresse de l'un des trafiquants et qu'elle ne couchait avec moi que pour savoir où en était notre enquête.

— Je n'en crois pas un mot, dit Dani.

— Pourquoi ? C'est la vérité.

— Elle cherchait peut-être des renseignements la première fois qu'elle a couché avec toi, mais ensuite, tout ce qu'elle voulait, c'était que tu recommences et que tu lui fasses perdre la tête.

Jack éclata de rire. Qu'avait-il fait pour mériter une seconde chance avec Dani ? Elle transformait sa vie. Et il aimait penser qu'il transformait aussi la sienne.

— En tout cas, elle nous a piégés, mais elle l'a payé cher.

Même s'il parvenait à se débarrasser de ses fantômes, jamais il n'oublierait l'image du corps inerte et ensanglanté de sa maîtresse.

— Son amant l'a tuée. Peut-être a-t-il craint qu'elle ne se montre aussi déloyale envers lui qu'elle l'avait été avec moi. Lorsque nous sommes entrés dans le hangar, l'enfer s'est déchaîné et, pendant quelques secondes, la scène a ressemblé à la fusillade de *Règlement de comptes à O.K. Corral*. Puis nos renforts ont débarqué et, voyant qu'ils allaient être submergés, nos adversaires se sont éparpillés comme des cafards. Dave et moi, nous avions investi beaucoup de temps et d'efforts dans cette enquête, aussi en avons-nous poursuivi deux. L'un d'eux a agrippé une pauvre touriste terrifiée qui passait par là et a appuyé son revolver sur sa tempe. Nous avons reculé.

« C'est à ce moment-là que Dave a été abattu. On lui a tiré dans le dos. Il ne portait pas de gilet pare-balles parce que, comme le jour où mon père est mort, il faisait très chaud. En plus, c'était difficile de cacher ce genre de truc sous une chemise en soie de dealer californien. J'essayais de le mettre à l'abri lorsqu'une balle m'a touché. Lorsque je me suis réveillé, douze heures avaient passé, et j'étais à l'hôpital.

— Gravement blessé ?

— Pas trop, fit-il avec un haussement d'épaules.

— C'est long, un coma de douze heures.

— Eh bien, il a fallu m'opérer pour m'enlever un bout de plomb de la poitrine et réparer mon poumon, mais je suis sorti de l'hôpital à temps pour rapporter le corps de Dave à sa veuve.

— Je suis contente que tu n'exerces plus un métier aussi dangereux.

— Après cet échec, je n'avais plus le cœur de jouer aux gendarmes et aux voleurs, dit-il, soulagé de voir que son récit n'avait pas horrifié Dani. Maintenant, tu sais pourquoi j'ai démissionné. Pourquoi je suis revenu ici.

— Je suis désolée que tu aies perdu ton ami et que tu aies été blessé, mais je ne le suis pas du tout que tu sois revenu à Blue Bayou. Cela nous a permis de nous retrouver.

Elle se pencha et l'embrassa. Avec un gémissement lourd de désir, elle écarta les lèvres. Leurs langues s'emmêlèrent, leurs cœurs se joignirent. Jack plongea les doigts dans ses cheveux soyeux. Les lèvres de Dani étaient chaudes, douces, enivrantes. Il aurait pu l'embrasser éternellement. Il enlaça son corps frissonnant et la fit se rallonger sur le lit.

Après avoir écouté Jack lui raconter la mort de son équipier et de sa maîtresse, Dani n'avait pas osé lui dire qu'il avait aussi perdu un enfant. Ils s'étaient levés tard et avaient fait l'amour sous la douche, si bien qu'elle était arrivée en retard au travail.

La bibliothèque était déserte, et elle profitait de ce moment de tranquillité pour faire un récapitulatif de ses dépenses du mois lorsque Jack entra.

— Viens, *très chère*. Je t'emmène déjeuner.

— Il n'est même pas 11 heures.

— Prenons un brunch, alors.

— Il faut que je finisse ça pour la réunion du conseil municipal, mardi soir.

— Tu as largement le temps.

Il se pencha vers elle, enregistra les données sur l'ordinateur et ferma le fichier.

— Et le palais de justice n'est qu'à deux pas.

— Tu m'emmènes déjeuner au palais de justice ?

— Mais non, dit-il en prenant le sac de Dani et ses clés. On mangera après.

— Après quoi ? demanda-t-elle comme il l'entraînait vers la porte.

— C'est une surprise, déclara-t-il en fermant derrière elle.

— Le conseil municipal ne me paie pas pour faire la grasse matinée et aller déjeuner avec toi au bout de vingt minutes de travail.

— Ne t'inquiète pas. Nate sait que je t'enlève, et il est d'accord.

— Est-ce que tous les frères Callahan sont fous ? Ou seulement toi ?

— Pour Nate et Finn, je ne sais pas. Mais moi, oui, c'est sûr, je suis fou.

Il plongea les doigts dans ses cheveux dénoués et l'embrassa, pour la plus grande joie des clients assis à la terrasse de l'*Espresso Express*.

— Fou de toi, acheva-t-il contre sa bouche.

— Je me suis trompée, marmonna-t-elle sans s'écarter.

— À quel propos ?

— Tu n'as pas changé. Tu es toujours Bad Jack, le démon de Blue Bayou.

— Probablement, admit-il. Mais vu que tu es toujours mon petit ange, tout va bien.

— Ce que tu peux être arrogant, murmura-t-elle.

— Peut-être, mais c'est la vérité, fit-il en passant un doigt sur le nez de Dani.

Existait-il une femme au monde capable de résister à ce sourire séduisant ? se demanda-t-elle, tandis qu'ils traversaient le square pour se diriger vers le palais de justice.

Comme ils passaient devant la statue du capitaine Callahan, elle effleura machinalement les naseaux du cheval. Jack saisit sa main et la porta à ses lèvres.

— Nous avons déjà toute la chance qu'il nous faut, dit-il avec l'accent cajun qu'il prenait lorsque le désir l'enflammait.

Sa bouche alluma des étincelles sur les doigts de Dani. « Que c'est facile pour lui ! » songea-t-elle. Un contact, un regard, et elle fondait.

— Tu n'es pas la seule, murmura-t-il, prouvant une fois de plus qu'il savait déchiffrer ses expressions. Tu me fais le même effet. C'est pourquoi il vaudrait mieux qu'on entre avant que je cède à la tentation et que je te prenne ici même, sur cette pelouse fraîchement tondue.

— Jimbo Lott adorerait ça, marmonna-t-elle. Il pourrait nous arrêter pour attentat à la pudeur et un tas d'autres choses.

— C'est sûr, il adorerait ça. Mais Jimbo n'est plus en mesure d'arrêter qui que ce soit, dit-il en poussant la lourde porte du tribunal avec le même sourire satisfait que Matt lorsqu'il rattrapait une balle difficile.

Les deux frères de Jack se tenaient dans la

rotonde, en compagnie du shérif et d'un autre homme que Dani ne connaissait pas. Nate avait l'air de jubiler. Quant à Jimbo Lott, si son regard avait eu le pouvoir de tuer, il les aurait tous envoyés six pieds sous terre. Comme d'habitude, le visage de Finn restait indéchiffrable.

Dani se souvenait de Finn Callahan comme d'un garçon grand et baraqué. Il n'avait pas changé. contrairement à beaucoup d'anciens athlètes, ses muscles ne s'étaient pas transformés en graisse. Il semblait aussi en forme qu'à l'époque où il jouait dans l'équipe des Boucaniers de Blue Bayou. Ses cheveux avaient une coupe presque militaire, et sa tenue était tout aussi stricte – costume bleu, chemise blanche et cravate rouge. Ses yeux d'un bleu glacial se réchauffèrent lorsqu'il la vit approcher.

— Bonjour, Dani, dit-il. Cela fait longtemps.

— Trop longtemps.

Sans le connaître aussi bien que ses frères, elle se souvenait du calme que sa présence ramenait toujours dans la maisonnée. Sa force tranquille inspirait confiance.

De plus en plus intriguée, elle jeta un bref coup d'œil à Lott, affublé d'un imperméable malgré le soleil, puis sourit à l'inconnu, en essayant de ne pas se laisser impressionner par sa carrure imposante et son visage labouré de cicatrices.

— Je te présente Lee Thomas, dit Finn. Lee, voici mon frère Jack et la plus jolie femme de Louisiane, Danielle Dupree.

— Enchanté de faire votre connaissance, madame Dupree, dit Thomas avec l'accent musical de la Géorgie.

— Tout le plaisir est pour moi, répondit poliment Dani, tout en se demandant ce qu'ils fabriquaient tous ici. Vous faites aussi partie du FBI ?

— Non, madame. J'appartiens au service des marshals. Une unité qui s'occupe d'un peu tout. J'ai travaillé avec Finn lorsque j'étais affecté au service des enfants disparus.

— Je vois, dit-elle, bien qu'elle ne vît rien du tout.

— Content de vous rencontrer, reprit Thomas en serrant la main de Jack. Finn m'a beaucoup parlé de vous.

— Le service des marshals gère aussi le programme de protection des témoins, expliqua Jack à Dani.

— C'est très intéressant, commenta-t-elle, toujours aussi perplexe.

— Nous le pensons aussi, dit Lee Thomas, dont le sourire adoucit le visage peu avenant. L'affaire sur laquelle je viens de travailler, en collaboration avec le ministère de la Justice, la brigade des stupéfiants et le FBI, était particulièrement intéressante. Elle concerne une famille de mafieux de La Nouvelle-Orléans.

— Ah, bon ? fit Dani, saisie d'un pressentiment qui lui donna la chair de poule.

— Oui, intervint Finn. Il s'agit de la famille Maggione.

— Nous protégeons l'un de leurs dealers, qui doit témoigner dans plusieurs procès que nous allons leur intenter, poursuivit Thomas. Finn m'a demandé de faire quelques recherches, et je suis tombé sur le nom de votre père.

— Le nom de mon père ! s'exclama Dani qui, horrifiée, agrippa le bras de Jack. Mais il a déjà purgé sa peine. Il est en liberté conditionnelle.

— Oh, oui, madame, je le sais. Je sais aussi que les services du gouverneur étudient son acquittement.

Le cœur de Dani bondit dans sa poitrine.

— Son acquittement ? répéta-t-elle. Je ne comprends pas.

Elle regarda Jack, qui hocha la tête.

— Le juge a été victime d'un piège monté par Lott et par un ancien député qui était aussi, jusqu'à son arrestation ce matin même, actionnaire des casinos des Maggione, révéla Jack.

— Mais pourquoi s'en prendre à mon père ?

— Le petit-fils de Papa Joe devait comparaître pour vol de voiture et tentative de meurtre, expliqua Finn. Il avait laissé des traces d'ADN partout dans la voiture de sa victime, il n'avait donc aucun moyen de s'en tirer. Sauf s'il comparaissait devant un juge indulgent qui s'arrangerait pour faire annuler le procès pour vice de procédure. Piéger ton père était la meilleure solution. Ils auraient aussi pu l'éliminer, mais, heureusement pour lui, Papa Joe n'a jamais opté pour la violence quand une autre méthode était possible.

— Selon notre informateur, le shérif Lott était partisan d'une solution radicale, précisa Thomas. Il voulait arrêter le juge pour excès de vitesse, l'emmener hors de la ville, lui tirer dessus et jeter son corps aux alligators du bayou.

Dani se tourna vers Lott, dont le regard de reptile brillait de haine. Elle baissa les yeux et remarqua les menottes qui liaient ses poignets sous l'imperméable.

— J'ai toujours su que vous étiez un être méprisable, lui dit-elle. Mais je ne m'étais pas rendu compte que vous étiez à ce point mauvais.

— Ce n'est pas tout, reprit Finn. L'incendie de la bibliothèque n'était pas accidentel. Le chef des pompiers a trouvé des traces d'explosifs dans le vide sanitaire.

Le sang de Dani se glaça à l'idée qu'on avait mis délibérément le feu à la maison dans laquelle son fils et elle devaient s'installer.

— Pourtant, le rapport a conclu à un incendie d'origine accidentelle.

— Je sais. Nous ne voulions pas avertir ces salauds que nous étions sur leur piste. Mais à présent, nous avons toutes les preuves dont nous avons besoin. Nous avons retrouvé des explosifs dans le garage de Lott et repéré le magasin de Lafayette où il a acheté le réveil qui a servi de minuteur. Deux témoins l'ont vu près de la bibliothèque peu avant l'incendie et, selon un autre, le shérif se faisait fort d'empêcher le juge de revenir fouiner à Blue Bayou.

— Un avion l'attend à Baton Rouge pour l'emmener à Washington, où il sera inculpé officiellement d'une longue liste de crimes, y compris de trafic de drogue, activité à laquelle il se livrait à ses moments perdus, dit Thomas. Il va se retrouver à l'ombre pour très, très longtemps.

Les yeux emplis de larmes, Dani ouvrit la bouche, la referma, secoua la tête et s'efforça de nouveau de parler.

— Je ne sais comment vous remercier.

— Finn et moi, on se contente de faire notre boulot, madame Dupree. Mettre les criminels derrière les barreaux, là où est leur place.

— C'est quand même merveilleux. Mon père est au courant ?

— Nous le lui avons dit ce matin, répondit Finn. Bien que ce ne soit pas conforme à la procédure, nous lui avons proposé de venir avec nous pour arrêter Lott. Il a refusé en disant qu'il était fatigué et que la satisfaction de se savoir blanchi lui suffisait.

— Merci. Merci beaucoup, balbutia Dani en embrassant Finn et Lee Thomas.

Jack ne put réprimer un mouvement d'agacement lorsqu'il vit Thomas la retenir une fraction de seconde de plus que nécessaire.

Aucun homme ne devait poser les mains sur cette femme, hormis lui. Mais, Thomas ayant contribué à innocenter le juge, Jack décida de lui laisser la vie. Pour cette fois.

— Viens, allons féliciter ton père, dit-il en entourant la taille de Dani d'un bras possessif. Je suppose que tu as envie d'être avec lui quand le gouverneur l'appellera.

L'attitude de propriétaire de son frère fit sourire Finn, tandis que Thomas reculait prudemment d'un pas.

— Comment se fait-il que tu n'aies pas décoché quelques mots d'adieu bien sentis à Lott ? demanda Jack à Dani, tandis qu'ils sortaient du palais de justice.

— J'y ai pensé. Puis je me suis dit que ça gâcherait ma bonne humeur et qu'il n'en valait pas la peine.

— Bonne décision.

— C'est grâce à toi, tout ça, non ?

— Tu sais bien que je ne suis plus flic.

Dani s'arrêta près du cheval du capitaine Callahan, qui lui avait bel et bien porté chance.

— Jack, je veux savoir.

— Je me suis contenté de donner à Finn le nom du dealer des Maggione et de lui dire que le pauvre type serait sûrement d'accord pour échanger des informations contre la protection qu'on réserve aux témoins. Finn et moi savions que Lott était impliqué, mais rassembler des preuves a pris du temps. Mon plan d'origine était que Finn abatte ce salaud et fasse ainsi faire de grosses économies aux contribuables, mais Nate a trouvé la solution excessive et a recommandé la modération.

— Tant mieux. J'aurais détesté te rendre visite en prison... J'ai une énorme dette envers toi, Jack, dit-elle, les yeux brillants de larmes. Comment pourrai-je jamais te remercier ?

— Oh, je ne m'inquiète pas, dit-il en l'embrassant sur le front. Nous sommes intelligents, toi et moi. À nous deux, nous trouverons bien quelque chose.

24

— Alors, demanda Nate, l'après-midi suivant, tu lui as posé la question ?

— Non, répondit Jack qui, debout sur l'échafaudage, peignait le plafond. Je comptais le lui demander le soir du mariage d'Alcée, mais on a eu autre chose à faire.

Nate enfonça un clou dans le chambranle de la porte du placard qu'il avait construit pour cacher l'énorme télévision.

— Ça ne me surprend pas, vu la façon dont vous dansiez.

— C'est vrai qu'on a eu une nuit plutôt occupée. J'avais décidé de lui en parler le lendemain matin, mais j'ai fait un cauchemar et je me suis réveillé en hurlant.

— Je comprends. L'humeur n'y était plus.

— Oh, Dani a très bien réagi, mais je me suis dit qu'il valait mieux attendre un peu. Dès que j'aurai fini ce plafond, j'irai chez elle l'aider à accrocher ses tableaux. Matt est dans un de ces camps censés souder une équipe de base-ball, si bien que j'aurai le reste de la journée et toute la nuit pour la convaincre.

— Parfait... C'est la porte d'entrée ? demanda Nate comme un bruit aigrelet leur parvenait du rez-de-chaussée.

— Oui. J'ai installé la sonnette hier. C'est sans doute un coursier. Mon agent m'a appelé pour me dire qu'il m'envoyait des contrats à signer.

— Ne bouge pas, j'y vais, dit Nate. Si tu t'interromps avant d'avoir atteint le coin, tu laisseras des traces de pinceau.

Jack avait opéré dans les zones les plus dangereuses de la planète. Il avait défié la mort un nombre incalculable de fois. Mais les missions qu'il avait effectuées ressemblaient à une promenade de santé en comparaison d'une demande en mariage. Ayant constaté l'efficacité d'une bonne préparation lorsqu'on s'apprête à jouer gros, il se répétait le discours qu'il avait mis au point quand un toussotement le ramena à l'instant présent.

— Tu ferais mieux de descendre, dit Nate d'une voix tendue.

Jack ne lui avait jamais vu une expression aussi sombre, sauf lors des funérailles de leur père. La peur lui étreignit le cœur.

— Il s'agit de Danielle ? Il lui est arrivé quelque chose ?

— Ça la concerne, mais, pour ce que j'en sais, elle va bien, dit Nate. Descends. Il y a quelqu'un que tu devrais rencontrer.

Jack dévalait déjà l'escalier, et les derniers mots de son frère s'adressèrent à son dos. Arrivé dans l'entrée, il s'arrêta net, abasourdi. Devant lui, un journal à la main, se tenait Danielle, telle qu'elle était autrefois.

— Vous êtes M. Callahan ?

— Oui, fit-il sans pouvoir s'empêcher de la dévisager.

Mev'là sautillait gaiement autour de la jeune fille pour lui souhaiter la bienvenue, mais ni l'un ni l'autre ne lui prêtaient attention.

— J'ai lu un article sur vous et sur cette maison, dit-elle en montrant le tabloïd.

— Je vois, marmonna Jack, dont le regard s'attardait sur les cheveux soyeux et les yeux verts de l'inconnue. En fait, non, je ne vois pas, avoua-t-il.

— Excusez-moi, dit-elle en rougissant. J'aurais dû m'expliquer un peu mieux.

Elle inspira à fond et passa dans ses cheveux blonds une main dont les tremblements indiquaient qu'elle n'était pas aussi calme qu'elle s'efforçait de le paraître.

— Je m'appelle Holly Reese... Et je pense... Enfin, je crois que vous êtes mon père.

L'appartement avait enfin l'air habitable. Oh, bien sûr, des cartons encombraient encore les placards, il y avait moins d'espace qu'à Fairfax et ce n'était pas Beau Soleil, mais c'était chez elle. Dani avait hâte que Matt rentre de son camp et voie les fanions des équipes de base-ball qu'elle avait accrochés aux murs de sa chambre.

En guise de récompense pour le boulot qu'elle venait d'abattre, elle se prépara un bain moussant. Elle était allongée dans la baignoire, des rondelles de concombre sur les paupières, lorsque des coups ébranlèrent la porte d'entrée.

— Danielle ! cria Jack. Ouvre !

La première pensée qui traversa l'esprit de Dani fut qu'il avait dû arriver quelque chose à Matt. Paniquée, elle se redressa, et les rondelles de concombre tombèrent à l'eau.

— Bon Dieu, Danielle ! Ouvre ! Je sais que tu es là !

Elle sortit de l'eau parfumée, enfila son vieux peignoir et courut à la porte.

L'expression meurtrière de Jack la bouleversa.

— Qu'y a-t-il ? s'écria-t-elle en lui prenant le bras.

Il la repoussa sans ménagement et entra dans l'appartement.

— C'est Matt ? Il est blessé ?

— Il ne s'agit pas de Matt, grommela-t-il d'une voix dure qu'elle ne lui connaissait pas.

Dani se détendit un peu, mais, le premier soulagement passé, elle comprit qu'elle avait en face d'elle l'homme qu'il lui avait décrit la nuit de son cauchemar, celui qui opérait clandestinement dans le monde sinistre des trafiquants de drogue, celui qui tuait avant qu'on ne le tue.

— Jack... fit-elle, la bouche sèche. Qu'y a-t-il ?

— Il y a que je n'aime pas qu'on me prenne pour un con. Voilà ce qu'il y a !

Ses grandes mains s'emparèrent des épaules de Dani, ses doigts s'enfonçant brutalement dans sa chair sous le tissu mince du peignoir. Elle voulut lui dire qu'il lui faisait mal, mais sa plainte resta bloquée dans sa gorge lorsqu'elle l'entendit demander :

— Pourquoi ne m'as-tu pas dit que j'avais une fille ?

Le sang se vida de sa tête, ses jambes se dérobèrent sous elle. Elle faillit tomber, mais il la retint.

— Comment…

Elle ne pouvait plus parler, ni penser. Le vertige lui faisait tourner la tête.

— Qui te l'a dit ?

— Écoute bien, tu vas adorer ça.

Le sourire mauvais de Jack lui serra le cœur.

— Notre fille est venue à Beau Soleil aujourd'hui.

De petits points blancs se mirent à danser devant les yeux de Dani.

— C'est impossible, balbutia-t-elle.

— Bon Dieu, n'essaie pas de t'en tirer avec un mensonge, Danielle ! Les dates concordent, et c'est ton portrait craché. Nate l'a constaté dès qu'il lui a ouvert la porte.

— Ce n'est pas possible.

Elle secoua la tête, l'estomac au bord des lèvres. Elle avait l'impression d'avoir reçu un coup de massue sur la nuque.

— Jack…

Les points blancs se resserrèrent, formant un blizzard qui lui brouilla la vue. Elle se retint au bras de Jack.

— Laisse-moi m'asseoir. Je vais m'évanouir.

Il l'emmena jusqu'au canapé qu'elle avait acheté avec lui chez un brocanteur de Houma et l'obligea à garder la tête entre les genoux.

— Inspire à fond.

L'air lui brûla les poumons. En dépit de la chaleur, elle avait froid. Affreusement froid.

Le peignoir se dénoua, et ses cheveux humides tombèrent sur son visage et ses épaules. Elle frissonnait comme une femme prise dans une tempête de neige.

— Garde la tête en bas et ne bouge pas. Je reviens tout de suite.

Bouger ? Elle en aurait été incapable, même si elle l'avait voulu. Elle continua à respirer lentement et profondément, et le brouillard se dissipa peu à peu. Elle entendit les bottes de Jack marteler le plancher, de l'eau couler dans la cuisine, puis il revint.

— Tiens.

Il lui releva la tête et mit un verre dans sa main.

— Bois ça.

Elle porta le verre à ses lèvres d'une main tremblante. L'eau fraîche coula dans sa gorge et chassa les dernières traces de vertige.

— Merci.

— Je ne veux pas de remerciement. Je veux la vérité.

Il s'assit en face d'elle, dans un vieux fauteuil qu'elle n'avait pas encore eu le temps de recouvrir, et sortit une cigarette.

— Je pensais que tu m'avais quittée...

Il lui décocha un regard glacial.

— Et moi, je pensais que je pouvais te faire confiance. Apparemment, nous nous sommes trompés tous les deux.

Il gratta une allumette sur la semelle de sa botte, alluma sa cigarette et inhala longuement.

— Vas-y. Je t'écoute.

Il s'adressait à elle sur le ton qu'il devait utiliser autrefois lorsqu'il interrogeait un prisonnier. Dani aurait voulu lui dire qu'elle comprenait qu'il soit bouleversé, mais qu'il n'avait pas le droit d'être aussi méfiant, après ce qu'ils avaient partagé. Néanmoins affronter un homme expert dans l'art d'intimider l'adversaire était au-dessus de ses forces.

— Je ne sais pas par où commencer.

— La façon habituelle est de commencer par le début. Essaie.

Elle prit une profonde inspiration et tenta de rassembler ses pensées.

— Bon. Je n'ai découvert que j'étais enceinte qu'après ton départ.

— Et tu as décidé de ne pas me le dire.

Incapable de soutenir son regard, elle baissa les yeux sur ses mains.

— Je ne savais pas où tu étais.

— Tu aurais pu interroger ma mère.

— Je ne pensais pas que tu aurais voulu le savoir, dit-elle d'une voix faible.

Il donna une claque sur la table basse.

— Bon Dieu, regarde-moi quand je te parle !

Elle redressa la tête et s'efforça de soutenir son regard.

— Je ne pensais pas que tu aurais voulu le savoir, répéta-t-elle avec un peu plus de force. Après tout, tu savais que le préservatif s'était rompu. Mais au lieu de rester pour t'assurer qu'il n'y avait pas de problème, tu es parti, alors que je venais de te dire que je t'aimais.

— Tu sais pourquoi je suis parti.

— Je le sais aujourd'hui.

Dani sentit renaître en elle la femme courageuse qui avait survécu au départ de l'homme qu'elle aimait, à la naissance et à la mort de son premier enfant, à un mariage dépourvu d'amour et à une humiliation publique.

— À l'époque, j'ignorais que mon père t'avait obligé à partir, dit-elle posément.

— Ma mère était au courant ?

— Oui.

Elle vit le regard de Jack se voiler. La trahison de sa mère le blessait sûrement autant que la sienne, sinon plus.

— Ta mère a approuvé la décision de mon père : je devais partir, attendre au loin mon bébé, le faire adopter, puis reprendre la vie normale d'une jeune fille de mon âge.

— Quel joli petit plan bien ficelé ! commenta-t-il sèchement. Et aucun de vous n'a songé à me demander mon avis ?

— Comment aurais-je pu savoir ce que tu voulais ? s'écria-t-elle avec exaspération. Tu ne m'avais jamais dit que tu m'aimais, que tu attendais de moi autre chose que du sexe. Mets-toi un peu à ma place. J'avais dix-sept ans. J'étais naïve et totalement immature. Je n'avais aucun droit légal, et quand mon père et ta mère ont insisté pour que j'abandonne mon enfant...

— Notre enfant.

Elle hocha la tête et reprit :

— Ils m'ont convaincue que mon désir de le garder était un rêve de gamine stupide et égoïste. Que le confier à des parents adoptifs était la meilleure solution. Pour tout le monde, et surtout pour le bébé, qui méritait d'être élevé par une mère et un père aimants.

— Elle avait une mère et un père, protesta Jack, qui tirait nerveusement sur sa cigarette. Enfin, elle les aurait eus, si tout le monde n'avait pas décidé de nier son existence.

— Je reconnais que c'était une erreur monstrueuse, mais à ce moment-là, je ne m'en suis pas rendu compte. La pression était trop forte. Mon père a trouvé un foyer pour mères célibataires, et Marie m'y a emmenée. Nous étions quarante filles dans la même situation et, sans être aussi pénible que la maison de redressement où tu as été, cet établissement avait un règlement extrêmement strict. Nous ne pouvions pas utiliser nos noms de famille. Nous ne recevions aucun coup de téléphone ni aucune visite, sauf de nos parents, et nous n'avions le droit de sortir que trois heures le samedi, et seulement en compagnie d'une autre fille. Lors des séances hebdomadaires d'aide psychologique, on nous serinait que garder notre enfant gâcherait notre vie et la sienne, que nous n'étions pas moralement aptes à être mères et qu'il y avait une foule de merveilleux parents qui attendaient d'aimer nos bébés. J'ai refoulé beaucoup de souvenirs de cette époque, mais je me rappelle que, nuit après nuit, couchée dans mon lit, j'espérais que tu viendrais à mon secours...

— Ce qui m'aurait été difficile, puisque j'ignorais où tu étais. Et pourquoi.

— Je sais. Je te l'ai dit, j'étais naïvement romantique. Il y a eu aussi des journées sinistres où je pensais qu'ils avaient raison, que si j'avais été assez sotte pour tomber enceinte sans l'avoir voulu, je ne méritais pas d'avoir un enfant. Que je ne serais pas capable d'en prendre soin.

Dani pressa une main sur son ventre. Le vieux sentiment de honte qu'elle croyait avoir vaincu avait resurgi et lui tordait l'estomac.

— Il a fallu que je sois enceinte de Matt pour me rendre compte que j'avais subi une sorte de lavage de cerveau. C'est vrai, insista-t-elle devant le regard sceptique de Jack. Il n'était pas question qu'on nous apprenne à prendre soin d'un nouveau-né. L'adoption était décidée d'avance. Pour les gens qui tenaient cet établissement, nous n'étions qu'une source de profits.

— C'est toi qui devrais écrire des romans, suggéra-t-il. Avec pour héroïne un personnage du genre d'Oliver Twist enceint.

— Ce n'est pas gentil de dire ça.

— Peut-être ne l'as-tu pas remarqué, *très chère*, mais je ne suis pas d'humeur à dire des gentillesses.

— J'avais l'intention de t'en parler, crois-moi, mais il y avait toujours quelque chose... Non, ce n'est pas vrai. Je repoussais sans cesse cette conversation, de peur que cela ne gâche tout entre nous et que tu ne me haïsses.

— Ce serait une réaction normale, à ton avis ? De la part d'un homme à qui on a menti sur un sujet aussi important ?

— Ce n'était pas un vrai mensonge. Plutôt une omission.

— Tu as menti, insista-t-il. Comment puis-je être sûr que tu me l'aurais dit si elle n'était pas venue à Beau Soleil ?

— Ça, c'est impossible ! Elle n'a pas pu faire ça !

— Pourquoi ?

— Parce qu'elle est morte, bon Dieu ! cria Dani en sautant sur ses pieds. Elle est morte avant même d'avoir un jour ! Cela m'a brisé le cœur, et c'est en partie pour ça que je repoussais cette conversation. Et quand tu as eu ton cauchemar et que tu m'as raconté ce qui t'était arrivé à Bogotá, je me suis dit que tu avais vu assez de morts dans ta vie !

Il écrasa sa cigarette dans un cendrier et se leva.

— Inutile de continuer cette comédie, Danielle. À moins que tu n'aies une sœur jumelle dont j'ignore l'existence et qu'elle ne soit tombée enceinte en même temps que toi, cette fille est la tienne.

— C'est impossible, répéta-t-elle d'une voix sourde.

Elle avait vu le certificat de décès et avait pleuré durant des semaines.

— J'avais changé d'avis, reprit-elle. Une heure après sa naissance, des avocats sont arrivés à la maternité avec les papiers d'abandon. Mais je me suis rendu compte qu'après l'avoir portée durant neuf mois et l'avoir mise au monde, j'étais incapable de renoncer à elle. J'étais épuisée par près de vingt heures de travail, j'avais l'esprit embrouillé, j'étais terrifiée et je n'avais aucune idée de la façon dont j'allais me débrouiller, mais je savais que j'allais l'emmener avec moi ! Si elle n'était pas morte, je l'aurais gardée et élevée, c'est sûr !

Furieuse, ravagée par le chagrin, elle assena une claque sur la poitrine de Jack.

— C'est ça, ricana-t-il. Aussi sûr que tu allais me mettre au courant.

— J'allais le faire !

Leurs regards se heurtèrent. Une décharge électrique la parcourut, et elle vit aux yeux de Jack qu'il l'avait lui aussi ressentie.

— Merde, qu'est-ce que c'est que ça, encore ? cria-t-il. Tu m'as caché l'existence de mon enfant, ta jolie petite bouche m'a menti sans vergogne et continue à le faire et, malgré tout cela, j'ai encore envie de toi !

Le vertige s'empara de nouveau de Dani. Si un autre homme l'avait fixée avec ce même regard, à la fois furieux et lubrique, elle aurait été terrifiée. Mais elle n'éprouvait aucune crainte. Elle l'aimait. Et elle avait désespérément envie de lui.

Il l'attira violemment à lui et l'étreignit. Le peignoir de Dani s'était ouvert, et elle sentit le contact rugueux de son jean contre sa peau nue.

— Moi aussi, j'ai envie de toi, murmura-t-elle.

Il plaqua sa bouche sur la sienne, en maintenant sa nuque d'une main pour l'empêcher de se dérober à son baiser avide.

Le souffle coupé, elle s'effondra sur le canapé avec lui. La bouche de Jack mordait la sienne, ses lèvres dévoraient son visage, ses dents égratignaient son cou tandis qu'elle se cambrait sous lui. Ses doigts, que les travaux manuels avaient rendus calleux, pétrissaient ses seins, lui arrachant des gémissements.

Partagé entre l'envie de la haïr et le besoin de l'aimer, Jack couvrait son corps délicat de caresses brutales. Leurs gestes frénétiques les firent basculer sur le tapis fleuri. Il se redressa et la regarda. La passion donnait aux yeux de Dani une teinte émeraude.

— Juste pour qu'il n'y ait pas de malentendu, répète-le-moi. Dis-moi que tu as envie de moi.

— Bien sûr que j'ai envie de toi.

La façon dont elle se cambrait vers lui prouvait qu'à cet instant au moins elle ne mentait pas.

— Dis-le, ordonna-t-il.

La main de Jack quitta les pointes durcies de ses seins et se glissa entre ses cuisses. Elle était prête à l'accueillir.

— Dis : « Je veux que tu me baises. »

— Je t'en prie, Jack, ne…

— Dis-le.

Il pouvait déchiffrer ses émotions dans ses yeux emplis de larmes et, s'il n'avait pas tenté aussi fort de la haïr, le chagrin qu'il lui infligeait lui aurait brisé le cœur.

— Je te veux, Jack.

— La suite, insista-t-il. Dis le reste.

— Je veux que tu me baises, lâcha-t-elle dans un sanglot.

Un bref remords assaillit Jack, mais cela ne diminua en rien son désir. Il ouvrit son pantalon et la pénétra sans attendre.

Elle gémit et noua les jambes autour de ses reins tandis qu'il allait et venait en elle comme un forcené. Le parfum lourd de la passion emplit l'air tandis que, bouche contre bouche, chair contre chair, ils luttaient ensemble, s'entraînant l'un l'autre jusqu'aux limites de la fureur et du plaisir.

L'orgasme la fit crier. En sentant les vagues successives qui emportaient Dani, Jack donna un dernier coup de reins et, les dents serrées pour retenir tout mot tendre, il jouit à son tour.

D'ordinaire, faire l'amour avec elle le comblait d'une joie et d'une force telles qu'il se sentait capable de courir plus vite que les balles ou de sauter par-dessus des gratte-ciel. Mais, cette fois, une immense tristesse l'envahit.

Se refusant à la prendre dans ses bras, à essayer de comprendre les raisons de sa trahison, il se releva et ferma le pantalon qu'il ne s'était même pas donné la peine d'enlever. Seigneur, quel goujat ! À dix-huit ans, il se comportait avec plus d'élégance.

— Je veux que tu la rencontres, dit-il. Elle mérite de connaître sa mère. Et tâche d'avoir l'air de t'intéresser à elle. Pour son bien.

— Je m'intéresse à elle.

Elle avait pleuré pendant qu'ils faisaient l'amour, constata-t-il. Non, pendant qu'ils baisaient, car l'amour n'avait rien à voir avec cet accouplement brutal. Jamais il n'avait traité une femme ainsi.

Le visage humide de larmes, elle se redressa et referma son peignoir.

— Je n'arrive toujours pas à croire que cela puisse être vrai. À moins qu'il n'y ait eu une erreur à l'hôpital...

— Arrête, Danielle, coupa Jack d'un ton las. Tu as abandonné mon enfant...

— Notre enfant.

— Tu l'as abandonnée et tu n'as même pas cherché à savoir ce qu'elle devenait. Tu ne lui as pas permis de connaître son père. Bon sang, elle a deux oncles qu'elle n'a jamais vus à cause de toi !

— Jack, tu sais à quel point j'ai souffert de grandir sans mère, dit Dani, qui s'était mise à genoux. De ne pas pouvoir parler d'elle, ni même prononcer son nom. Comment peux-tu me soupçonner d'avoir abandonné ma fille ?

Il devait admettre que l'argument était solide. Il y réfléchirait plus tard, lorsqu'il aurait repris ses esprits.

— Comment t'a-t-elle trouvé ? demanda-t-elle, comme il ne répondait pas. Comment savait-elle que tu étais son père ? Où est-elle, en ce moment ?

— Avec Nate, à Beau Soleil. Quant à tes autres questions, tu n'auras qu'à les lui poser lorsque tu la verras.

— Quand ? Ce soir ?

— Je ne sais pas.

Regarder ce beau visage douloureux lui brisait le cœur. Il tourna les talons et sortit sans se retourner.

S'il l'avait fait, il aurait vu Dani s'effondrer sur le tapis, enfouir le visage dans ses mains et sangloter de toute son âme.

25

Il ne fallut pas longtemps à Dani pour comprendre que son père n'était pas étranger à ce dernier événement.

Elle prit une douche, enfila un short, un tee-shirt et des sandales et natta ses cheveux. Sans prendre le temps de se maquiller, elle monta dans sa voiture et se rendit tout droit chez Orélia. Le juge était en train de jardiner.

Dani ne s'embarrassa pas de préliminaires.

— Papa, il faut que nous parlions.

Il leva les yeux du parterre qu'il désherbait.

— Tu as une sale tête, dit-il en voyant les yeux rouges et le visage bouffi de sa fille. Tu couves quelque chose ?

— Non. Ne t'inquiète pas. Je ne suis pas contagieuse.

Le Dr Ancelet les avait prévenus que toute infection pouvait être fatale au juge.

— Je ne pensais pas à moi, dit-il en se levant et en ôtant ses gants de jardinage. C'est pour toi que je m'inquiétais.

— C'est un peu tard, répliqua Dani, le cœur battant. Jack a reçu une visite aujourd'hui à Beau Soleil.

— Au sujet de cette stupide histoire de fantôme ?

Une carafe de thé glacé était posée sur la table en fer forgé. Il la prit et se servit un verre.

— Tu en veux ?

— Non. Je ne veux que la vérité. Je n'ai pas vu la personne qu'il a reçue, mais il s'agit d'une jeune fille de treize ans qui, selon Jack, ressemble étonnamment à l'adolescente que j'étais au même âge.

— Ah... fit-il en hochant la tête.

— C'est tout ce que cela t'inspire ?

— Elle a dit son nom ?

— Je ne sais pas.

Comment avait-elle pu laisser Jack partir sans lui demander le nom de cette enfant ? Comment retrouverait-elle sa fille si celle-ci se sauvait avant qu'elle ait pu la voir, lui parler, lui expliquer l'incompréhensible ?

— Mais elle affirme qu'elle est ma fille. Nous savons, toi et moi, que c'est impossible. Puisque mon bébé est mort.

Le juge garda le silence.

— C'est bien ce qui s'est passé, non ? reprit Dani. Mon bébé est mort. Tu m'as montré le certificat de décès.

Un certificat au nom de Jane Doe. Le nom qu'on octroie à toute personne décédée non identifiée. En lisant cela, Dani avait fondu en larmes. Sans la consulter, son père avait privé l'enfant de son identité.

— Inutile de me parler sur ce ton, Danielle. De toute façon, tu connais la vérité, apparemment.

— Mais non ! cria Dani qui, bien qu'elle ait cru ne plus avoir de larmes à répandre, sentait de nouveau sa vue se brouiller. Je ne la connais pas. Oh, je croyais la connaître, mais je constate que tout le monde m'a menti.

— Pas tout le monde. Seulement quelques membres du personnel de l'hôpital, qui ont été grassement payés pour garder le silence.

— L'assistante sociale chargée de l'adoption était au courant ?

— Non. Elle n'avait pas besoin de le savoir.

— Qui a signé l'autorisation d'adoption ?

— La puéricultrice. Elle pensait comme moi que c'était la meilleure solution.

— Et les gens qui ont adopté ma fille ? Ils savaient ?

— Non. J'avais peur que, pris de remords, ils ne renoncent à l'adopter.

— Et Marie ?

— Il n'était pas question que je dise la vérité à Marie. En sachant sa petite-fille vivante, elle aurait pu finir par regretter sa décision et tout raconter à Jack. Je ne pouvais pas prendre ce risque.

— Une fois de plus, tu t'es comporté en grand manitou ! s'écria Dani, qui tremblait comme une feuille.

— Tu étais ma fille. Je savais ce qui était le mieux pour toi. En plus, juste après l'accouchement, tu as dit à la sage-femme que tu voulais garder le bébé.

— C'est vrai.

— Du coup, j'ai été obligé de te faire croire à sa mort. Pour ton bien. Pour que tu ne gâches pas ta vie.

— Ô mon Dieu… fit Dani en se passant la main sur le visage. J'ai essayé de ne pas te décevoir, d'être une fille exemplaire, de gagner ton amour. Mais tu m'as manipulée. Tu as pris une décision essentielle à ma place alors que tu ignorais ce que je voulais, ce qui était bien pour moi, parce que tu ne m'aimais pas assez pour ça.

— C'est faux.

— Ne mens pas.

Un froid glacial se répandit en elle, et ses pensées s'éclaircirent.

— Je ne quitterai pas Blue Bayou, reprit-elle. Tu ne me feras pas abandonner le foyer que j'ai créé pour mon enfant... Mes enfants, corrigea-t-elle avec émerveillement.

Elle avait bel et bien une fille et, d'une façon ou d'une autre, elle convaincrait Jack et cette enfant qu'elle ne l'avait pas volontairement abandonnée.

— Ce que tu as fait est odieux et pervers, et je ne laisserai pas mes enfants t'approcher.

— Danielle...

— Non, dit-elle en repoussant la main qu'il tendait vers elle. Ne me touche pas. Ne me parle plus. Je ne veux plus jamais te voir.

Elle tourna les talons. Il l'appela d'une voix faible tandis qu'elle se dirigeait vers sa voiture.

Ce fut le bruit de verre brisé qui la fit se retourner. Il avait lâché son verre et, agrippant d'une main le bord de la table, il pressait l'autre main sur sa poitrine. Puis il s'écroula et entraîna dans sa chute la table en fer forgé.

Et si elle l'avait tué ? Malgré les souffrances que son père lui avait infligées, Dani doutait de pouvoir se le pardonner un jour.

— Je savais pourtant que son cœur était malade, dit-elle à Orélia.

Dès qu'elle avait vu son père s'effondrer, Dani s'était ruée sur lui. Tout en tentant de se rappeler ses cours de secourisme, elle avait composé le 911 sur son portable, puis avait fourré de force un cachet d'aspirine dans la bouche du malade. Ensuite, elle avait entrepris de presser sur sa poitrine à intervalles réguliers, tout en s'efforçant d'ignorer le hurlement qui résonnait dans sa tête. L'ambulance était arrivée au bout d'un temps qui lui avait paru extrêmement long, mais qui, en fait, n'avait duré que cinq minutes.

L'équipe médicale avait aussitôt pris les choses en main. Un homme avait arraché la chemise de son père pour appliquer un défibrillateur sur sa poitrine, tandis qu'une femme ajustait un masque à oxygène sur son visage et glissait un tuyau dans sa gorge.

Même si Dani vivait cent ans, l'image du corps de son père sursautant sous la décharge électrique ne s'effacerait jamais de sa mémoire.

Le malade avait ensuite été couché sur une civière et enfourné dans l'ambulance. Dani était montée à côté de lui, et Orélia avait promis de les suivre en voiture.

Une seconde décharge électrique avait été nécessaire tandis qu'ils fonçaient à travers la ville, sirène hurlante, en cahotant sur les pavés que Dani ne trouvait plus du tout charmants.

Quelques minutes plus tard, les doubles portes du service de réanimation s'étaient refermées devant elle, la séparant de son père et la livrant à l'assaut des remords.

Heureusement, faisant fi des limitations de vitesse, Orélia était arrivée peu après et s'était occupée des formalités d'admission, dont Dani, bouleversée, se sentait incapable de se charger. Ensuite, l'ancienne infirmière s'était aventurée au-delà des portes afin d'obtenir des nouvelles.

— Pour le moment, il tient bon, annonça-t-elle en revenant auprès de Dani, qui arpentait la salle d'attente.

— J'ai vu les battements de son cœur sur le moniteur. C'est n'importe quoi. Comment peut-on survivre à ça ?

— Des gens y ont survécu. Tu n'es pas médecin, toi, alors n'imagine pas tout de suite le pire. Et assieds-toi. Tu me rends nerveuse, avec tes allées et venues. Et tu as l'air d'être sur le point de t'évanouir.

— Qu'as-tu appris d'autre ? murmura Dani en se laissant tomber sur le canapé d'un orange agressif.

— On l'emmène en chirurgie.

— En chirurgie ? Mais le Dr Ancelet le trouvait trop faible pour subir une opération.

— S'ils l'opèrent, c'est que cela leur paraît la meilleure solution, dit Orélia d'un ton apaisant.

— Je ne peux pas le voir une minute ? Lui parler ?

L'idée que son père risquait de mourir sans qu'elle ait pu s'excuser lui était insupportable. Certes, il avait causé beaucoup de souffrances autour de lui, mais cela ne méritait pas la mort.

— Tu les gênerais, chérie. Ton papa est en de bonnes mains. Il se trouve qu'un chirurgien de Tulane est de passage à Blue Bayou, car un collègue l'a invité à une partie de pêche demain. On l'a appelé à la *Plantation Inn*, où il loge, et il doit arriver d'une minute à l'autre. C'est un coup de chance, non ? ajouta Orélia en tapotant la main de Dani.

— Je suis désolée, mais je ne trouve pas que cette journée soit un jour de chance.

De l'autre côté de la pièce, un petit garçon faisait rouler son camion sur le carrelage vert et blanc. Il levait de temps en temps les yeux vers sa mère enceinte, qui lisait un livre de poche. Elle avait expliqué à Dani qu'elle attendait qu'on débarrasse son mari de l'hameçon qu'il s'était planté dans la joue.

— Tu crois que je devrais aller chercher Matt à son camp ? Juste au cas où ?

— Laisse-le là-bas, déclara fermement Orélia. Il y est très heureux, et faire l'aller-retour te prendrait huit heures. De toute façon, il rentre demain. Si le juge meurt, ce sera dans les prochaines heures, et Matt n'aura pas le temps de lui dire adieu, même si on trouve quelqu'un pour aller le chercher. Et si ton père s'en sort, pourquoi bouleverser la vie de cet enfant ?

— Depuis deux ans, sa vie n'a été qu'une succession de bouleversements.

— Non. Il y a eu des événements difficiles, c'est vrai, mais tu lui as donné un cadre stable, Danielle. Matt est un petit garçon équilibré, et ça se voit, assura Orélia en lui caressant les cheveux. Je peux appeler Jack pour qu'il vienne te tenir la main, si tu veux.

— Jack ne traverserait pas la rue pour m'adresser la parole, encore moins pour me tenir la main.

Les sourcils teints d'Orélia sursautèrent.

— Vous avez eu une dispute d'amoureux ?

— C'est plus grave que ça, dit Dani en se frottant les tempes. Notre fille a débarqué à Beau Soleil aujourd'hui. Inutile de dire qu'il a été stupéfait.

— Il n'est pas le seul, balbutia Orélia, abasourdie. Comment est-ce possible ? Tu lui as dit qu'il se trompait ?

— Oui, au début. Mais comme je ne lui avais pas parlé de ma grossesse, je n'étais pas très à l'aise.

— Je comprends, mais puisque le pauvre bébé est mort...

— Elle n'est pas morte, dit Dani en soupirant. Mon père a menti, expliqua-t-elle.

Orélia émit un sifflement.

— Eh bien... Cette histoire me révulse mais, connaissant le juge, je dois dire qu'elle correspond au personnage. Tu as vu ta fille ? Comment s'appelle-t-elle ? Où est-elle ?

— Elle est à Beau Soleil avec son père et son oncle. J'étais trop choquée pour demander son nom et, si Jack continue à m'en vouloir, je ne la verrai jamais.

— Ne t'en fais pas trop, dit Orélia. Il est seulement en colère. Et il souffre. Mais ce n'est pas un méchant homme, Danielle. Et il t'aime, si bien que tout va s'arranger très vite, tu verras.

Mais Dani, qui se souvenait du visage de Jack lorsqu'il l'avait quittée, était moins optimiste.

Elles montèrent dans la salle d'attente du service où l'on devait installer le juge après l'opération. Pièce justement nommée, songea Dani. Il n'y avait rien d'autre à y faire qu'attendre. Le cours de la vie semblait s'être interrompu. Les journaux dataient de plusieurs mois. Au fil du temps, les recettes et les coupons de réduction avaient été découpés, ce qui laissait peu de pages intactes.

Dani tenta de lire un article consacré à l'obésité des enfants, puis un autre qui se penchait sur le quotidien de femmes qui devaient soigner leurs parents âgés tout en s'occupant de leurs enfants. Le sujet la renvoya à la question qui la taraudait : comment pouvait-elle, le même jour, retrouver sa fille et perdre son père ?

Elle sursauta. Ève Ancelet se tenait sur le seuil de la salle d'attente, à côté d'un homme qui portait la tenue verte des chirurgiens.

— Votre père va bien, assura Ève.

— S'il allait bien, il ne serait pas là, riposta Dani.

Elle se sentit rougir et s'excusa aussitôt.

— Ce n'est pas grave, fit le médecin. Je comprends votre émotion, et le décor d'un hôpital n'incite guère à la sérénité.

Elle présenta à Dani le Dr Young, qui faisait partie de l'équipe chirurgicale de Tulane.

— Votre père a eu une crise d'arythmie, expliqua Ève. Autrement dit, de battements de cœur irréguliers. C'est anodin et le plus souvent inoffensif, mais, vu l'état du cœur de votre père, le Dr Young et moi-même avons pensé que la pose d'un défibrillateur lui serait bénéfique.

— Je croyais qu'il n'était pas assez fort pour supporter une opération.

— Cette intervention est peu invasive, par rapport à ce qu'on faisait il y a quelque temps, intervint le Dr Young. Les premiers modèles de pacemakers avaient la taille d'un paquet de cigarettes. On les implantait sous la peau de l'abdomen et, pour rattacher les électrodes au cœur, il fallait procéder à une opération à cœur ouvert. Le dernier modèle, celui que votre père a reçu, est beaucoup plus petit. On peut le mettre sous la peau de la poitrine, avec une seule électrode qu'on mène jusqu'au cœur en la glissant dans une veine.

— Un minuscule ordinateur surveille les battements du cœur, poursuivit Ève. S'il détecte la moindre arythmie, il met en route le défibrillateur, qui rétablit le rythme. Si ça ne marche pas, il déclenche une décharge.

— Ce n'est pas atrocement douloureux ?

— Beaucoup moins que la décharge à laquelle vous avez assisté tout à l'heure, dit le Dr Young.

— En fait, contrairement aux modèles de la première génération, qui ne pouvaient déclencher que de grosses secousses, celui-ci commence par des petites, expliqua Ève. Et il n'augmente la force que si c'est nécessaire.

On aurait dit qu'ils s'étaient longtemps entraînés à ce style de discours rassurant. Le regard de Dani passait de l'un à l'autre, guettant sur leur visage ce qu'ils pouvaient lui cacher.

— Cela signifie-t-il que vous craignez d'autres incidents de ce genre ? demanda-t-elle, tout en trouvant ce terme peu adéquat pour un tel événement.

— C'est fort possible, admit Ève. Mais l'intervention a augmenté considérablement les chances de votre père. Si les médicaments peuvent réduire le taux de mortalité de quinze à vingt-cinq pour cent, l'implantation d'un défibrillateur réduit le risque à deux pour cent.

Dani posa d'autres questions, dont les réponses la rassurèrent un peu. Puis les médecins s'en allèrent, l'équipe changea, et de nouvelles infirmières, vives et efficaces, arrivèrent. Des chariots contenant les plateaux du dîner circulèrent dans les couloirs, des médecins en blouse blanche effectuèrent la visite du soir, et la salle d'attente se remplit de familles venues voir des patients.

Orélia ne cessait d'apporter à Dani des tasses de café et de thé, des verres de jus de fruits et des biscuits. Mais elle était incapable de boire ou de manger. Un objet aussi solide que la statue du capitaine Callahan semblait s'être niché dans sa gorge.

Une alarme retentit. Le cœur serré, Dani vit l'équipe médicale se ruer dans le couloir.

— Que se passe-t-il ? demanda-t-elle à la femme aux cheveux gris qui était restée dans le bureau des infirmières.

— Ne vous inquiétez pas, mon petit. Ce n'est pas le juge.

Une vague de soulagement envahit Dani. Soulagement qui s'effilocha ensuite, à mesure que le temps passait.

Dehors, la nuit devait commencer à napper le bayou. Mais à l'intérieur de l'hôpital, c'était le jour continu, un monde parallèle éclairé d'une lumière crue. Habituée au chant nocturne des grenouilles taureaux, des chouettes et des grillons, Dani avait du mal à supporter les bruits qui l'environnaient – les voix désincarnées qui crépitaient dans l'interphone, le chuintement des sandales en caoutchouc, le cliquetis d'un clavier d'ordinateur, le grondement ténu des ascenseurs, les prières en français qui venaient d'une chambre voisine, les gémissements d'un malade que laissait passer l'ouverture d'une porte. Tout lui mettait les nerfs à vif.

Les visiteurs disparurent, et Dani se retrouva seule avec Orélia. L'équipe changea de nouveau. Et elle n'avait toujours pas eu le droit de voir son père.

Une infirmière vint lui dire qu'il dormait.

— Vous devriez rentrer chez vous et en faire autant, suggéra-t-elle.

— Je me sens bien, répliqua Dani avec détermination. Et je reste.

L'infirmière échangea un regard avec Orélia, puis s'éloigna avec un soupir résigné.

Plus tard, beaucoup plus tard, Orélia refusant de la laisser seule, Dani eut honte de lui infliger cette fatigue et demanda s'il y avait une chambre inoccupée pour qu'elle puisse se reposer.

— Je vais dormir un peu, dit la vieille femme. À condition que tu jures de me réveiller s'il y a du nouveau.

Dani le lui promit. Et reprit sa veille.

Elle se tenait devant la fenêtre, le regard fixé sur les lumières des bateaux qui sillonnaient le Golfe, lorsqu'elle s'aperçut qu'elle n'était plus seule. Avant de se retourner, elle s'arma de courage pour affronter d'éventuelles mauvaises nouvelles. Puis elle pivota sur elle-même. Jack se tenait sur le seuil de la salle d'attente.

26

Il n'avait pas l'air en meilleure forme que Dani. Ses cheveux étaient dénoués et hirsutes, son visage aux traits tirés était assombri par une barbe naissante, et ses yeux étaient las. Mais elle ne l'avait jamais trouvé plus beau.

— Je viens d'apprendre la nouvelle, dit-il. Nate l'a entendue à la radio.

— Oh…

Lorsqu'elle ne se rongeait pas les sangs pour son père, Dani s'était efforcée de trouver de quoi convaincre Jack. Elle avait écarté d'innombrables arguments, mais aucun n'avait été aussi insignifiant que cette pauvre exclamation.

— Tu es restée tout le temps seule ?

Elle regarda autour d'elle, comme si la question la surprenait.

— Non… Orélia était avec moi, répondit-elle avec effort. Je l'ai obligée à se reposer dans une chambre.

Il hocha la tête, visiblement aussi mal à l'aise qu'elle.

— C'est bien. Qu'elle ait été là. Qu'elle se repose.

— Oui.

Il se tenait toujours sur le seuil de la pièce. Épuisée, effrayée et, en même temps, soulagée qu'il soit venu, Dani mourait d'envie de courir se réfugier dans ses bras. Mais elle resta aussi immobile qu'une statue.

— Je l'ai amenée, dit-il après un long silence.

— Tu l'as amenée ? s'écria Dani, qui eut soudain l'impression de souffrir elle aussi d'arythmie.

— Elle est en bas avec Nate. Je suis monté te prévenir.

Dani ouvrit la bouche, mais aucun son ne sortit de sa gorge nouée. Elle se mordit la lèvre et fit une nouvelle tentative.

— Merci.

Il lâcha un juron. Un mot français, grossier, qu'elle comprit sans peine et qui semblait s'adresser à lui-même. Puis, en secouant la tête, il ouvrit les bras.

— Viens là, mon cœur.

Dani n'attendit pas qu'il répète son invitation. Elle vola vers ces bras tendus, tel un moineau cherchant la sécurité lors d'un ouragan. Et, lorsqu'elle les sentit se refermer sur elle, elle sut qu'elle était à sa place.

— Je suis désolée, murmura-t-elle.

— Moi aussi, souffla-t-il, le nez dans ses cheveux.

— Toi ? Tu n'as rien à te reprocher.

— Je ne t'ai pas crue et j'ai été brutal avec toi.

— Tu ne m'as pas crue parce que je t'ai caché la vérité dès le début. Quant à ce qui s'est passé sur le tapis de mon salon, j'en suis aussi responsable que toi… D'ailleurs, sur le moment, c'était plutôt excitant, ajouta-t-elle avec un petit sourire.

Il rit, et elle sut qu'Orélia avait raison. Tout allait s'arranger.

— Tu dois avoir une foule de questions à me poser...

— Elles peuvent attendre, dit-il. J'aurais dû être là. Ça me brise le cœur de savoir que tu as supporté cela toute seule. J'aurais dû être à tes côtés quand notre enfant est née. J'aurais dû prendre soin de toi. En regagnant Beau Soleil, tout à l'heure, je n'ai pas cessé de penser à tout ce que j'aurais dû faire. Si j'étais resté...

— Tu n'avais pas le choix.

— C'est faux. Je pense que même si ton père avait mis sa menace à exécution, ma mère y aurait survécu. Elle avait été assez forte pour surmonter la mort de son mari. Perdre son boulot n'aurait pas été la fin du monde... J'aurais dû rester, répéta-t-il avec plus de force. Parce que je t'aimais et que tu m'aimais. Nous étions peut-être un peu jeunes pour le mariage, mais ça aurait marché. Nous y serions arrivés.

— Tu m'aimais ? demanda Dani, surprise.

— Bien sûr ! Oh, j'essayais comme un damné de m'en empêcher. Mais, la dernière nuit, j'ai compris qu'il y avait bien plus que de l'attirance sexuelle entre nous.

— La nuit où nous avons conçu notre fille.

— Oui.

Il inspira à fond, puis regarda sa montre.

— Il faut que nous parlions. Que nous fassions des projets. Mais, d'ici deux minutes, Nate et Holly vont nous rejoindre.

— Elle s'appelle Holly ?

— Oui, fit-il avec un sourire rayonnant qui réchauffa le cœur de Dani. Je suis sûr que tu vas l'aimer. Et elle va t'aimer. Comme je t'aime.

Ces mots-là, elle les avait attendus pendant treize ans. Et ils sonnaient avec plus de force que dans ses rêves les plus fous. Elle s'apprêtait à lui dire qu'elle l'aimait aussi, qu'elle l'avait toujours aimé, lorsque les lèvres de Jack s'emparèrent des siennes.

Elle s'abandonna à son baiser, les mains nouées sur sa nuque, hissée sur la pointe des pieds. Il l'étreignit avec force, comme s'il craignait qu'elle ne s'échappe. Ce qu'elle n'avait nullement l'intention de faire, songea Dani tandis que son cœur battait la chamade.

En entendant des pas dans le couloir, Jack s'écarta et se plaça à côté d'elle. Nate entra, accompagné d'une jeune fille, et Dani découvrit un visage qui lui était à la fois familier et étranger. Un mélange de joie et de panique lui serra la gorge, les années s'effacèrent, et elle se revit en train d'embrasser la tête duveteuse de sa petite fille.

Le médecin avait réprimandé l'infirmière qui, enfreignant le règlement, avait accordé à la jeune mère ce bref moment d'intimité avec le bébé qu'elle avait porté durant neuf mois. On lui avait arraché l'enfant des bras pour l'emmener. Dani avait fondu en larmes.

Elle avait tenu bon face aux avocats et à la directrice du centre, qui avait tout fait pour la convaincre d'abandonner sa fille, allant même jusqu'à appeler le juge pour qu'il la raisonne.

Puis elle avait hurlé lorsque, peu avant l'aube, elle s'était faufilée dans la nursery, où on lui avait annoncé que le bébé était mort durant la nuit. Refusant de le croire, elle avait exigé de voir l'enfant. Cette enfant qui se tenait à présent devant elle, songea-t-elle avec bonheur.

Un médecin lui avait injecté un calmant, tandis que deux solides aides-soignantes la maintenaient pour l'empêcher de se débattre. Lorsqu'elle avait émergé du sommeil artificiel, deux jours plus tard, son père l'attendait avec le certificat de décès.

Après avoir quitté la maternité, les seins douloureux malgré les comprimés destinés à stopper la montée de lait, Dani avait souvent rêvé que Jack revenait à temps, avant la mort du bébé. Enchanté d'être papa, il l'épousait sur-le-champ et l'emmenait avec leur fille.

Le rêve était devenu de moins en moins fréquent au fil des ans, surtout après la naissance de Matt, mais il resurgissait lors de l'anniversaire de son premier enfant.

Maintenant, merveille des merveilles, ce n'était plus un rêve, et l'émotion rendait Dani muette.

— Holly, dit Jack, voici ta mère. Danielle, je te présente Holly.

— Bonjour, fit Holly d'une voix tendue.

— Ô mon bébé, fit Dani, la vue brouillée par les larmes. J'ai très, très envie de te prendre dans mes bras.

Les yeux verts qui donnaient à Dani l'impression de se regarder dans une glace brillaient de larmes.

— Je crois que ça me plairait bien, dit Holly d'une voix enfantine.

Dani se précipita vers sa fille et l'étreignit comme elle avait si souvent rêvé de le faire.

Lorsque, après la visite de Jack, elle avait fini par admettre que sa fille était vivante, elle avait craint que son enfant ne la déteste, ne lui en veuille de l'avoir abandonnée. Le contact des bras minces qui se refermaient sur elle l'emplit d'espoir.

— Où as-tu vécu toutes ces années ? Comment as-tu su qu'il te fallait venir à Blue Bayou ? À Beau Soleil ? Est-ce que tes...

Le mot « parents » ne put franchir ses lèvres.

— Est-ce que les gens qui t'ont adoptée t'ont accompagnée ?

Holly commença par la dernière question.

— Mes parents sont morts peu avant mes dix ans. Ils faisaient du bateau et ils ont chaviré.

— Ça a dû être terrible, fit Dani en lui caressant les bras.

— Oui. Je suis allée vivre chez mon oncle à Oceanside. Il travaille dans la marine. Je ne le connaissais pas parce que lui et mon père... mon père adoptif, corrigea-t-elle en jetant un coup d'œil à Jack, ne s'entendaient pas très bien.

— Il a été ton père de la seule façon qui compte, intervint Jack. Personne ne t'enlèvera ça, ma chérie.

Le soulagement éclaira le visage de Holly.

— Ton oncle sait où tu es ? demanda Dani.

Elle-même aurait été morte de peur si Matt avait quitté la maison.

— Non. Mais ça lui est égal.

— Voyons, ce n'est pas possible, protesta Dani, qui éprouvait le besoin de prendre le parti de cet inconnu, ne fût-ce que pour prouver à sa fille que des gens l'aimaient et s'inquiétaient pour elle.

— Il s'en moque, je te jure. Je ne l'ai pas vu depuis deux ans.

Dani jeta un regard surpris à Jack, qui hocha la tête.

— L'oncle de Holly et sa femme ont divorcé, expliqua-t-il. Apparemment, son épouse avait des enfants d'un premier mariage et ne se sentait aucunement responsable de la fille adoptive de son beau-frère. Pour lui, c'était difficile, car sa profession l'oblige à se déplacer sans cesse.

Dani estima que, compte tenu de la situation, cet homme aurait dû quitter la marine, mais elle se tut, de peur de blesser encore plus sa fille.

— Alors, où as-tu vécu ces deux dernières années ? demanda-t-elle.

— Dans un foyer, répondit Holly d'un ton détaché qui brisa le cœur de Dani. Oncle Phil a signé des papiers pour renoncer à ma garde. Théoriquement, j'aurais pu être de nouveau adoptée, mais les gens préfèrent les bébés.

Seigneur... Comment pourrait-elle jamais compenser tant de souffrances ? se demanda Dani, horrifiée.

— Je suis sûr qu'il y a un tas de gens qui aimeraient adopter une aussi jolie fille que toi, intervint Jack. Mais tu n'as plus à te tourmenter pour ça, puisque tu nous as, maintenant.

— Absolument, approuva Dani.

Elle scruta le visage de Holly, guettant sa réaction. Il aurait été compréhensible que la jeune fille les rejette et les rende responsables de toutes les épreuves qu'elle avait traversées.

— Asseyez-vous donc, mesdames, suggéra Jack, et faites connaissance. Nate et moi allons vous chercher à boire.

Holly demanda un Pepsi Light, et Dani l'imita. Elle n'avait pas soif, mais elle devinait que les deux frères voulaient leur laisser un moment d'intimité.

— C'est plus difficile que dans mes rêves, murmura Dani lorsqu'elles furent seules.

— Pour moi aussi, dit Holly.

— Tu rêvais de moi ?

— Tout le temps. Parfois, je me disais que tu étais une cantatrice célèbre qui voyageait partout dans le monde et qui n'avait pas pu se charger d'un bébé. Je regardais la chaîne consacrée aux opéras en me demandant si l'une de ces belles dames était ma mère... Je sais que ce n'est pas cool pour quelqu'un de mon âge, mais j'aime l'opéra, ajouta-t-elle avec un sourire timide.

— Comme ton grand-père Dupree. Il avait l'habitude de mettre des disques dans sa salle d'audience, juste assez fort pour que lui seul puisse entendre.

— Quel est son opéra préféré ?

— Hélas, je ne le sais pas.

— Est-ce qu'il va mourir cette nuit ?

— J'espère que non. Les médecins ont l'air optimistes.

Dani soupira en songeant aux années de bonheur dont son père les avait privées, Holly et elle.

— Asseyons-nous, dit-elle en entraînant sa fille vers le canapé.

Elles s'installèrent face à face, genou contre genou.

— Je suppose que Jack t'a plus ou moins expliqué les circonstances de ta naissance.

— Oui, il m'a dit à peu près tout. Que les adultes insistaient pour que tu m'abandonnes, que tu avais commencé par accepter, puis que tu avais décidé de me garder, si bien que ton père s'était arrangé pour que tu me croies morte.

— C'est ça, murmura Dani.

C'était étrange d'entendre résumer l'époque la plus traumatisante de sa vie en quelques mots concis.

— Évidemment, Jack n'a pu me donner que des faits. Mais ce que tu éprouvais, je le savais déjà, grâce à ta lettre.

La lettre ! Dani avait passé des journées à y réfléchir. Finalement, la veille de l'accouchement, elle l'avait rédigée d'une traite. Elle expliquait à l'enfant à naître qu'il avait été conçu dans l'amour et vivrait toujours dans le cœur de sa mère. Elle concluait en espérant qu'il comprendrait qu'il n'avait pas été abandonné mais confié par amour à des gens plus aptes qu'elle-même à le rendre heureux.

— C'est grâce à cette lettre que je t'ai retrouvée. Tu disais que tu avais grandi à Beau Soleil et qu'un jour, tu aimerais me montrer d'où je venais. Tu promettais de laisser tes coordonnées à l'organisme qui aide à réunir les enfants abandonnés et leurs parents naturels. Tu disais que toi-même, tu n'essaierais pas de me retrouver, de peur de bouleverser ma vie, mais que tu serais toujours là pour moi.

— C'est vrai, fit Dani, qui avait du mal à retenir ses larmes. J'ai donné cette lettre à l'assistante sociale pour qu'elle la transmette à tes parents adoptifs. Ensuite, j'ai supposé qu'on l'avait jetée.

Était-il possible qu'au fond de son cœur, elle n'ait jamais cessé de croire que sa fille était quelque part, bien vivante ? Était-ce pour cela que, chaque année, elle écrivait à sa fille ? De nouvelles larmes emplirent ses yeux. Aujourd'hui, elle allait pouvoir donner à sa fille ces lettres qu'elle avait crues inutiles.

— Eh bien, on ne l'a pas jetée. Je l'ai trouvée quand j'avais huit ans en fouillant dans un carton rangé dans la penderie de mes parents. J'avais toujours su que j'avais été adoptée, je n'ai donc pas été vraiment surprise. J'ignore pourquoi je l'ai volée, mais ensuite, j'ai été contente de l'avoir fait, car elle m'a permis de tenir bon durant les deux années que j'ai passées à l'orphelinat. J'avais hâte d'être majeure et de pouvoir m'adresser à l'organisme qui nous réunirait.

Dani bénit en son for intérieur l'assistante sociale qui, enfreignant les ordres du juge, n'avait pas jeté la lettre.

— Mais tu n'es pas majeure.

— Je sais, mais quand j'ai vu la photo de Beau Soleil dans le journal, je n'ai pas pu attendre plus longtemps.

— Tu t'es enfuie ?

— Oui, fit Holly en haussant ses épaules minces. Il y a quelques jours.

— Où habitais-tu ?

— Près de San Diego.

— C'est très loin. Comment es-tu venue jusqu'ici ?

— J'ai fait du stop jusqu'à Yuma, en Arizona. Ensuite, j'ai pris le car.

Le sang de Dani se glaça à l'idée que sa jeune et vulnérable fille avait fait du stop.

— C'est horriblement dangereux, protesta-t-elle d'un ton sévère qu'elle avait rarement utilisé avec Matt. Je ne veux plus que tu fasses du stop. Plus jamais.

L'éclat de rire de Holly la surprit.

— Oui, maman... J'ai toujours l'ours en peluche, tu sais. On l'a rembourré deux fois. Ma mère disait que c'était mon jouet préféré quand j'étais bébé.

Un autre souvenir surgit dans l'esprit de Dani. Elle avait acheté cet ours dans une boutique de jouets, lors de l'une de ses rares sorties.

— Ça me touche beaucoup, murmura-t-elle d'une voix étranglée par l'émotion.

Était-il possible que tout se passe aussi facilement ? se demanda-t-elle soudain.

— Je veux que tu saches que si tu m'en as voulu, si tu m'en veux encore, je peux le comprendre, reprit-elle.

— Non. Tu as fait ce qu'il fallait, dit Holly d'un ton plus grave. Mes parents étaient merveilleux. Nous avons été très heureux ensemble. Je ne suis pas sûre que je t'aurais contactée s'ils n'étaient pas morts.

— Je comprends, dit Dani, heureuse que sa fille ait connu quelques années de bonheur.

— Mais depuis qu'ils sont morts et que j'ai dû vivre chez oncle Phil et tante Sara, je n'ai plus pensé qu'au jour où je te retrouverais, dit Holly, dont les yeux brillaient de larmes. C'est encore mieux que dans mes rêves, car je n'avais pas imaginé que je retrouverais en même temps mon père et ma mère.

— C'est dû à un étrange concours de circonstances, commenta Dani en songeant aux divers événements qui les avaient ramenés, Jack et elle, à Blue Bayou.

— Oui. Jack m'a parlé du piano.

À la voix de Holly, Dani devina qu'elle contenait un fou rire. La chute du Steinway étant la ficelle la plus étrange sur laquelle le destin avait tiré, Dani ne put s'empêcher de sourire.

— On dirait que Jack et toi avez longuement parlé.

— Depuis mon arrivée, on n'a pas arrêté. Enfin, sauf quand il est allé te prévenir.

Dani examina le visage de sa fille et n'y vit aucun signe d'inquiétude. Visiblement, Jack ne lui avait rien dit de leurs propres problèmes.

— Il est merveilleux, soupira Holly.

— C'est un point que je ne contesterai pas.

— Je lui ai demandé s'il t'aimait. Il m'a répondu qu'il t'avait toujours aimée.

— Tant mieux, parce que c'est réciproque.

— Et vous allez vous marier ?

— Il ne m'a pas encore demandé de l'épouser.

— Il va le faire, déclara Holly avec assurance. Et s'il ne le fait pas, fais-le, toi.

— Quel âge as-tu donc ? s'écria Dani, un peu étonnée. Si je sais compter, tu n'as pas encore treize ans.

— Tout le monde dit que je suis très mûre pour mon âge.

Était-ce grâce à cette maturité qu'elle avait pu surmonter la perte de parents aimants, la rupture d'un autre foyer et la vie dans un orphelinat ? se demanda Dani. Ou bien étaient-ce ces événements qui l'avaient fait mûrir trop vite ?

Une infirmière entra dans la salle d'attente, suivie de Jack et de Nate, qui apportaient les boissons.

— Le juge est réveillé et désire vous voir, madame Dupree. Mais le Dr Ancelet vous demande de ne pas rester plus de cinq minutes.

— Je reviens tout de suite, dit Dani en embrassant sa fille, geste qui lui parut merveilleusement naturel.

— Je ne bouge pas, répondit Holly.

— Ce sont les plus beaux mots que j'aie jamais entendus, dit Dani en lui caressant la joue.

27

Le cœur de Dani, qui planait en pleine euphorie, subit une chute brutale lorsqu'elle vit son père englouti dans le lit d'hôpital, le teint terreux, les yeux clos, les mains inertes, le crâne partiellement chauve.

Malgré sa maladie, elle avait oublié son âge, tant il avait une forte personnalité. Oh, elle savait bien qu'il s'était marié tard et approchait des quatre-vingts ans – ce qui, aujourd'hui, n'était plus synonyme de mort imminente, grâce aux miracles technologiques tels que celui qui fonctionnait dans la poitrine du juge. Malheureusement, toutes ces années se voyaient sur son visage.

Elle tira une chaise en plastique vert près du lit, s'assit et prit une des mains tachetées de brun dans les siennes.

Il ouvrit des yeux étonnamment vifs.

— Bonsoir, papa, dit-elle en serrant les doigts fragiles. Tu nous as flanqué une sacrée frousse.

— On m'a dit que tu m'avais fait un massage cardiaque, dit-il d'une voix rauque mais nette. Tu m'as sans doute sauvé la vie.

— C'est excessif.

— Peut-être que oui, peut-être que non.

Il l'examina attentivement, et durant un long moment, on n'entendit plus que le bip-bip du moniteur et le sifflement ténu de l'oxygène que le tuyau nasal apportait à son organisme.

— Pourquoi ne m'as-tu pas laissé mourir ?

— Ne sois pas ridicule. Tu es mon père.

— Pas un père exemplaire, murmura-t-il.

Elle haussa les épaules. En cette journée de miracles, la rancœur n'était pas de mise.

— Ce n'est pas facile d'être parent. Nous commettons tous des erreurs.

— Tu l'as vue ? Ta fille ?

— Oui. Elle s'appelle Holly. Et elle est merveilleuse. Douce, jolie, dégourdie...

Au souvenir du trajet en auto-stop, Dani fronça les sourcils et s'empressa d'enchaîner :

— J'ai hâte que tu la voies.

— Elle sait ce que j'ai fait ?

— Oui. Mais elle n'est pas amère, comme on aurait pu le craindre. Tout va s'arranger, papa. Si tu le veux bien. Nous allons former une vraie famille, Jack, Matt, Holly et moi, et nous aimerions que tu en fasses partie.

Peu importait que Jack ne lui ait pas encore parlé mariage. On leur avait déjà volé trop d'années de bonheur pour qu'elle se soucie de ce qui, elle en était sûre, n'était qu'un détail qui serait vite réglé.

— Je me marierai à Beau Soleil, déclara-t-elle. Et je veux que tu sois là.

— Alors, tu ferais bien de te dépêcher, dit-il. Parce que je peux m'en aller d'un jour à l'autre.

— Non, tu n'en feras rien, car, pendant que je me rongeais les sangs pour toi, on t'a mis un ordinateur dans la poitrine, et je ne te laisserai pas filer avant des années et des années.

— On ne t'a jamais reproché d'être trop autoritaire ? demanda-t-il sans animosité.

— J'imagine que je tiens de mon père. Alors, autant que tu t'y habitues... Malgré ce que tu as fait, je t'aime toujours et, s'il y a une chose que ces deux dernières années m'ont enseignée, c'est que la vie est trop précieuse pour qu'on la gaspille en ressentiments.

Elle s'inclina, embrassa la joue parcheminée du juge, puis, comme l'infirmière venait lui annoncer que les cinq minutes étaient écoulées, elle se leva.

Dani serra la main de son père. Il la serra à son tour, ce qui la rassura. Elle atteignait la porte lorsqu'elle l'entendit l'appeler d'une voix râpeuse.

— Oui, papa ? fit-elle en se retournant.

— Je suis sacrément fier de la femme que tu es devenue, Danielle. Tes enfants ont de la chance de t'avoir. Jack a de la chance. Et moi aussi.

Le sourire de Dani exprima toute la joie qu'elle éprouvait.

— Merci, papa.

Jack était seul lorsqu'elle retourna dans la salle d'attente.

— Où sont-ils partis ?

— Nate a emmené Holly dîner à la cafétéria. Cette enfant a un appétit qui fait honte à Mev'là.

— Heureusement pour elle, son papa est un grand cuisinier.

— Comment va le juge ?

— Il a l'air de se remettre, et l'infirmière à qui je viens de parler affirme que le pronostic est bon.

— Encore une bonne nouvelle !

— Oui, fit-elle. Et il m'a dit qu'il avait de la chance de m'avoir.

— Il était temps qu'il s'en rende compte.

Jack s'interrompit. Jamais, de toute sa vie, il ne s'était senti aussi nerveux.

— Tu te rappelles que je t'ai dit que je pensais à toi en Colombie ?

Pourquoi les mots restaient-ils enfermés dans sa gorge ? « Tu devrais engager un nègre, Callahan », songea-t-il.

— Bien sûr. C'était la nuit où tu étais en planque avec ton équipier.

— Oui. En fait, il y a eu beaucoup d'autres nuits durant lesquelles j'ai pensé à toi. Et depuis que tu es revenue à Blue Bayou, je ne parviens pas à te sortir de ma tête. Sais-tu à quelle conclusion je suis arrivé ?

— Non. Laquelle ?

Elle retint son souffle. Jack semblait lui aussi avoir du mal à respirer.

— Ce n'est pas parce que ton mari était un crétin et qu'il a couché avec son assistante que ton mariage s'est brisé. Tu aurais divorcé, quel que soit l'homme que tu aurais épousé.

— Je ne sais pas comment je dois prendre ça.

— Je ne dis pas ça pour te vexer. Il en aurait été de même pour moi si je m'étais marié. Je n'aurais pas pu être heureux, car je n'aurais jamais cessé de te regretter. De même que tu n'as cessé de me regretter durant ton mariage.

— C'est vrai.

— Parfait. J'accepte d'attendre que le juge soit sorti d'ici pour l'annoncer officiellement, mais sache dès aujourd'hui que je veux t'épouser, Danielle. J'ai envie que nous formions une vraie famille, avec Holly, Matt, et peut-être un ou deux autres bébés, et que tous nos enfants grandissent à Beau Soleil. Je gagne assez d'argent pour nous faire vivre agréablement, mais si tu tiens à garder ton boulot à la bibliothèque, ça me convient tout à fait.

— Je le garderais volontiers, mais avec les enfants…

— Pas de problème ! coupa-t-il. Grâce à Hollywood, tu as un mari fortuné qui pourra embaucher toutes les nounous nécessaires. T'ai-je dit que j'avais vendu les droits cinématographiques de mon cinquième roman ?

— Je ne savais pas que tu avais fini le quatrième.

— Il n'est pas fini, avoua-t-il en s'approchant d'elle. Mon héros attend que la fille du trafiquant de drogue lui dise qu'elle l'aime. Qu'en penses-tu, *très chère* ? Elle l'aime ? Ou elle ne l'aime pas ?

— Elle l'aime, affirma Dani en levant la main pour caresser le visage de Jack. De tout son cœur.

Avec un grand soupir de soulagement, Jack la prit dans ses bras.

— Alors, tu vas m'épouser ? Dès que possible ?

Un grand sourire s'épanouit sur le visage de Dani. Ses yeux étaient humides et brillants, mais Jack savait que, cette fois-ci, c'étaient des larmes de bonheur.

— Je commençais à croire que tu ne me poserais jamais la question, murmura-t-elle.

Découvrez les prochaines nouveautés de la collection

Amour et Destin

Des histoires d'amour riches en émotions déclinées en trois genres :

Intrigue ***Romance d'aujourd'hui*** ***Comédie***

Le 1er février *Romance d'aujourd'hui*

À l'aube d'une vie nouvelle

de Julie Ortolon (n° 7526)

Rory est folle de joie. Elle va pouvoir réaliser le rêve de sa vie : racheter une vieille demeure familiale afin de la rénover en un charmant hôtel. Mais d'abord, pour son prêt, elle doit demander de l'aide au banquier, Oliver. Oliver, dont la vie parfaitement orchestrée englobe une carrière au sein de la banque familiale et une future épouse... Mais tout cet équilibre est remis en cause par le trouble que provoque chez lui la jolie Rory...

Le 9 février *Intrigue*

Le disparu de Tijuana

de Linda Howard (n° 7527)

Mexique. Milla, jeune maman, se promène au marché local lorsque deux hommes lui arrachent des bras Justin, son bébé. Dix ans plus tard, Milla divorce : son couple n'a pas survécu au terrible enlèvement. Elle ne renonce pas à retrouver la trace de son petit garçon et se bat chaque jour au sein de l'association qu'elle a fondée, en charge d'aider les parents victimes de kidnapping. Un jour, Milla détient enfin une piste. Elle se lance à la poursuite d'un homme borgne qui serait un pivot de l'organisation. Mais elle n'est pas la seule à s'intéresser à cet homme. Un certain Diaz, dont elle ne sait rien, l'accompagne dans ses recherches...

Le 24 février *Comédie*

Rosie change de vie

de Catherine Alliott (n° 7528)

Ce soir, le dîner chez les Boffington-Clarke a été encore plus barbant que d'habitude. Des gens si chics, qui passent leur temps à chasser la bécasse et à organiser des tournois de bridge... Bref, une soirée ennuyeuse à mourir. Bien entendu, Harry, mon mari, est rentré complètement saoul. Et, après avoir flirté ouvertement avec la baby-sitter, il s'est écroulé comme une masse. Trop, c'est trop ! J'ai su à cet instant que je ne pouvais plus supporter cet homme. Que mon mariage était terminé. J'allais divorcer !

Ce mois-ci, retrouvez également
les titres de la collection

Aventures et Passions

Le 3 janvier

Le marié maudit

de Jacquie D'Alessandro (n° 7493)

Angleterre, XVIIIe siècle. La jeune et belle marieuse Meredith Chilton-Grizedale est chargée de trouver la femme idéale au futur comte Philip Whitemore. Ce mariage sera celui de l'année et assurera sa réputation. Mais la jeune femme rencontre un problème des plus épineux puisqu'une terrible malédiction pèse sur Philip : sa future femme décèdera deux jours après leur mariage. Meredith est effondrée, d'autant qu'elle est attirée par ce séduisant héritier. Pour vivre leur passion, il leur faudrait rompre le sortilège...

Le 10 janvier

Dans les bras d'un Yankee

de Shirl Henke (n° 7494)

Angleterre, XVIIIe siècle. Rachel Fairchild, jeune femme indépendante, est furieuse d'apprendre que son père a consenti à son mariage avec un parfait inconnu. Son futur époux n'est autre que leur nouveau voisin, Jason Beaumont, qu'elle trouve particulièrement arrogant. Cet Américain, ayant récemment hérité d'un titre de comte, n'aspire pas davantage à se marier. Aussi, pour déjouer les projets de leurs familles, Jason et Rachel décident de concocter un plan afin d'éviter cette imminente alliance.

Le 24 janvier

La promesse de Charity

de Linda Lael Miller (n° 7495)

États-Unis, XIXe siècle. Elle était l'unique enfant du *rancher* le plus riche et le plus puissant de la région. Il était le fils d'un alcoolique et d'un incapable. Quand Luke Shardlow, âgé de onze ans, sauve Charity, huit ans, de la noyade, elle lui accorde un souhait. Quinze ans plus tard, Charity et Luke se rencontrent à nouveau, mais un gouffre les sépare. Pour sauver son père, Charity choisit d'épouser Luke, qui accepte à la seule condition de diriger ses affaires à son aise...

ainsi que les titres de la collection

Escale Romance

De nouveaux horizons pour plus d'émotion

Le 3 janvier
Un piano sur l'Amazone
de Nina Roma (n° 7515)
Mathilde, jeune biologiste du CNRS, est membre d'une équipe scientifique internationale, chargée d'étudier la forêt amazonienne. Abasourdie, elle apprend l'implantation imminente, au cœur de la jungle, d'une multinationale à la recherche de filons d'or. Tout ce pour quoi elle se bat sera bientôt détruit. Au côté d'Arturo, marginal défenseur de la cause indienne, Mathilde mènera le grand combat pour sauver la nature, les indigènes... et imposer son amour pour cet homme hors du commun.

7490

Composition Nord Compo
Achevé d'imprimer en France (La Flèche)
par Brodard et Taupin
le 03 décembre 2004. 27179
Dépôt légal décembre 2004. ISBN 2-290-34300-5

Éditions J'ai lu
84, rue de Grenelle, 75007 Paris
Diffusion France et étranger : Flammarion